圓方出版社

蘇民峰 長髮，生於一九六〇年，人稱現代賴布衣，對風水命理等術數有獨特之個人見解。憑着天賦之聰敏及與術數的緣分，對於風水命理之判斷既快且準，往往一針見血，疑難盡釋。

以下是蘇民峰這三十多年之簡介：

八三年 開始業餘性質會客以汲取實際經驗。

八六年 正式開班施教，包括面相、掌相及八字命理。

八七年 毅然拋開一切，隻身前往西藏達半年之久。期間曾遊歷西藏佛教聖地「神山」、「聖湖」，並深入西藏各處作實地體驗，對日後人生之看法實跨進一大步。回港後開設多間店舖（石頭店），售賣西藏密教法器及日常用品予有緣人士，又於店內以半職業形式為各界人士看風水命理。

八八年 夏天受聘往北歐勘察風水，足跡遍達瑞典、挪威、丹麥及南歐之西班牙，回港後再受聘往加拿大等地勘察。同年接受《繽紛雜誌》訪問。

八九年 再度前往美加，為當地華人服務，期間更多次前往新加坡、日本、台灣等地。同年接受《城市周刊》訪問。

九〇年 夏冬兩次前往美加勘察，更多次前往台灣，又接受台灣之《翡翠雜誌》、《生活報》等多本雜誌訪問。同年授予三名入室弟子蘇派風水。

九一年 續去美加、台灣勘察。是年接受《快報》、亞洲電視及英國 BBC 國家電視台訪問。所有訪問皆詳述風水命理對人生的影響，目的為使讀者及觀眾能以正確態度去面對人生。同年又出版了「現代賴布衣手記之風水入門」錄影帶，以滿足對風水命理有研究興趣之讀者。

九二年 續去美加及東南亞各地勘察風水，同年BBC之訪問於英文電視台及衛星電視「出位旅程」播出。此年正式開班教授蘇派風水。

九四年 首次前往南半球之澳洲勘察，研究澳洲計算八字的方法與北半球是否不同。同年接受兩本玄學雜誌《奇聞》及《傳奇》之訪問。是年創出寒熱命論。

九五年 再度發行「風水入門」之錄影帶。同年接受《星島日報》及《星島晚報》之訪問。

九六年 受聘前往澳洲、三藩市、夏威夷、台灣及東南亞等地勘察風水。同年接受《凸周刊》、《壹本便利》、《優閣雜誌》及美聯社、英國MTV電視節目之訪問。是年正式將寒熱命論授予學生。

九七年 首次前往南非勘察當地風水形勢。同年接受日本NHK電視台、丹麥電視台、《置業家居》、《投資理財》及《成報》之訪問。同年創出風水之五行化動土局。

九八年 首次前往意大利及英國勘察。同年接受《TVB周刊》、《B International》、《壹週刊》等雜誌之訪問，並應邀前往有線電視、新城電台、商業電台作嘉賓。

九九年 再次前往歐洲勘察，同年接受《壹週刊》、《東周刊》、《太陽報》及無數雜誌、報章訪問，同時應邀往商台及各大電視台作嘉賓及主持。此年推出首部著作，名為《蘇民峰觀相知人》，並首次推出風水鑽飾之「五行之飾」、「陰陽」、「天圓地方」系列，另多次接受雜誌進行有關鑽飾系列之訪問。

二千年 再次前往歐洲、美國勘察風水，並首次前往紐約，同年masterso.com網站正式成立，並接受多本雜誌訪問關於網站之內容形式，及接受校園雜誌《Varsity》、日本之《Marie Claire》、復康力量出版之《香港100個叻人》、《君子》、《明報》等雜誌報章作個人訪問。同年首次推出第一部風水著作《蘇民峰風生水起（巒頭篇）》、第一部流年運程書《蛇年運程》及再次推出新一系列關於風水之五行鑽飾，並應無線電視、商業電台、新城電台作嘉賓主持。

○一年　再次前往歐洲勘察風水，同年接受《南華早報》、《忽然一周》、《蘋果日報》、日本雜誌《花時間》、NHK電視台、關西電視台及《讀賣新聞》之訪問，以及應紐約華語電台邀請作玄學節目嘉賓主持。同年再次推出第二部風水著作《蘇民峰風生水起（理氣篇）》及《馬年運程》。

○二年　再一次前往歐洲及紐約勘察風水。續應紐約華語電台邀請作玄學節目嘉賓主持，及應邀往香港電台作嘉賓主持並接受《3週刊》、《家週刊》、《快週刊》及日本的《讀賣新聞》之訪問。是年出版《蘇民峰玄學錦囊（相掌篇）》、《蘇民峰八字論命》、《蘇民峰玄學錦囊（姓名篇）》。

○三年　再次前往歐洲勘察風水，並首次前往荷蘭，續應紐約華語電台邀請作玄學節目嘉賓主持。同年接受《星島日報》、《東方日報》、《成報》、《太陽報》、《壹週刊》、《壹本便利》、《蘋果日報》、《新假期》、《文匯報》、《自主空間》之訪問，及出版《蘇民峰玄學錦囊（風水天書）》與漫畫《蘇民峰傳奇1》、《蘇民峰風生水起（例證篇）》。

○四年　再次前往西班牙、荷蘭、歐洲勘察風水，續應紐約華語電台邀請作風水節目嘉賓主持，及應有線電視、華娛電視之邀請作其節目嘉賓，同年接受《新假期》、《MAXIM》、《壹週刊》、《太陽報》、《東方日報》、《星島日報》、《成報》、《經濟日報》、《快週刊》、《Hong Kong Tatler》之訪問，及出版《蘇民峰之生活玄機點滴》、漫畫《蘇民峰傳奇2》、《家宅風水基本法》、

《The Essential Face Reading》、《The Enjoyment of Face Reading and Palmistry》、《Feng Shui by Observation》及《Feng Shui — A Guide to Daily Applications》。

〇五年始　應邀為無線電視、有線電視、亞洲電視、商業電台、日本NHK電視台作嘉賓或主持，同時接受《壹本便利》、《味道雜誌》、《3週刊》、《HMC》雜誌、《壹週刊》之訪問，並出版《觀掌知心（入門篇）》、《中國掌相》、《八字萬年曆》、《八字入門捉用神》、《八字進階論格局看行運》、《生活風水點滴》、《風生水起（商業篇）》、《如何選擇風水屋》、《談情說相》、《峰狂遊世界》、《瘋蘇Blog Blog趣》、《師傅開飯》、《蘇民峰美食遊蹤》、《蘇民峰‧Lilian蜜蜜煮》、《A Complete Guide to Feng Shui》、《Practical Face Reading & Palmistry》、《Feng Shui — a Key to Prosperous Business》、五行化動土局套裝、《相學全集一至四》、《八字秘法（全集）》、《簡易改名法》、《八字筆記（全集）》、《蘇語錄與實用面相》、《中國掌相》、《風水謬誤與基本知識》。

蘇民峰顧問有限公司

網址：http://www.masterso.com

預約及會客時間：星期一至五下午二時至五時）

第一章：牛年概論

第二章：牛年地運預測

第三章：牛年風水佈局

第四章：牛年生肖運程

第五章：吉日一覽

第六章：牛年通勝

第一章

牛年概論

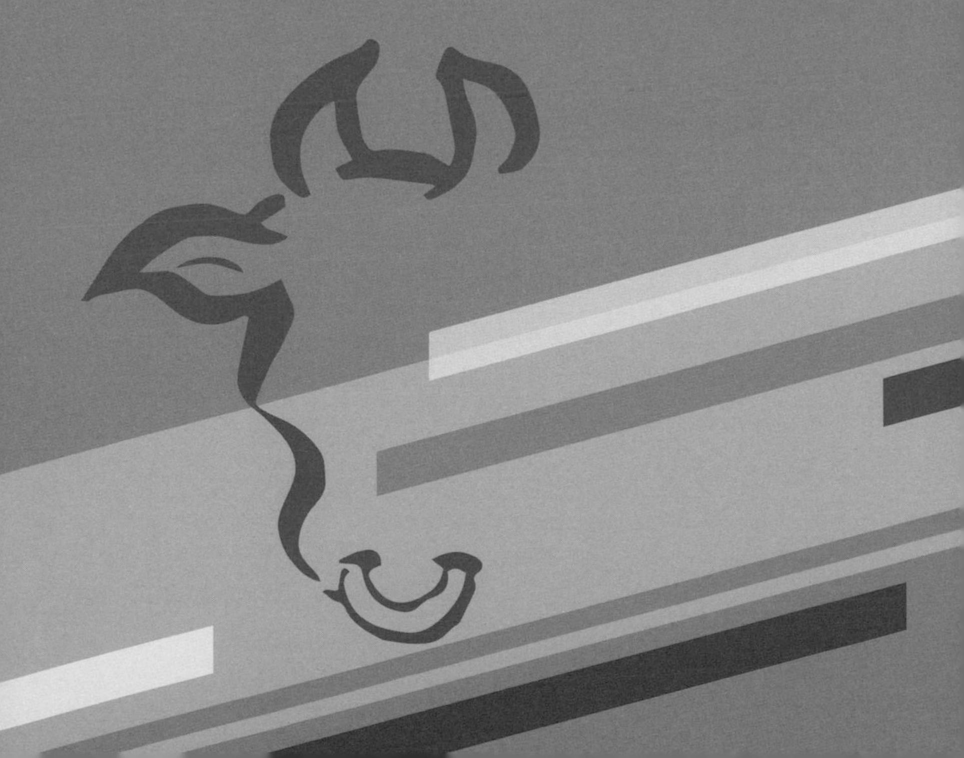

肖牛者出生時間

1925年2月4日16時22分至1926年2月4日22時14分
1937年2月4日13時26分至1938年2月4日19時16分
1949年2月4日11時30分至1950年2月4日17時22分
1961年2月4日9時26分至1962年2月4日15時16分
1973年2月4日7時20分至1974年2月4日13時03分
1985年2月4日5時09分至1986年2月4日11時14分
1997年2月4日3時0分至1998年2月4日8時47分
2009年2月4日0時45分至2010年2月4日6時42分
2021年2月3日23時05分至2022年2月4日4時57分

肖虎者出生時間

1926年2月4日22時14分至1927年2月5日3時34分
1938年2月4日19時16分至1939年2月5日1時22分
1950年2月4日17時22分至1951年2月4日23時12分
1962年2月4日15時16分至1963年2月4日21時08分
1974年2月4日13時03分至1975年2月4日18時52分
1986年2月4日11時14分至1987年2月4日16時51分
1998年2月4日8時47分至1999年2月4日14時42分
2010年2月4日6時42分至2011年2月4日12時38分
2022年2月4日4時57分至2023年2月4日10時47分

肖兔者出生時間

1927年2月5日3時34分至1928年2月5日9時15分
1939年2月5日1時22分至1940年2月5日7時03分
1951年2月4日23時12分至1952年2月5日4時59分
1963年2月4日21時08分至1964年2月5日3時06分
1975年2月4日18時52分至1976年2月5日0時44分
1987年2月4日16時51分至1988年2月4日22時52分
1999年2月4日14時42分至2000年2月4日20時31分
2011年2月4日12時38分至2012年2月4日18時30分

出生時間

肖龍者出生時間

1928年2月5日9時15分至1929年2月4日15時19分
1940年2月5日7時03分至1941年2月4日12時53分
1952年2月5日4時59分至1953年2月4日10時49分
1964年2月5日3時06分至1965年2月4日8時49分
1976年2月5日0時44分至1977年2月4日6時37分
1988年2月4日22時52分至1989年2月4日4時35分
2000年2月4日20時31分至2001年2月4日2時21分
2012年2月4日18時30分至2013年2月4日0時17分

肖蛇者出生時間

1929年2月4日15時19分至1930年2月4日20時59分
1941年2月4日12時53分至1942年2月4日18時46分
1953年2月4日10時49分至1954年2月4日16時39分
1965年2月4日8時49分至1966年2月4日14時45分
1977年2月4日6時37分至1978年2月4日12時14分
1989年2月4日4時35分至1990年2月4日10時10分
2001年2月4日2時21分至2002年2月4日8時10分
2013年2月4日0時17分至2014年2月4日6時03分

肖馬者出生時間

1930年2月4日20時59分至1931年2月5日2時41分
1942年2月4日18時46分至1943年2月5日0時41分
1954年2月4日16時39分至1955年2月4日22時18分
1966年2月4日14時45分至1967年2月4日20時24分
1978年2月4日12時14分至1979年2月4日18時13分
1990年2月4日10時10分至1991年2月4日16時19分
2002年2月4日8時10分至2003年2月4日14時02分
2014年2月4日6時03分至2015年2月4日11時58分

肖羊者出生時間

1931年2月5日2時41分至1932年2月5日8時26分
1943年2月5日0時41分至1944年2月5日6時22分
1955年2月4日22時18分至1956年2月5日4時10分
1967年2月4日20時24分至1968年2月5日2時17分
1979年2月4日18時13分至1980年2月5日0時11分
1991年2月4日16時19分至1992年2月4日21時53分
2003年2月4日14時02分至2004年2月4日19時51分
2015年2月4日11時58分至2016年2月4日17時53分

肖猴者出生時間

1932年2月5日8時26分至1933年2月4日14時55分
1944年2月5日6時22分至1945年2月4日12時16分
1956年2月5日4時10分至1957年2月4日9時58分
1968年2月5日2時17分至1969年2月4日8時09分
1980年2月5日0時11分至1981年2月4日6時01分
1992年2月4日21時53分至1993年2月4日3時40分
2004年2月4日19時51分至2005年2月4日1時29分
2016年2月4日17時53分至2017年2月3日23時48分

肖雞者出生時間

1933年2月4日14時55分至1934年2月4日20時04分
1945年2月4日12時16分至1946年2月4日18時11分
1957年2月4日9時58分至1958年2月4日15時56分
1969年2月4日8時09分至1970年2月4日13時33分
1981年2月4日6時01分至1982年2月4日11時52分
1993年2月4日3時40分至1994年2月4日9時30分
2005年2月4日1時29分至2006年2月4日7時23分
2017年2月3日23時48分至2018年2月4日5時41分

十二生肖

肖狗者出生時間

1922年2月4日22時22分至1923年2月5日3時58分
1934年2月4日20時04分至1935年2月5日2時54分
1946年2月4日18時11分至1947年2月4日23時58分
1958年2月4日15時56分至1959年2月4日21時46分
1970年2月4日13時33分至1971年2月4日19時32分
1982年2月4日11時52分至1983年2月4日17時45分
1994年2月4日9時30分至1995年2月4日15時23分
2006年2月4日7時23分至2007年2月4日13時12分
2018年2月4日5時41分至2019年2月4日11時31分

肖豬者出生時間

1923年2月5日3時58分至1924年2月5日9時57分
1935年2月5日2時54分至1936年2月5日7時39分
1947年2月4日23時58分至1948年2月5日5時49分
1959年2月4日21時46分至1960年2月5日3時24分
1971年2月4日19時32分至1972年2月5日1時28分
1983年2月4日17時45分至1984年2月4日23時29分
1995年2月4日15時23分至1996年2月4日21時13分
2007年2月4日13時12分至2008年2月4日19時0分
2019年2月4日11時31分至2020年2月4日17時22分

肖鼠者出生時間

1924年2月5日9時57分至1925年2月4日16時22分
1936年2月5日7時39分至1937年2月4日13時26分
1948年2月5日5時49分至1949年2月4日11時30分
1960年2月5日3時24分至1961年2月4日9時26分
1972年2月5日1時28分至1973年2月4日7時20分
1984年2月4月23時29分至1985年2月4日5時09分
1996年2月4日21時13分至1997年2月4日3時0分
2008年2月4日19時0分至2009年2月4日0時45分
2020年2月4日17時22分至2021年2月3日23時05分

牛年運程特別注意事項

三煞位

今年三煞位在**正東**，而三煞位最忌者為動土，如室外或室內正東位動土，亦為犯正三煞，容易引致人口損傷。室外三煞位動土，可用五行化動土局化解。如室內三煞位必須動土，就應由東北或東南方開始動土，然後再向東方，這樣可減少動土所帶來的災害。

太歲方

今年太歲在**東北**，太歲方不宜動土，否則會引致人口不和，易生疾病，其化解方法與三煞位動土相同，由正北或正東先動，然後慢慢移向東北。

沖太歲方

今年**西南**為沖太歲方，亦不宜動土，如要動土則要先由左右兩方開始。

五黃方

今年五黃方在**東南**。如大門、廚房、睡房在東南則易生疾病，五黃大病位尤其不利男性，特別容易引起喉嚨、氣管及骨痛等毛病，其次是腸胃問題。又五黃方不宜動土，唯恐動旺死符，引致疾病連連。如必要動土，亦宜在外圍開始先動，然後慢慢移向東南位置，這樣可減輕動土帶來的影響。

五黃方在大門 可用灰色地氈，並在地氈底放一片銅片化解。如疾病依然，可在大門旁加音樂盒及掛一風鈴於門內化解。

五黃方在廚房 最為嚴重，因五黃屬土，廚房屬火，火生土旺，生旺五黃而病重。如要化解，可在廚房灶旁放音樂盒，廚櫃門掛銅鈴，廚房門口放灰色地氈及銅片化解；亦可多放一點水在廚房內以制火。

五黃方在睡房

化解方法與前兩者一樣。又因今年五黃在東南，所以要盡量避免在室內此方裝修動土，但未入伙的房子則不在此限。

二黑方

今年二黑位在**正北**，而二黑位最不利女主人，容易引致腹部、腸胃疾病，其次是氣管，尤其對年長女士不利，其化解方法與五黃方相同。又二黑之動土亦會生旺病符，如要動土，亦要由外圍開始，然後動至正北。

肖牛犯太歲

今年肖牛犯太歲，犯太歲者心情不佳，人事不和。十二歲犯太歲者心情不定，情緒不穩。二十四歲犯太歲者易有感情變化、損傷、疾病，特別要注意腹部、腸胃等疾病及意外損傷，農曆六月及十二月為疾病損傷月，所以最好在此兩月去捐血或洗牙以應損傷；農曆十二月亦宜外遊化解，寒命人宜去東、南方；熱命人宜往西、北方，至於平命人則無所謂，任何方向皆可，但仍以西、北方較為有利。疾病方面，除了可以捐血化解，亦可在家居設置風水佈局，在全屋東北、西南放音樂盒化解。三十六歲及四十八歲犯太歲者則情緒不穩、悲觀，事事往壞處想，亦宜在農曆十二月外遊化解；農曆六月則宜捐血、洗牙化損傷。六十歲宜注意身體健康。如發現嘴唇暗黑、門牙已經脫落者，更要留意。又犯太歲之年易生變化，易見遷移、外出、結婚、分手或添丁等事，所謂「一喜擋三災，無喜心情壞」。

肖羊沖太歲

肖羊今年沖太歲，沖者動也，所以今年肖羊者容易有感情變化、事業變化、住屋變化，但變化本身無好壞可言，只不過是出現變化而已，要再配合命格才知道是變好還是變壞。寒命人今年宜守；熱命人則宜攻，新投資乃可在今年起步；平命人運程亦佳。又今年太歲牛屬土，而羊屬土，土土交戰，要特別注意腹部、腸胃疾病，又農曆六月及十二月要注意交通意外及損傷，可以捐血、洗牙，亦可在家居東北、西南放音樂盒化解。

肖狗刑太歲

刑者是非較多，人事不和。肖狗今年為太歲相刑年，是非必然較平常多，可在今年正南桃花位放一杯水，這必有助減免是非。

肖馬太歲相穿

雖然是非稍多，但並不嚴重，可在正南桃花位放水、西南是非位放粉紅色物件旺人緣、化是非。

（註：今年所有犯太歲的生肖，均可在家中東南方放一個蛇形擺設、正西方放一個雞形擺設化解。如相信佩戴飾物化解者，亦可佩戴一個鼠形鏈墜，但肖馬者則宜用雞形擺設及鏈墜。）

肖鼠太歲相合

合者人緣好，易得貴人扶助，故今年肖鼠為相合年，人緣必佳。

桃花生肖

肖虎

今年為紅鸞桃花年，而紅鸞為正桃花、好桃花。未有對象者宜把握機會；已有對象者則有婚嫁機會；已婚者宜多加注意，勿使其變成桃花劫而自找麻煩，應盡量利用桃花化為人緣，這樣對事業必然有幫助。

肖猴 今年為天喜桃花，而天喜亦是正桃花，只是力量沒有紅鸞那麼大，但其作用跟紅鸞一樣，故未婚者今年要把握機會；單身的你宜多些外出碰碰機會；即使已婚者亦可利用桃花化作人緣，這樣間接對事業亦有幫助。

肖馬 今年為咸池桃花生肖，咸池桃花為霧水情緣，易聚易散。此外，特別容易跟已經相識之人發生短暫情緣，但一般會一瞬即逝，要延過今年才可能穩定發展。

化桃花

如閣下已婚，又從事一些不常接觸陌生人的工作，則桃花對你根本無用，可以化解。

肖虎 可在家中正南放紅色物件化解。

肖猴 可在家中正北放一杯水化解。

肖馬 可在家中東北放一盆濕沙。

牛年出生人士運程及改名宜忌

牛年是由西曆二〇二一年二月三日下午十一時零五分立春開始至二〇二二年二月四日上午四時五十七分立春前止。

生於一月（西曆二月三日下午十一時零五分至三月五日下午五時零二分）

命帶桃花，早年人緣佳，尤其是十七至三十五歲。

男命一生行運平穩，宜專業或穩定性工作，晚年安樂。

女命一生行運較佳，五十年大運，尤以二十多歲至五十歲之間最佳。

不論男命、女命，命皆喜木、火。

床頭宜東、南、東南、西南。

顏色宜青、綠、紅、橙、紫。

名字宜用木、火發音之字。（可買改名書參考，如《蘇民峰玄學錦囊（姓名篇）》，屬木之字用牙發音，如浩、倪、綺、彥等字。屬火之字用舌發音，如利、李、刀、彤、丁、亭、朗等。）

生於二月（西曆三月五日下午五時零二分至四月四日下午九時五十九分）

男命一生行運較佳，十多歲行運至七十多歲，然亦為平穩向上之命，不會大上大落。

女命一生平穩，宜專業或在大機構工作，四十五歲後運較佳，晚年安樂。

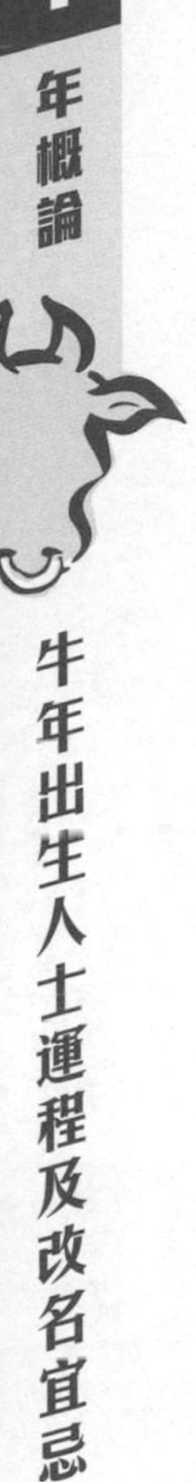

命中五行皆可用，然以金、水較佳。
床頭宜西、北、西北、東北。
顏色宜白、金、銀、黑、灰、藍。
名字宜屬金、水之字。（齒發音之字屬金，如心、芮、承、菁等。口唇發音之字屬水，如月、明、美、貝、芬等。）

生於三月（西曆四月四日下午九時五十九分至五月五日下午三時二十五分）

男命二十多歲入大運，六十年大運，一生漸入佳境。
女命三十多歲前平穩，三十多歲後運程漸佳，有二十年大運，晚年安樂。
命中五行皆可用，然以金、水較佳。
床頭宜西、北、西北、東北。
顏色宜白、金、銀、黑、灰、藍。
名字宜屬金、水之字。

生於四月（西曆五月五日下午三時二十五分至六月五日下午七時四十一分）

男命三十多歲入運至六十多歲，宜把握機會，六十多歲後可退守，到七十多歲後再有二十年運，晚年安樂。

女命二十多歲入運至四十多歲，然後稍遜，至五十多歲後再行三十年大運，晚運亨通。

命中五行喜金、水。

床頭宜西、北、西北、東北。

顏色宜白、金、銀、黑、灰、藍。

名字宜屬金、水之字。

生於五月（西曆六月五日下午七時四十一分至七月七日上午五時五十九分）

命帶桃花，早年人緣佳，尤其是三十五歲前。

男命四十歲前平平，四十多歲後開始入運。三十年大運，漸入佳境。

女命十多歲入運至七十多歲，尤其四十多歲至七十多歲為大突破。

命中五行喜金、水。

床頭宜西、北、西北、東北。

顏色宜白、金、銀、黑、灰、藍。

名字宜用屬金、水之字。

生於六月（西曆七月七日上午五時五十九分至八月七日下午三時四十九分）

年月相沖，易自少離家外出求學，少年時父母性情不合。
男命一生行運平穩，宜專業或在大機構發展，五十歲後入大運多為退休，安享晚年。
女命十歲入運至七十歲，一生漸入佳境，三十五歲後更佳，宜把握機會。
子女運佳。
命中五行喜金、水。
床頭宜西、北、西北、東北。
顏色宜白、金、銀、黑、灰、藍。
名字宜屬金、水之字。

生於七月（西曆八月七日下午三時四十九分至九月七日下午六時三十四分）

命帶桃花，早年人緣佳，尤其是十七至三十五歲。
男命一生行運較佳，六十年大運，一生漸入佳境，尤其四十五歲後更佳。
女命一生平穩，宜專業或在大機構發展。
命中五行喜木、火。
床頭宜東、南、東南、西南。
顏色宜青、綠、紅、橙、紫。
名字宜屬木、火之字。

生於八月（西曆九月七日下午六時三十四分至十月八日上午十時零四分）

男命十多歲入大運至七十多歲，一生漸入佳境，然以四十五歲前最佳。

女命早年平穩，四十多歲入大運至六十多歲，中年以後可發展。

命中五行喜木、火。

床頭宜東、南、東南、西南。

顏色宜青、綠、紅、橙、紫。

名字宜用屬木、火之字。

生於九月（西曆十月八日上午十時零四分至十一月七日下午一時十分）

年月相刑，易自少離家，外出求學。父母早年性情不合。

男命二十多歲入大運至五十多歲，五十多歲至六十多歲稍停，六十多歲後的二十年運氣亦佳。

女命三十多歲入大運至五十多歲，宜把握機會，五十多歲至六十多歲稍停，然後再行三十年運，晚年安樂。

命中五行喜木、火。

床頭宜東、南、東南、西南。

顏色宜青、綠、紅、橙、紫。

名字宜用木、火之字。

生於十月（西曆十一月七日下午一時十分至十二月七日上午五時五十六分）

命帶驛馬，三十五歲前走動多，外出求學機會也大。

男命三十多歲入大運至六十多歲，三十年大運，必有一番作為。

女命二十多歲入大運至八十多歲，六十年大運，一生漸入佳境，尤其要把握二十五至四十五歲之間的大運。

命中五行喜木、火。

床頭宜東、南、東南、西南。

顏色宜青、綠、紅、橙、紫。

名字宜用木、火之字。

生於十一月（西曆十二月七日上午五時五十六分至二〇二二年一月五日下午五時零八分）

太歲相合，早年人緣佳。

男命平穩，宜專業或入大機構工作，四十多歲入大運，三十年大運，可發展自己的事業或安享晚年。

女命十多歲入大運至七十多歲，尤其是四十多歲後更佳，宜把握機會。

命中五行喜木、火。

床頭宜東、南、東南、西南。

顏色宜青、綠、紅、橙、紫。
名字宜用木、火之字。

生於十二月（西曆二〇二二年一月五日下午五時零八分至二月四日上午四時五十七分）

男命一生平穩，宜專業或入大機構發展，五十多歲後有三十年大運，晚年安樂。
女命一生行運，尤其三十多歲至六十多歲之間，宜把握機會，必有一番作為。
命中五行喜木、火。
床頭宜東、南、東南、西南。
顏色宜青、綠、紅、橙、紫。
名字宜用木、火之字。

註：床頭宜東、南、東南、西南者，而寫字枱亦宜面向這些方向。顏色方面，只需配合房間牆身及窗簾顏色、長大後車子顏色、辦公室顏色；但衣服顏色則不用配合。

五行化動土局

五行化動土局之由來

五行化動土局，是本人在一九九七年，發現住屋對門之單位在大興土木裝修時所發明的。在風水學上，動土為戊己都天煞，為大煞，為極嚴重之煞氣，輕則引致疾病連連、屢醫無效，重則要開刀做手術，所以不得不加以化解。細想之下，便發明了這個五行化動土局，原理是由八字之五行相生相剋演變而來。本人之住宅大門方向向北，而北方屬水，於是我把金放於最後，然後在金之前再順序放水、木、火、土。土之所以在最前面，是用以剋制北方屬水所帶來之動土煞氣。這原理是金生水、水生木、木生火、火生土，最後用土剋水，從而把煞氣剋出屋外。其後，我再把原理細分為東面及東南面煞氣化解方法、南面煞氣化解方法、西面及西北面煞氣化解方法和東北及西南面之化解方法。之後又為免客人遇有動土卻分不出其方向，便發明圓形之擺法，使其金生水、水生木、木生火、火生土、土生金，五行周流不滯而使煞氣不能侵入。

現在提供五行化動土局如下（本人之著作《風生水起（巒頭篇）》、《風水天書》及《如何選擇風水屋》內有詳細記載），務使各位讀者遇有動土時能加以運用，消災解病。

五行物件

木　任何植物。

火　任何紅色、螢光或發光物件。

土　天然石頭。

金　金屬發聲物件，如風鈴、音樂盒，或六個銅錢亦可，但最簡單為音樂盒，因扭緊發條以後便可發出金屬撞擊聲音；但記住不可使用電子音樂盒，因電屬火，火會剋金，產生相反效果。

水　普通水喉自來水，不要用蒸餾水。

化煞方向

煞在東方及東南方——為木煞，宜先放音樂盒對着有煞方向，然後依次倒序放石頭、紅色物件、植物、水。

動土煞在東方及東南方——↑金、土、火、木、水

煞在南方——為火煞，先放水對着動土之處，再依次倒序放音樂盒、石頭、紅色物件、植物。

動土煞在南方——↑水、金、土、火、木

煞在西南及東北方——為土煞，宜先放植物對着動土方向，然後依次倒序放水、音樂盒、石頭、紅色物件。

動土煞在西南及東北方——↑木、水、金、土、火

煞在西方及西北方——為金煞，先放紅色物件對着動土方向，再依次倒序放植物、水、音樂盒、石頭。

動土煞在西方及西北方——↑火、木、水、金、土

煞在北方——為水煞，先放石頭對着動土方向，再依次倒序放紅色物件、植物、水、音樂盒。

動土煞在北方——↑土、火、木、水、金

如有動土而不知道方向，可以把以上代表木、火、土、金、水五行之物件圍成圓圈，對着動土方，則任何方向之動土煞皆可化解；當然，其力量不及專門針對特定方向而置之直向五行化煞大局。

煞不知在何方之化解方法

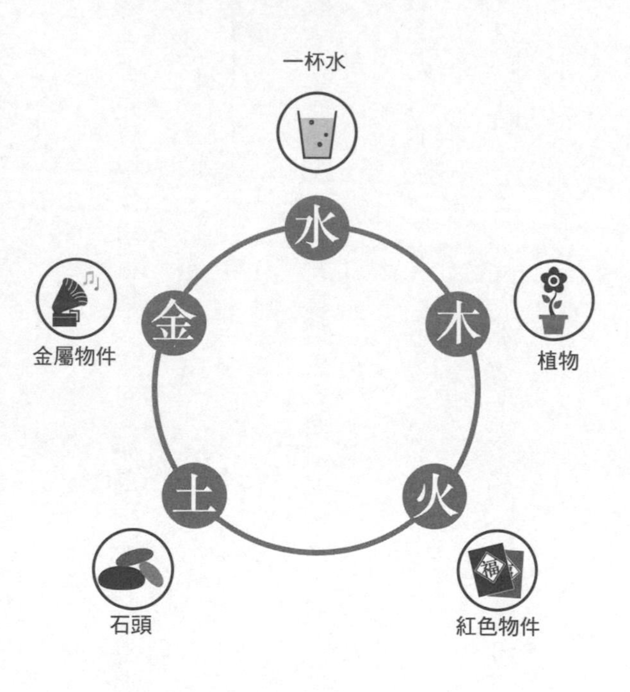

寒熱命論的出現，始於一九八三年開始替人算命至今，加上多年教授學生之經驗，發現古代流傳之書籍以及本人老師吳晚軒先生所傳授之命理知識，實在有不足之處，但又未能找出其究竟為何。在此不是說本人之老師吳晚軒先生所傳授給本人之命理理論有誤，因他已把所知的傾囊傳授，像我對我的學生一樣，毫無保留；只是每一樣理論學說都在不斷演變，從古代看命用五星，至宋代徐子平出現，把五星的方法改良，令算命從此不用看星，而把星歸納於五行之內，從而轉用十天干、十二地支、五行（木、火、土、金、水）作為算命之依據。此法一直流傳至今，是一個初步之演化程序。但當中一定有不完善的地方，因為算命之術發展至今，還是沿用一千年以前之旺者宜剋宜洩，衰者宜幫宜扶的方法去判斷。雖然已把古代很多無用的東西刪掉，但當中還是存在着很多問題。

在九二至九四年間，寒熱命的理論突然在我腦海中出現。直至九六、九七年間，便正式傳授給我的學生（當然也包括以前所教過的學生）。所以，從學習到醞釀至發明，當中經過了十多年的努力。而寒命、熱命、平命理論一出以後，很多以前未能解決之命理懸案都能一一迎刃而解。因寒命人喜火，以木生火；而熱命人喜水，以金生水；平命人水火不忌，然以水運較佳，又乾土屬火，濕土則屬水。以此理論，當知道一個人的出生年月日時以後，便可以知其一生運程之吉凶，根本不用再詳細計算命者身旺身弱，以何為用神。到近年甚至再推翻根本無從格、化格，只有熱命、寒命、平命而已。

寒命人　生於立秋後、驚蟄前（西曆八月八日後、三月六日前）。

熱命人　生於立夏後、立秋前（西曆五月六日後、八月八日前）。

平命人　生於驚蟄後、立夏前（西曆三月六日後、五月六日前）。

寒熱命用法

當各位知道自己屬寒命、熱命或是平命以後，就可以知道自己一生之運程。寒命喜火以木生火，熱命喜水以金生水，平命喜水不忌火。而土為平，帶水為濕土，帶火為乾土。

然後只要再知道木、火、土、金、水每十二年一個循環、每十二月一個循環和每十二日一個循環，即可計算自己運程之吉凶。簡單而言，一九九八至二〇〇三年為木火，利寒命人；二〇〇四至二〇〇九年為金水，利熱命人；二〇一〇至二〇一五年屬木火，利寒命人；二〇一六至二〇二一年又轉回金水，餘此類推，每六年一個改變，每十二年一個循環，這樣便可以知道自己運程之大概吉凶好壞。如要詳細知道自己大運之情況，可參考本人之《八字・萬年曆》之「寒熱命入門篇」、《八字入門捉用神》、《八字論命》及《八字進階論格局看行運》。

木、火、土、金、水之所屬生肖之年

生肖	所屬	生肖	所屬
鼠	屬水	牛	屬土帶水
虎	屬木帶火	兔	屬木
龍	屬土帶水	蛇	屬火
馬	屬火	羊	屬土帶火
猴	屬金帶水	雞	屬金
狗	屬土帶火	豬	屬水

木、火、土、金、水之所屬月份

月份	所屬	月份	所屬
農曆一月	屬木帶火	農曆二月	屬木
農曆三月	屬土帶水	農曆四月	屬火
農曆五月	屬火	農曆六月	屬土帶火
農曆七月	屬金帶水	農曆八月	屬金
農曆九月	屬土帶火	農曆十月	屬水
農曆十一月	屬水	農曆十二月	屬土帶水

木、火、土、金、水之所屬日子

地支	所屬	地支	所屬
寅	屬木帶火	卯	屬木
辰	屬土帶水	巳	屬火
午	屬火	未	屬土帶火
申	屬金帶水	酉	屬金
戌	屬土帶火	亥	屬水
子	屬水	丑	屬土帶水

每日之木、火、土、金、水似乎難以得出，但其實只要閣下有電腦，並輸入一組寅、卯、辰、巳、午、未、申、酉、戌、亥、子、丑以後，以此再排，就可以得出前前後後每年每月每日之木、火、土、金、水。下表提供二〇二一年西曆一月一日開始之第一組酉、戌、亥、子、丑、寅……只要依次排列即可。

西曆二〇二一年一月

日期	地支	日期	地支
一日	酉	十二日	申
二日	戌	十三日	酉
三日	亥	十四日	戌
四日	子	十五日	亥
五日	丑	十六日	子
六日	寅	十七日	丑
七日	卯	十八日	寅
八日	辰	十九日	卯
九日	巳	二十日	辰
十日	午	廿一日	巳
十一日	未	廿二日	午

第二章

牛年地運預測

八字計算香港地運及投資攻略

二〇二一年辛丑年之八字圖

辛丑	庚寅	壬午	壬子

一月	己丑
二月	戊子
三月	丁亥
四月	丙戌
五月	乙酉
六月	甲申
七月	癸未
八月	壬午
九月	辛巳
十月	庚辰
十一月	己卯
十二月	戊寅

今年為水旺運的最後一年，亦到了經濟活躍期的最後一年，故在投資方面要好好準備；因本年股票有機會突然逆轉，故在投資時獲利宜把現金先行留在手裏，不要盲目高過。

今年為先升後跌之局，年初入市等待秋後收成；又今年立春八字同時相沖，秋冬之時唯恐會較為動盪，故要作出心理準備。

今年五行強弱

五行方面，以水為先；其次為火、木、金、土。

水——最旺，為銀行、金融、航空、航運、零售等。

火——次旺，為電子產品、石油、燃煤、發電等。

木——再次旺，為紙張、成衣、中藥、布料等。

金——稍弱，代表貴價金屬，五金、機械、鋼材等。

土——最弱，為**建築**、**基建**、**水泥**、**建材**等。

金融股票

今年為先升後跌之局，春季入市，靜待秋後收成；又今年立春八字日時水火相沖，秋冬恐怕會較為動盪。

樓房地產

依然處於高位，投資恐怕不容易獲利；即使自用，也要提防秋冬或出現不利消息。

八運飛星圖

	南		
東	七	三	五
	六	八	一
	二	四	九

		南		
	七	三	五	
東	六	八	一	西
	二	四	九	
		北		

二〇二一年飛星圖

		南		
	5	1	3	
東	4	6	8	西
	9	2	7	
		北		

今年辛丑年為四疾病年，唯恐腹部流行疾病之發生，故今年在飲食上要加倍小心；又今年為水旺運最後一年，明年開始到了木火流年，經濟容易突然發生轉變，故手頭要準備多些現金為上。

八運這二十年，西南仍然是災難位，天災人禍仍然是要提防的；其次東北為二黑病符，疾病與人禍亦容易發生。

今年五黃災星在東南，故廣東、香港、東南亞及澳紐、太平洋一帶之地區要做好準備，怕突然出現之天災人禍，如地震、火災等。

二黑病符在正北方，如中國北部、蒙古、俄羅斯又或者一些寒凍之地。

所以今年去東南方及北方等國家，除了天災是我們不能控制外，在飲食方面要多加注意，好好保持個人衞生。

正東 今年為四綠文昌星，這有利文壇發展，惟四綠木與八運之六白金成金木交戰，故損傷、車禍等恐亦較為頻繁，正東為台灣地區、日本、美國東岸及太平洋中央等島嶼。

東南 今年為五黃死符，故東南方一帶，如廣東、香港，澳紐等地唯恐天災人禍較多，碰上八運之七赤破軍金星，肺、氣管之病毒亦會再現。

正南 今年為一白桃花，南亞一帶政治氣氛今年會較為平和，惟八運這二十年始終是三碧爭鬥星，故今年南亞一帶既利旅遊，亦旺爭鬥。

西南 今年為三碧爭鬥星，八星為五黃災病星，故西南一帶今年亦不會太平和，天災與爭鬥唯恐再現；西南指西安西南面一帶，如四川、雲南、西藏、不丹、尼泊爾、印尼、印度及印度洋一帶。

正西 今年為八白土，這區今年有利財星，故經濟會有不錯的發展；加上這二十年正西為一白水，為旅遊之旺地，加上今年八白財運降臨，更能加速其發展。然八一為土水交戰，水災及山泥傾瀉仍會不時再現。正西泛指中東、歐洲一帶。

西北

今年為七赤金，為過氣財星，八運為九紫火，為未來財星，故西北如俄羅斯東部，北歐及美加之東北面一帶發展仍佳，惟七九為先後天火，其加臨唯恐引致大火災，尤其是農曆三、四及十二月間。

正北

今年為二黑病符，細菌疾病要較為小心，如去此區旅遊的，要好好注意個人衞生；正北為中國北部、蒙古、俄羅斯中部及一些北方寒凍之地。

東北

今年東北為九紫火，八運東北為二黑土，火生土旺，生旺病星；故中國東北、日本北部、韓國及美加之西北部疾病災禍仍然是要注意的。

中宮

中宮為高山國家如瑞士、盧森堡，甚至中非、中亞一帶。本年中宮為六白金，八運中宮為八白土，六八相遇，尊榮不次；這代表內陸與高山地區，今年經濟發展仍然是蓬勃的，而本年亦可代表世界經濟應回復增長。

第三章

牛年風水佈局

牛年流年風水佈局

正東	今年為四綠文昌位
東南	今年為五黃大病位
正南	今年為一白桃花星
西南	今年為三碧爭鬥位
正西	今年為八白財位（當運之財星）
西北	今年為七赤破軍金星（亦為過去之財星）
正北	今年為二黑細病位
東北	今年為九紫喜慶位（亦為未來之財星）
中宮	今年為六白武曲金星

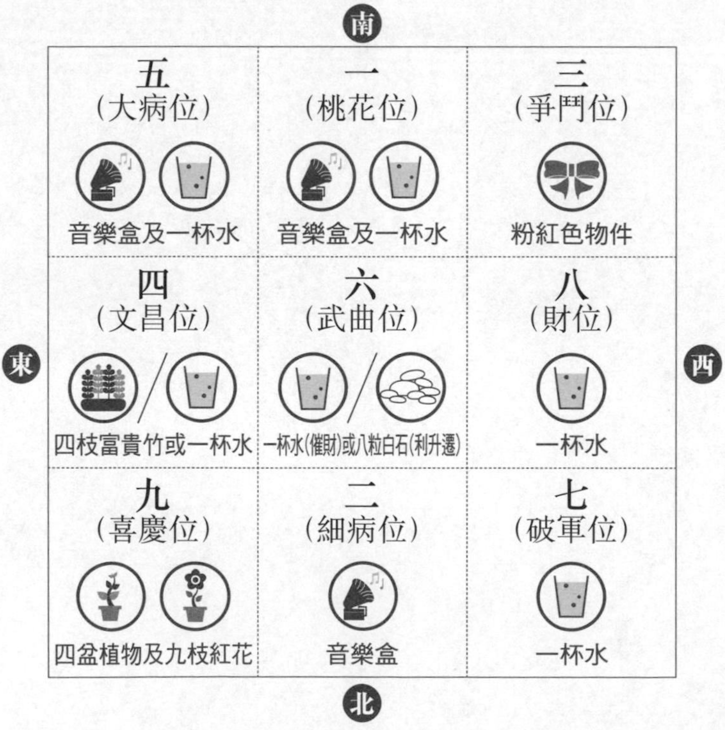

南

東 ／ 西

五（大病位）音樂盒及一杯水	一（桃花位）音樂盒及一杯水	三（爭鬥位）粉紅色物件
四（文昌位）四枝富貴竹或一杯水	六（武曲位）一杯水（催財）或八粒白石（利升遷）	八（財位）一杯水
九（喜慶位）四盆植物及九枝紅花	二（細病位）音樂盒	七（破軍位）一杯水

北

正東

今年「四綠文昌位」在正東。如要催旺正東文昌位，最宜放四枝富貴竹，但單單放一杯水，都有催旺文昌位的作用。文昌位除了對進修和在學人士有幫助之外，在訂立契約和處理文件的時候，催旺文昌位都能起到正面的作用。

東南

今年東南是「五黃大病位」，會引起身體不適，而主要影響的身體部位是呼吸系統及腹部，例如肺、喉嚨、氣管、腸胃等疾病。如果家居大門位於東南、廚房在東南，又或者你睡覺的方位在家居的東南，自然病得更加嚴重。要化解疾病位，可以在東南位擺放音樂盒、風鈴或其他可發聲的金屬物件，如多過一條的舊鑰匙亦可，並在旁邊放一杯水。

正南

正南今年是「桃花位」，要催旺桃花，可以放一杯水，再在旁邊放一個上鏈發聲音樂盒，宜久不久拉動音樂盒發條，讓其金屬聲震動旁邊的水以催旺桃花。由於桃花除了代表男女關係外，還包括一般的人際關係，所以，已婚人士也可以催旺桃花，對於特別想加強人際關係，或從事的工作需要經常應酬和搞好人際關係之人士，都能起到正面的作用，但就不需要加音樂盒，只放一杯水就可以。

西南

西南位屬「三碧爭鬥位」，可在家居西南位放置粉紅色物件化解。但若閣下是靠口才維生，則可以不化解。

正西

今年「八白財星」在正西位，催財可以擺放一杯水、任何水種植物或魚缸在此位，以利財運。

西北

今年西北是「七赤星」，七赤星目前雖是退氣財星，但旺氣仍在，宜在西北位放**一杯水**以起催財作用。

正北

正北今年屬「二黑細病位」，如家居的大門、廚房或睡房位處正北，居住者即容易生病，而主要病變會集中在腹部及呼吸系統。氣管問題可將**風鈴**、**音樂盒**或**一些可發出聲音的金屬物件**放在正北位化解；腹瀉、腹痛則放**紅色地氈**化解。而兩者可交替使用。

東北

東北今年是「喜慶位」。要是你蜜運多時，但婚期未定，便可以在屋內東北位置放**四盆植物**，外面圍放**九枝紅花**。當然，任何喜慶的事情都可包括在內，如閣下已經結婚而想要添丁，亦可以催旺東北喜慶位；已經有了孩子，也可以為升職、加薪而努力，但就不用放九枝紅花。

中宮

中宮今年是「武曲位」，利文職以外的人。渴望升職的話，可以在中宮放**八粒白色的石頭**。如要財源廣進，則要放**一杯水**。這裏所指的文職以外，可稱之為武職，即如裝設電腦、修理火車路軌、三行工人、紀律部隊或其他技術性人員等。

金—音樂盒	代表任何金屬發聲物件，如銅鈴、鑰匙、銅製錢幣等。
土—石	任何石製物件或天然石頭。
水—水	自來水一杯、水種植物或魚缸。
木—植物	任何植物，但仙人掌除外。
火—紅色	任何紅色物件，如利是封、揮春等。

牛年特別風水佈局

（宜獨立運用，效果更佳，因與其他佈局一同運用，唯恐會互相抵銷作用。）

催財局

今年喜慶位在東北，七赤位在西北，財位在正西，如要催財，可在此三方放一杯水，並在水中加一粒黑石。注意催財局不可長用，每用三個月便要停一個月，然後再用，否則無效。

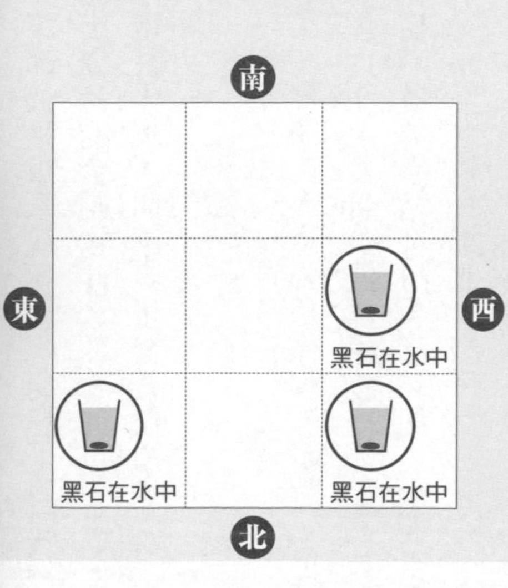

催桃花人緣局

今年桃花位在正南，太歲三合位在正西、東南，可在正南放一杯水加音樂盒以催旺桃花。如再放一個蛇形擺設在東南、一個雞形擺設在正西，可增加人緣。桃花、人緣同至，自然馬到功成。但如只要人緣不要桃花，正南則不用放音樂盒。

催生意局

如今年生意欠佳，訂單不足，可在正東文昌位放四枝富貴竹，並於正西財位放八粒白色石春於水中，自然能催旺生意。

南

東

西

北

四枝富貴竹

八粒白石春在水中

催文昌考試局

要催文昌，需在正南一白方放四枝富貴竹，並於正東四綠方放一杯水，以起一四同宮發科名之效。

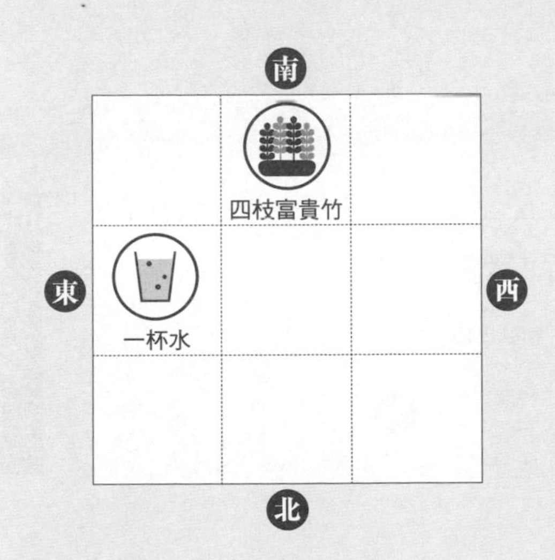

催升職加薪局

可在正西財位放一杯水、東南武曲位放八粒白色石春在水中，這樣對文職或文職以外的升遷加薪能起到正面作用。

南
水中放八粒白石
東
西
一杯水
北

催喜慶姻緣局

今年喜慶位在東北，宜在東北放四棵泥種植物，外面圍九枝紅花，以催旺喜慶；再於正南桃花位放一杯水催旺人緣。

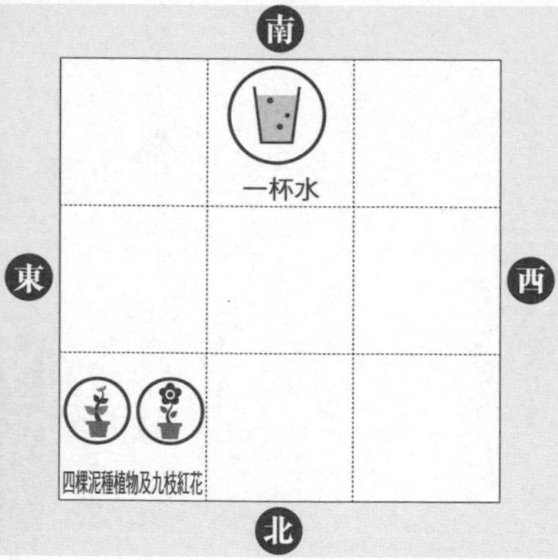

南
一杯水
東
西
四棵泥種植物及九枝紅花
北

旺人緣化是非局

可在今年正南桃花位放一杯水、西南爭鬥位放粉紅色物件，以旺人緣、化是非。

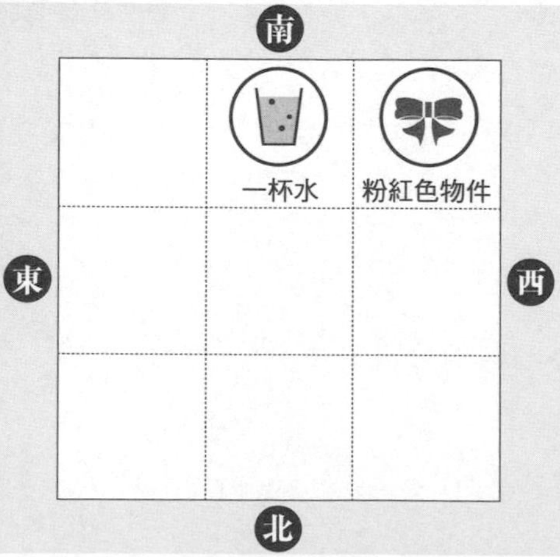

南
一杯水
粉紅色物件
東
西
北

正東

正東今年為文昌位，可放灰色地氈，並在地氈底放綠色布，以催旺文昌星。（地氈可放門內或門外。）

大門開在正東方

綠色布

灰色地氈

東南

東南今年為大病位，宜用灰色地氈，並在地氈底放金屬物件；再在門內掛鈴或大門內旁邊放音樂盒化解。

大門開在東南方

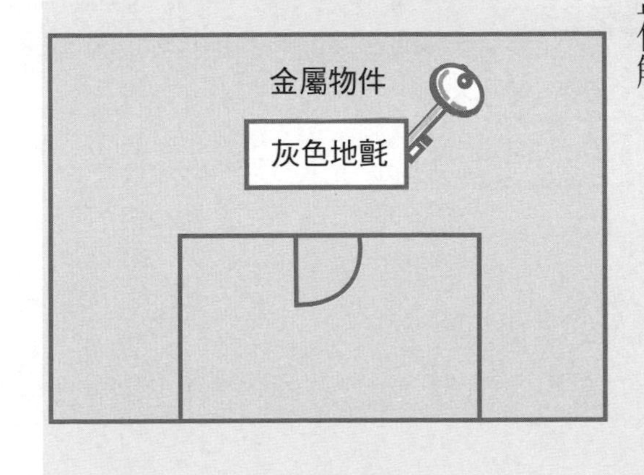

正南

正南今年為一白桃花星，宜放灰色或藍色地氈催旺桃花。（如要化桃花，則在屋內放綠色地氈或門外放啡色地氈。）

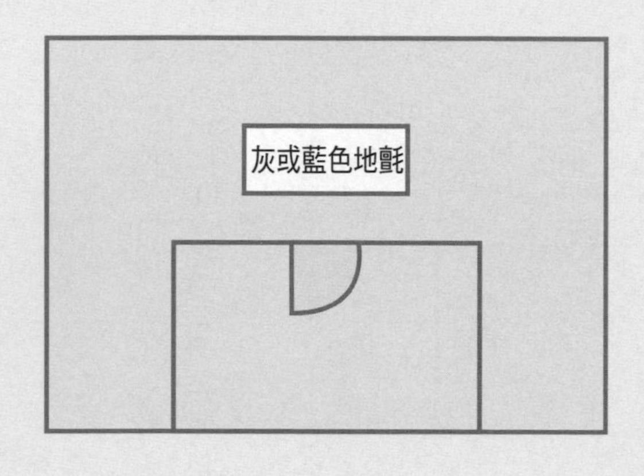

西南

西南今年為三碧爭吵位，宜在大門放粉紅色地氈化解是非，門內門外也可。

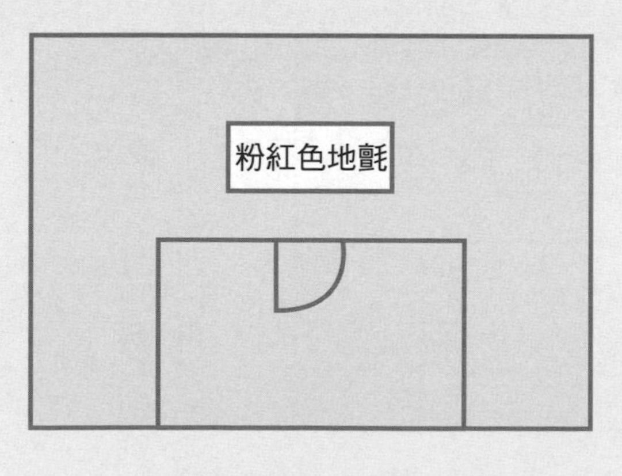

正西

正西今年為八白財星，宜在門外放紅色地氈催旺財星。

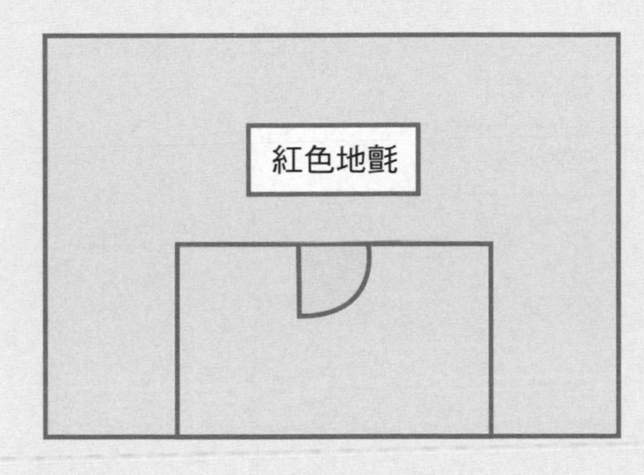

西北

西北今年為七赤破軍星，可放灰色地氈在屋內引財。

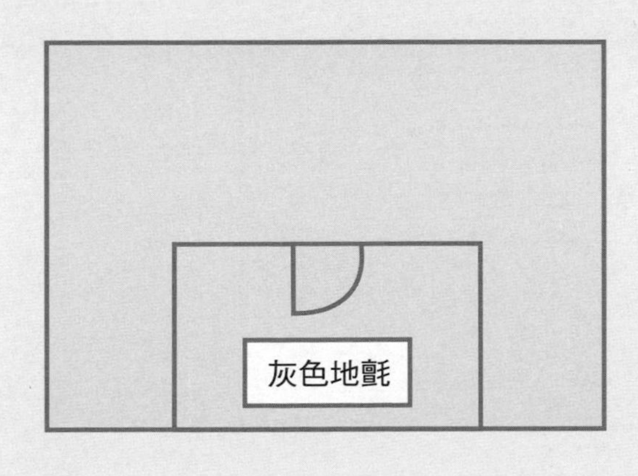

正北

正北今年為細病位，宜用灰色地氈，並在地氈底放金屬物件，以化解病星。

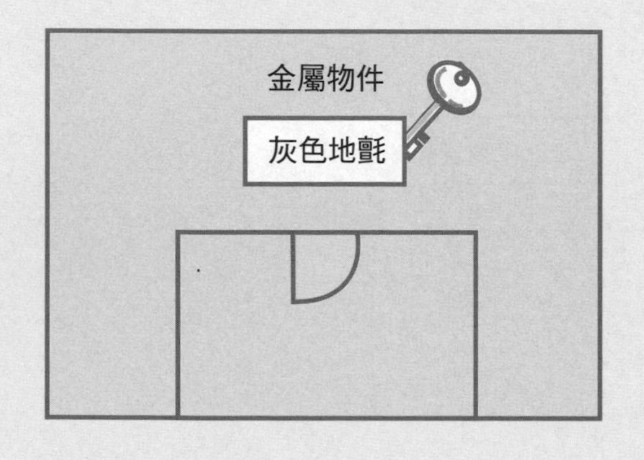

東北

東北今年為喜慶位，室外宜放綠色地氈催旺喜慶。

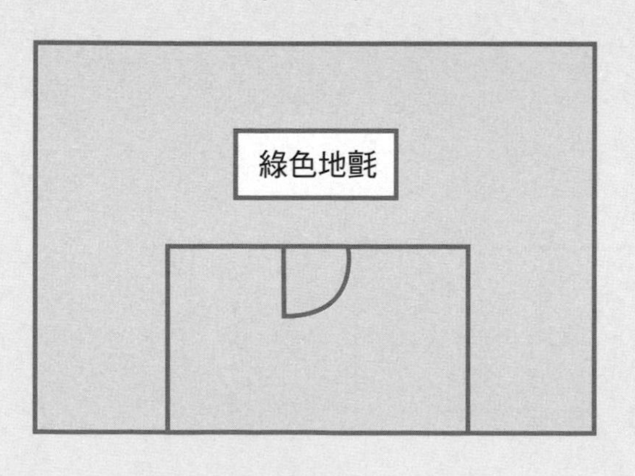

中宮

中宮今年為武曲位，利文職以外的人士，宜放黃色或啡色地氈在屋外以催升職；如催財則可於屋內放灰色地氈。

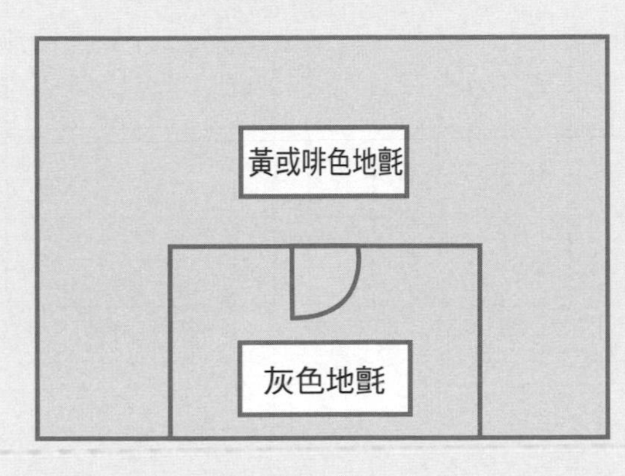

註：大門方向與大門開在哪一方位並無直接關係，重點是要尋找大門開在屋中的哪個方向。**(見左圖例)**

大門向東

東
南
西
北

↑大門開在東南方位
↑大門開在正東方位
↑大門開在東北方位
↑大門開在正南方位
↑大門開在正北方位

二〇二一年年月飛星圖

南

五

6	9	3	6
5	8	2	5
4	7	1	4

一

1	4	7	1
9	3	6	9
8	2	5	8

三

8	2	5	8
7	1	4	7
6	9	3	6

四

7	1	4	7
6	9	3	6
5	8	2	5

六

(年飛星)

5 十月	8 七月	2 四月	5 一月
4 十一月	7 八月	1 五月	4 二月
3 十二月	6 九月	9 六月	3 三月

八

3	6	9	3
2	5	8	2
1	4	7	1

西

九

2	5	8	2
1	4	7	1
9	3	6	9

二

9	3	6	9
8	2	5	8
7	1	4	7

七

4	7	1	4
3	6	9	3
2	5	8	2

北

二〇二一年流月飛星圖

4	9	2
3	5	7
8	1	6

一月

3	8	1
2	4	6
7	9	5

二月

2	7	9
1	3	5
6	8	4

三月

1	6	8
9	2	4
5	7	3

四月

9	5	7
8	1	3
4	6	2

五月

8	4	6
7	9	2
3	5	1

六月

7	3	5
6	8	1
2	4	9

七月

6	2	4
5	7	9
1	3	8

八月

5	1	3
4	6	8
9	2	7

九月

4	9	2
3	5	7
8	1	6

十月

3	8	1
2	4	6
7	9	5

十一月

2	7	9
1	3	5
6	8	4

十二月

牛年每月風水佈局

每月風水佈局，主要用於每月與每年的五黃、二黑大細病位有否重疊，如有便要加強化解。另每月文昌位，用以加強文昌考試之用；每月財位，可加強催財之力。

● 農曆一月（西曆二月三日至三月五日）

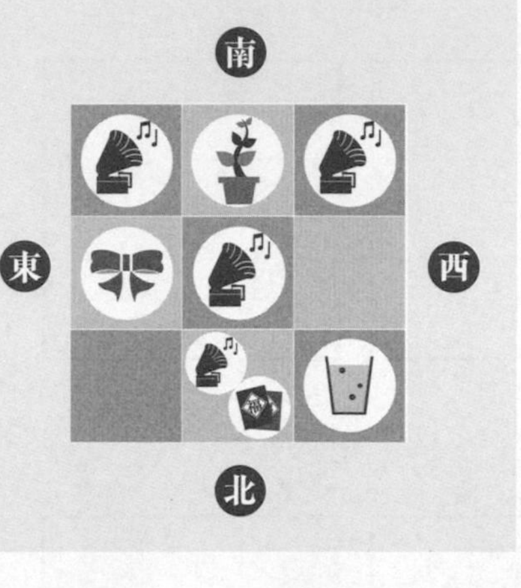

正東

本年正東為四綠木，本月正東為三碧爭鬥木，木見木旺，既利文昌亦旺爭鬥，宜放**粉紅色物件**以化是非。

東南

本年東南五黃土，本月東南為四綠木，木剋土而激怒病星，宜多響**音樂盒**以化病星。

正南

本年正南為一白水，本月正南為九紫火，水火交戰而情緒不穩，宜放**植物**化解。

西南 本年西南為三碧木，本月西南為二黑土，二遇三為鬥牛煞與訟招災，宜放音樂盒洩土制木。

正西 本年正西為八白土，本月正西為七赤金，八遇七而有利財星。

西北 本年西北為七赤金，本月西北為六白金，七遇六為交劍煞而易見損傷，宜放一杯水去化解。

正北 本年正北為二黑土，本月正北為一白水，氣管毛病宜多響音樂盒，腹瀉則宜放紅色物件。

東北 本年東北為九紫火，本月東北為八白土，火生土旺而生旺財星。

中宮 本年中宮為六白金，本月中宮為五黃土，金能洩土而洩弱病星，但仍宜放音樂盒以化病星。

農曆二月（西曆三月五日至四月四日）

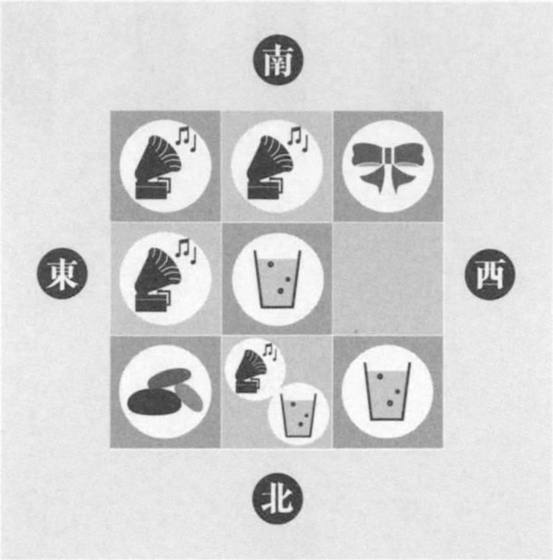

正東

本年正東為四綠木，本月正東為二黑土，木剋土而激怒病星，宜放音樂盒洩土制木。

東南

本年東南為五黃土，本月東南為三碧木，三五皆凶星，宜多響音樂盒洩土制木。

正南

本年正南為一白水，本月正南為八白土，土剋水而不利腎、膀胱、泌尿系統，宜放音樂盒洩土生水，這樣既利財星亦利桃花。

西南

本年西南為三碧木，本月西南為一白水，水生木旺而生旺爭鬥，宜放粉紅色物件以化爭鬥。

正西

本年正西為八白土，本月正西為六白金，八遇六而尊榮不次，既利升遷亦利財星。

西北

本年西北為七赤金，本月西北為五黃土，金能洩土洩弱病星，宜放一杯水去利財星。

正北

本年正北為二黑土，本月正北為九紫火，火生土旺而生旺病星，除了要多響音樂盒外，亦宜放一杯水去制火。

東北

本年東北為九紫火，本月東北為七赤金，火金交戰而不利肺、骨、喉嚨、氣管，宜放石頭或啡色物件化解。

中宮

本年中宮為六白金，本月中宮為四綠木，金木交戰而易見損傷，宜放一杯水，這樣有利文昌亦旺財星。

● 農曆三月（西曆四月四日至五月五日）

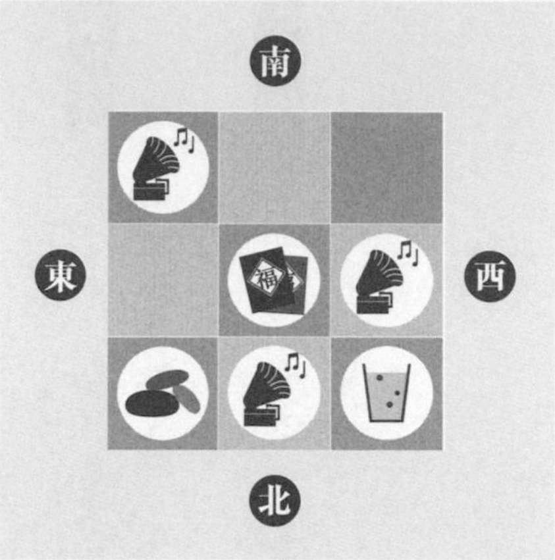

正東

本年正東為四綠木，本月正東為一白水，一四同宮而發科名之顯，此方本月有利學習、考試。

東南

本年東南為五黃土，本月東南為二黑土，二五疊臨而損主重病，宜多響音樂盒化解。

正南

本年正南為一白水，本月正南為七赤金，金生水旺，此方本月有利桃花及財。

西南

本年西南為三碧木，本月西南為九紫火，火能洩木洩弱爭鬥。

正西

本年正西為八白土，本月正西為五黃土，這樣既利財星亦旺病星，宜放音樂盒化病。

西北
本年西北為七赤金，本月西北為四綠木，金剋木而易見損傷，宜放一杯水，這樣既利桃花亦利財。

正北
本年正北為二黑土，本月正北為八白土，土見土旺既利財星亦旺病星，宜多響音樂盒以化病星。

東北
本年東北為九紫火，本月東北為六白金，火剋金而不利肺、骨、喉嚨、氣管，宜放石頭或啡色物件化解。

中宮
本年中宮為六白金，本月中宮為三碧木，金木交戰如放水則生旺爭鬥，故宜放紅色物件洩木制金。

農曆四月（西曆五月五日至六月五日）

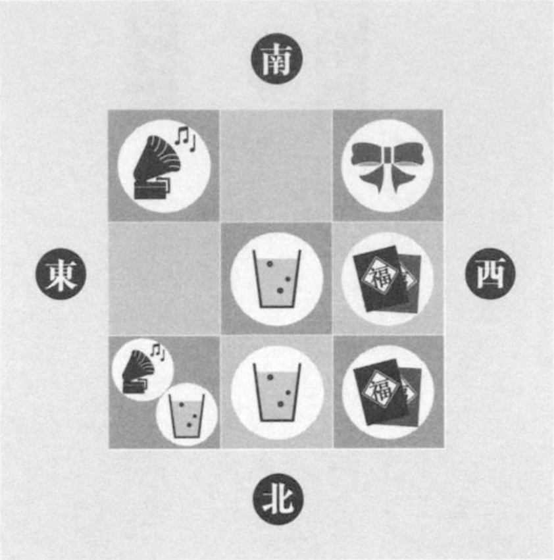

南
東
西
北

正東

本年正東為四綠木，本月正東為九紫火，木生火旺而有利喜慶。

東南

本年東南為五黃土，本月東南為一白水，土剋水而不利腎、膀胱、泌尿系統，宜多響**音樂盒**洩土生水。

正南

本年正南為一白水，本月正南為六白金，金生水旺而有利桃花及人緣。

西南

本年西南為三碧木，本月西南為八白土，木剋土而不利腸胃、腹部，宜放**粉紅色物件**化解。

正西

本年正西為八白土，本月正西為四綠木，木剋土而不利腸胃、腹部，宜放**紅色物件**化解。

西北

本年西北為七赤金，本月西北為三碧木，七遇三而財多被盜，宜放紅色物件洩木制金。

正北

本年正北為二黑土，本月正北為七赤金，金能洩土洩弱病星，可放一杯水催財。

東北

本年東北為九紫火，本月東北為五黃土，火生土旺生旺病星，宜放音樂盒及一杯水化解。

中宮

本年中宮為六白金，本月中宮為二黑土，金能洩土洩弱病星，可放一杯水有利財星。

農曆五月（西曆六月五日至七月七日）

正東

本年正東為四綠木，本月正東為八白土，木剋土而不利腸胃、腹部，宜放**紅色物件**化解。

東南

本年東南為五黃土，本月東南為九紫火，火生土旺而生旺病星，宜放**音樂盒及一杯水**化解。

正南

本月正南為一白水，本月正南為五黃土，土剋水而不利腎、膀胱、泌尿系統，宜放**音樂盒**洩土生水。

西南

本年西南為三碧木，本月西南為七赤金，三遇七為穿心煞而易見意外損傷，宜放**一杯水**以化損傷。

正西

本年正西為八白土，本月正西為三碧木，木剋土而不利腸胃，宜放**粉紅色物件**化解。

西北

本年西北為七赤金，本月西北為二黑土，金能洩土洩弱病星，可再放一杯水催財。

正北

本年正北為二黑土，本月正北為六白金，金能洩土而洩弱病星。

東北

本年東北為九紫火，本月東北為四綠木，四遇九而有利喜慶亦利文昌。

中宮

本年中宮為六白金，本月中宮為一白水，金生水旺既利桃花亦利財。

● 農曆六月（西曆七月七日至八月七日）

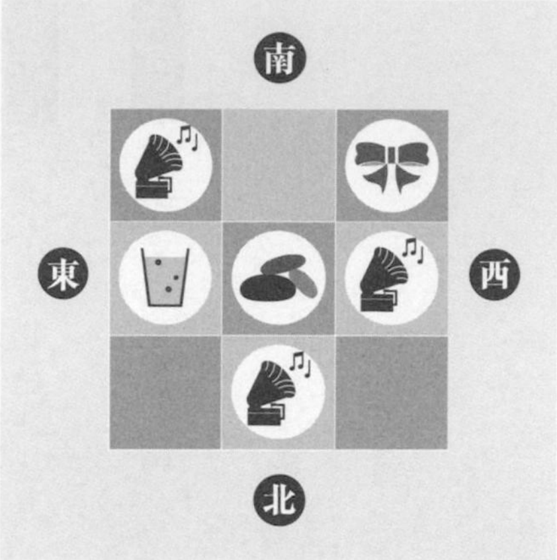

南
東　西
北

正東

本年正東為四綠木，本月正東為七赤金，金木交戰而不利筋骨、手腳，宜放一杯水化解。

東南

本年東南為五黃土，本月東南為八白土，土生土旺既利財星亦旺病星，宜多響音樂盒以化病星。

正南

本年正南為一白水，本月正南為四綠木，一遇四為一四同宮發科名之顯。

西南

本年西南為三碧木，本月西南為六白金，金木交戰而不利筋骨、手腳，宜放粉紅色物件洩木制金。

正西

本年正西為八白土，本月正西為二黑土，土見土旺，既利財星亦旺病星，宜放音樂盒以化病星。

西北

本年西北為七赤金，本月西北為一白水，金生水旺而既利財星亦利桃花。

正北

本年正北為二黑土，本月正北為五黃土，二遇五為二五疊臨損主重病，宜多響音樂盒以化病星。

東北

本年東北為九紫火，本月東北為三碧木，木生火旺而有利喜慶。

中宮

本年中宮為六白金，本月中宮為九紫火，火剋金而不利肺、骨、喉嚨、氣管，宜放石頭或啡色物件化解。

農曆七月（西曆八月七日至九月七日）

正東

本年正東為四綠木，本月正東為六白金，木見金而易見損傷，宜放一杯水化解，而這樣亦利文昌考試。

東南

本年東南為五黃土，本月東南為七赤金，金能洩土洩弱病星，但仍宜多響音樂盒洩弱病星。

正南

本年正南為一白水，本月正南為三碧木，水生木旺而生旺爭鬥，宜放粉紅色物件化解。

西南

本年西南為三碧木，本月西南為五黃土，三五皆為凶星，宜放音樂盒洩土制木。

正西

本年正西為八白土，本月正西為一白水，土剋水而不利腎、膀胱、泌尿系統，宜放音樂盒洩金生水，這樣既利財星亦利桃花。

西北

本年西北為七赤金，本月西北為九紫火，火剋金而不利肺、骨、喉嚨、氣管，宜放石頭或啡色物件化解。

正北

本年正北為二黑土，本月正北為四綠木，木剋土而不利腸胃、腹部，宜放音樂盒洩土制木。

東北

本年東北為九紫火，本月東北為二黑土，火生土旺生旺病星，宜放音樂盒及一杯水化解。

中宮

本年中宮為六白金，本月中宮為八白財星，六遇八時既利財星亦利升遷。

●農曆八月（西曆九月七日至十月八日）

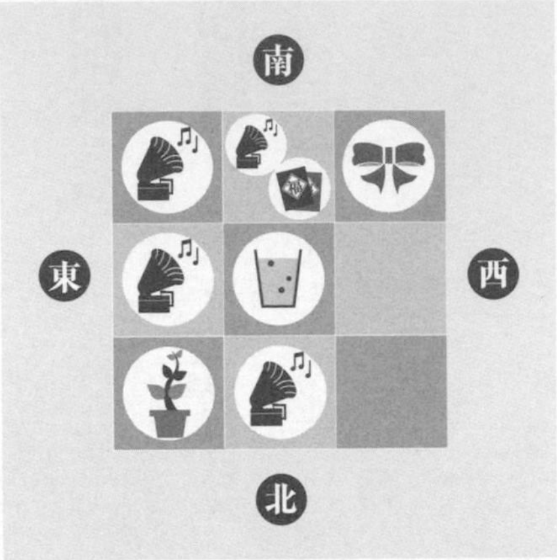

南
東
西
北

正東

本年正東為四綠木，本月正東為五黃土，木剋土而激怒病星，宜放音樂盒洩土制木。

東南

本年東南為五黃土，本月東南為六白金，金能洩土洩弱病星，仍宜多響音樂盒以化病星。

正南

本年正南為一白水，本月正南為二黑土，氣管毛病宜放音樂盒化解，腹部毛病則宜放紅色物件。

西南

本年西南為三碧木，本月西南為四綠木，三遇四時既旺文昌亦旺爭鬥，宜放粉紅色物件以化是非。

正西

本年正西為八白土，本月正西為九紫火，火生土旺而有利財星。

西北

本年西北為七赤金，本月西北為八白土，八遇七時有利財星。

正北

本年正北為二黑土，本月正北為三碧木，二遇三為鬥牛煞與訟招災，宜放音樂盒洩土制木。

東北

本年東北為九紫火，本月東北為一白水，水火交戰而不利情緒，宜放植物化解。

中宮

本年中宮為六白金，本月中宮為七赤金，六遇七為交劍煞而易見損傷，宜放一杯水化解。

● 農曆九月（西曆十月八日至十一月七日）

正東

本年本月正東皆為四綠木，這方本月有利文昌。

東南

本年本月東南皆為五黃土，宜多響音樂盒以化病星。

正南

本年本月正南皆為一白桃花，此方本月有利桃花及人緣。

西南

本年本月西南皆為三碧爭鬥木，宜放粉紅色物件以化爭鬥。

正西

本年本月正西皆為八白財星，此方本月利財。

西北

本年本月西北皆為七赤過氣財星，宜放一杯水催財。

正北

本年本月正北皆為二黑病符土，宜多響音樂盒以化病星。

東北

本年本月東北皆為九紫喜慶火，本月有利喜事臨門。

中宮

本年本月中宮皆為六白武曲金，可放八粒白石在水中利升職加薪。

農曆十月（西曆十一月七日至十二月七日）

南

東　西

北

正東

本年正東為四綠木，本月正東為三碧木，木見木旺既利文昌亦旺爭鬥，宜放粉紅色物件以化爭鬥。

東南

本年東南為五黃土，本月東南為四綠木，木剋土而激怒病星，宜多響音樂盒洩土制木。

正南

本年正南為一白水，本月正南為九紫火，一九交戰而不利情緒，宜放植物化解。

西南

本年西南為三碧木，本月西南為二黑土，三遇二為鬥牛煞而易見官訟禍事，宜放音樂盒洩土制木。

正西

本年正西為八白土，本月正西為七赤金，土生金旺而有利財星。

西北

本年西北為七赤金，本月西北為六白金，七遇六為交劍煞而易見損傷，宜放一杯水以化損傷。

正北

本年正北為二黑土，本月正北為一白水，氣管問題宜多響音樂盒，腹部毛病宜放紅色物件。

東北

本年東北為九紫火，本月東北為八白土，火生土旺而有利財星。

中宮

本年中宮為六白金，本月中宮為五黃土，金能洩土洩弱病星，仍宜放音樂盒以化病星。

● 農曆十一月（西曆十二月七日至二〇二二年一月五日）

正東

本年正東為四綠木，本月正東為二黑土，木土交戰而不利腸胃、腹部，宜放音樂盒化解。

東南

本年東南為五黃土，本月東南為三碧木，三五相遇最為不利，宜多響音樂盒洩土制木。

正南

本年正南為一白水，本月正南為八白土，水遇土而不利腎、膀胱、泌尿系統，宜放音樂盒洩金生水，這樣既利財星亦利桃花。

西南

本年西南為三碧木，本月西南為一白水，水生木旺而生旺爭鬥，除放粉紅色物件外，亦可放石頭制水，間接亦可減弱爭鬥。

正西

本年正西為八白土，本月正西為六白金，八遇六而尊榮不次，既利財星亦利升遷。

西北

本年西北為七赤金，本月西北為五黃土，金能洩土洩弱病星，仍宜放音樂盒化疾病。

正北

本年正北為二黑土，本月正北為九紫火，火生土旺而生旺病星，宜放音樂盒及一杯水化解。

東北

本年東北為九紫火，本月東北為七赤金，火金交戰宜放石頭或啡色物件化解。

中宮

本年中宮為六白金，本月中宮為四綠木，金木交戰而易見損傷，宜放一杯水化解。

● 農曆十二月（西曆二〇二二年一月五日至二月四日）

南
東　西
北

正東

本年正東為四綠木，本月正東為一白水，水生木旺而有利文昌，本月此方有利讀書、考試。

東南

本年東南為五黃土，本月東南為二黑土，五遇二為二黑五黃疊臨損主重病，宜多響音樂盒化解。

正南

本年正南為一白水，本月正南為七赤金，金生水旺既利桃花亦利財。

西南

本年西南為三碧木，本月西南為九紫火，火能洩木洩弱爭鬥，亦利喜慶。

正西

本年正西為八白財星土，本月正西為五黃病星土，土見土旺，既旺財星亦旺病星，宜放音樂盒化病。

西北

本年西北為七赤金，本月西北為四綠木，金木交戰而易見損傷，宜放一杯水化解。

正北

本年正北為二黑土，本月正北為八白土，土見土旺，既利財星亦旺病星，宜放音樂盒化解。

東北

本年東北為九紫火，本月東北為六白金，火剋金而不利肺、骨、喉嚨、氣管，宜放石頭化解。

中宮

本年中宮為六白金，本月中宮為三碧木，金木交戰而易見損傷，宜放粉紅色物件洩木制金。

1. 大門向南 172.5 至 202.5 度

i) 一九八四年至二〇〇三年入伙之屋用此圖

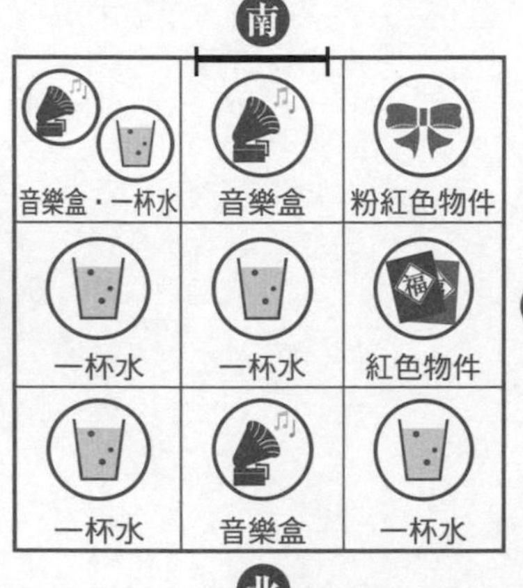

向午丁

六 4 1	二 8 6	四 6 8
五 5 9	七 3 2	九 1 4
一 9 5	三 7 7	八 2 3

坐子癸

5	1	3
4	6	8
9	2	7

二〇二一飛星圖

ii) 二〇〇四年後入伙之屋用此圖

向午丁

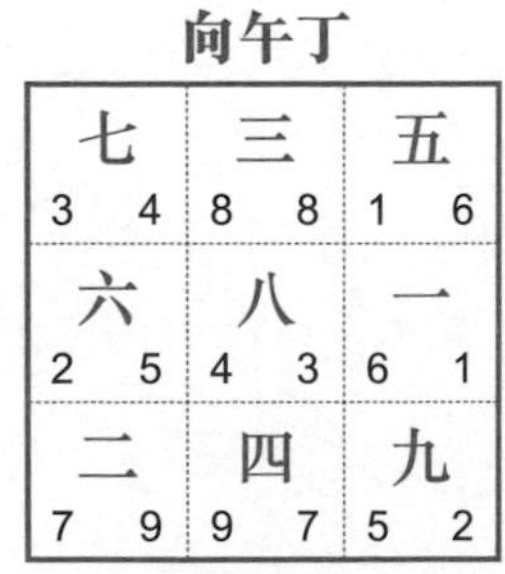

七 3 4	三 8 8	五 1 6
六 2 5	八 4 3	一 6 1
二 7 9	四 9 7	九 5 2

坐子癸

2. 大門向西南偏南 202.5 至 217.5 度

i) 一九八四年至二〇〇三年入伙之屋用此圖

向未

六 9 5	二 5 9	四 7 7
五 8 6	七 1 4	九 3 2
一 4 1	三 6 8	八 2 3

坐丑

5	1	3
4	6	8
9	2	7

二〇二一飛星圖

ii) 二〇〇四年後入伙之屋用此圖

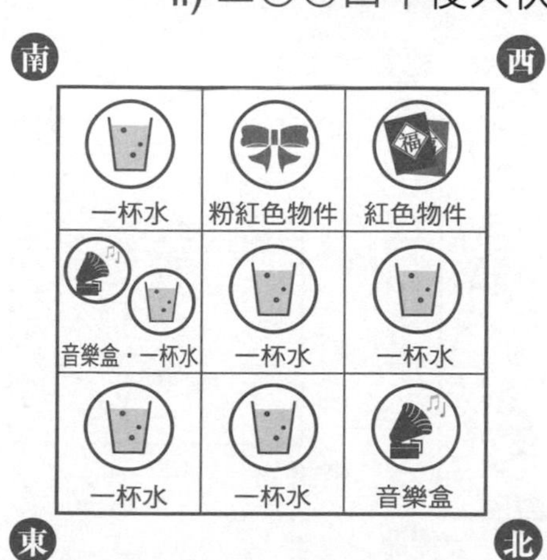

向未

七 3 6	三 7 1	五 5 8
六 4 7	八 2 5	一 9 3
二 8 2	四 6 9	九 1 4

坐丑

3. 大門向西南 217.5 至 247.5 度

i) 一九八四年至二〇〇三年入伙之屋用此圖

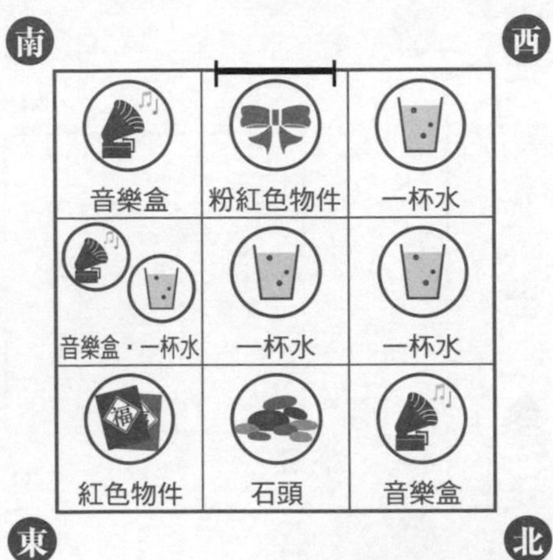

向坤申

六 2 3	二 6 8	四 4 1
五 3 2	七 1 4	九 8 6
一 7 7	三 5 9	八 9 5

坐艮寅

二〇二一飛星圖

5	1	3
4	6	8
9	2	7

ii) 二〇〇四年後入伙之屋用此圖

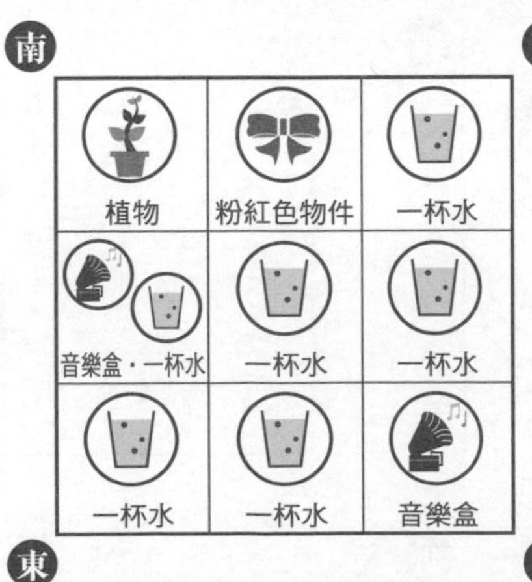

向坤申

七 1 4	三 6 9	五 8 2
六 9 3	八 2 5	一 4 7
二 5 8	四 7 1	九 3 6

坐艮寅

4. 大門向西偏西南 247.5 至 262.5 度

i) 一九八四年至二〇〇三年入伙之屋用此圖

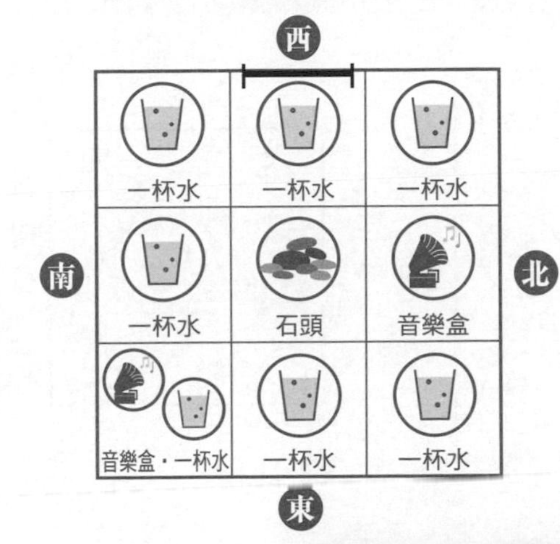

坐甲 / 向庚

六 4 8	二 9 4	四 2 6
五 3 7	七 5 9	九 7 2
一 8 3	三 1 5	八 6 1

二〇二一飛星圖

5	1	3
4	6	8
9	2	7

ii) 二〇〇四年後入伙之屋用此圖

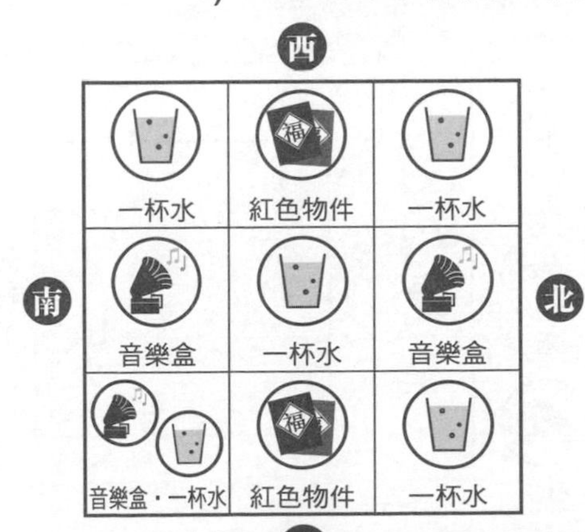

坐甲 / 向庚

七 7 9	三 2 5	五 9 7
六 8 8	八 6 1	一 4 3
二 3 4	四 1 6	九 5 2

5. 大門向西 262.5 至 292.5 度

i) 一九八四年至二〇〇三年入伙之屋用此圖

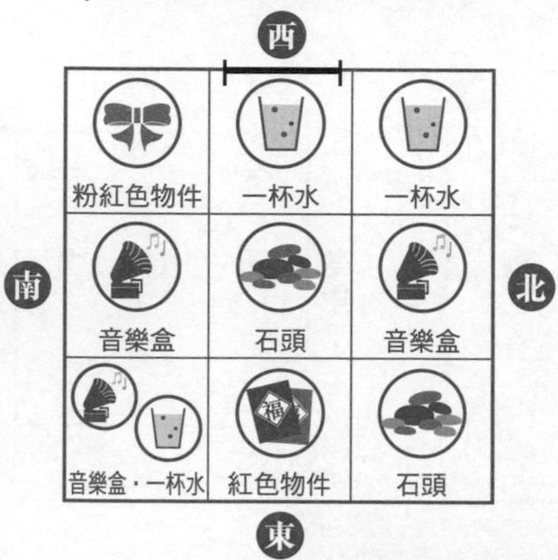

坐卯乙 ／ 向酉辛

六 6　1	二 1　5	四 8　3
五 7　2	七 5　9	九 3　7
一 2　6	三 9　4	八 4　8

二〇二一飛星圖

5	1	3
4	6	8
9	2	7

ii) 二〇〇四年後入伙之屋用此圖

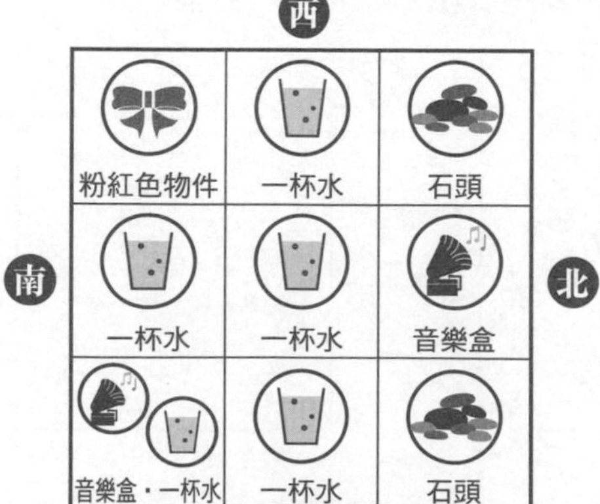

坐卯乙 ／ 向酉辛

七 5　2	三 1　6	五 3　4
六 4　3	八 6　1	一 8　8
二 9　7	四 2　5	九 7　9

6. 大門向西北偏西 292.5 至 307.5 度

i) 一九八四年至二〇〇三年入伙之屋用此圖

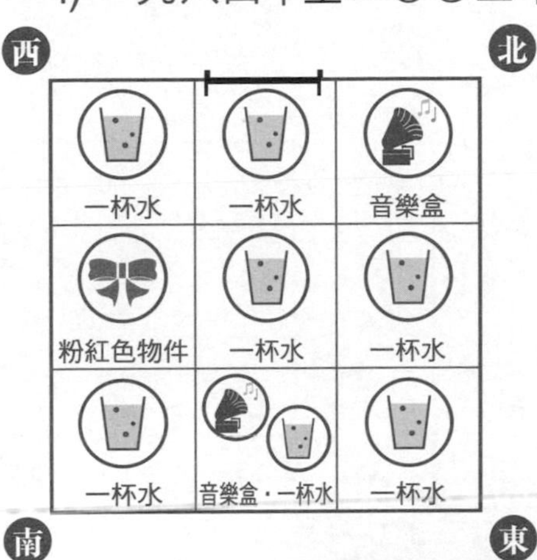

坐辰

六 7　9	二 2　4	四 9　2
五 8　1	七 6　8	九 4　6
一 3　5	三 1　3	八 5　7

向戌

二〇二一飛星圖

5	1	3
4	6	8
9	2	7

ii) 二〇〇四年後入伙之屋用此圖

坐辰

七 6　8	三 2　4	五 4　6
六 5　7	八 7　9	一 9　2
二 1　3	四 3　5	九 8　1

向戌

7. 大門向西北 307.5 至 337.5 度

i) 一九八四年至二〇〇三年入伙之屋用此圖

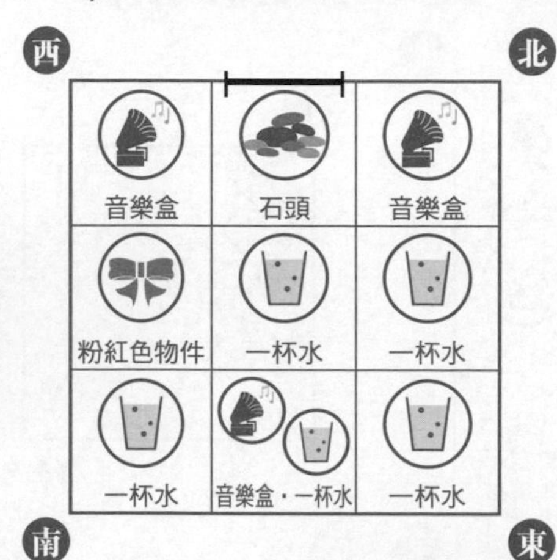

坐巽巳

六 5　7	二 1　3	四 3　5
五 4　6	七 6　8	九 8　1
一 9　2	三 2　4	八 7　9

向乾亥

5	1	3
4	6	8
9	2	7

二〇二一飛星圖

ii) 二〇〇四年後入伙之屋用此圖

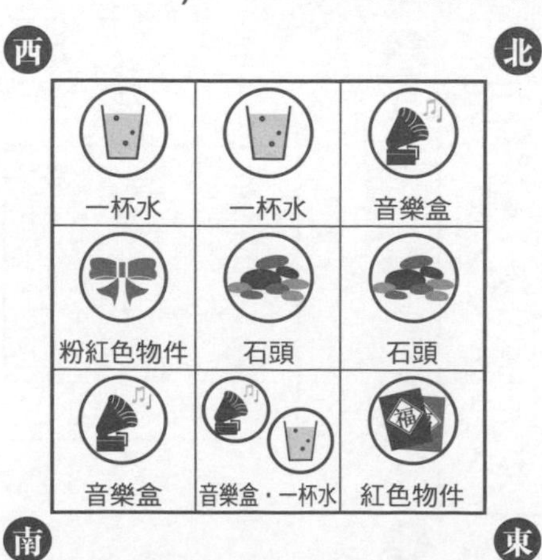

坐巽巳

七 8　1	三 3　5	五 1　3
六 9　2	八 7　9	一 5　7
二 4　6	四 2　4	九 6　8

向乾亥

8. 大門向北偏西北 337.5 至 352.5 度

i) 一九八四年至二〇〇三年入伙之屋用此圖

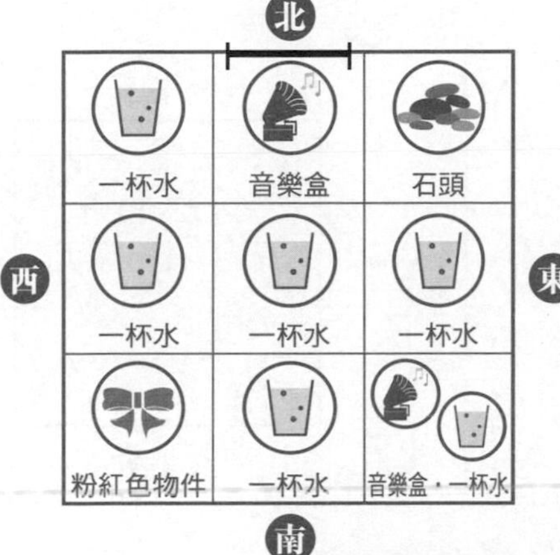

坐丙

六 3　2	二 7　7	四 5　9
五 4　1	七 2　3	九 9　5
一 8　6	三 6　8	八 1　4

向壬

二〇二一飛星圖

5	1	3
4	6	8
9	2	7

ii) 二〇〇四年後入伙之屋用此圖

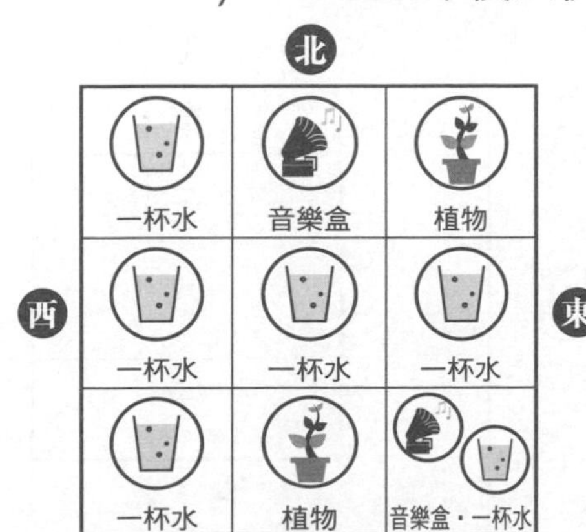

坐丙

七 2　5	三 7　9	五 9　7
六 1　6	八 3　4	一 5　2
二 6　1	四 8　8	九 4　3

向壬

9. 大門向北 352.5 至 22.5 度

i) 一九八四年至二〇〇三年入伙之屋用此圖

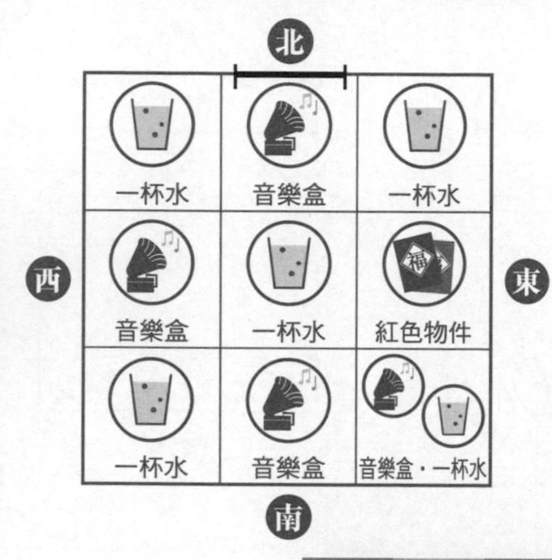

坐午丁

六 1 4	二 6 8	四 8 6
五 9 5	七 2 3	九 4 1
一 5 9	三 7 7	八 3 2

向子癸

5	1	3
4	6	8
9	2	7

二〇二一飛星圖

ii) 二〇〇四年後入伙之屋用此圖

北

西	一杯水	音樂盒	石頭
	一杯水	一杯水	紅色物件
	粉紅色物件	音樂盒	音樂盒・一杯水

東

南

坐午丁

七 4 3	三 8 8	五 6 1
六 5 2	八 3 4	一 1 6
二 9 7	四 7 9	九 2 5

向子癸

10. 大門向東北偏北 22.5 至 37.5 度

i) 一九八四年至二〇〇三年入伙之屋用此圖

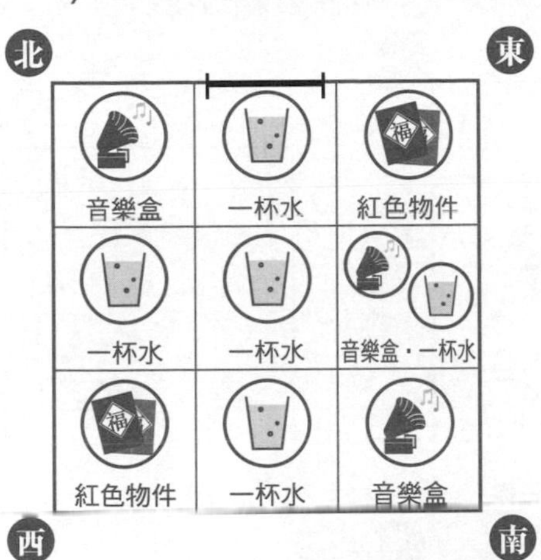

坐未

六	二	四
5　9	9　5	7　7
五	七	九
6　8	4　1	2　3
一	三	八
1　4	8　6	3　2

向丑

二〇二一飛星圖

5	1	3
4	6	8
9	2	7

ii) 二〇〇四年後入伙之屋用此圖

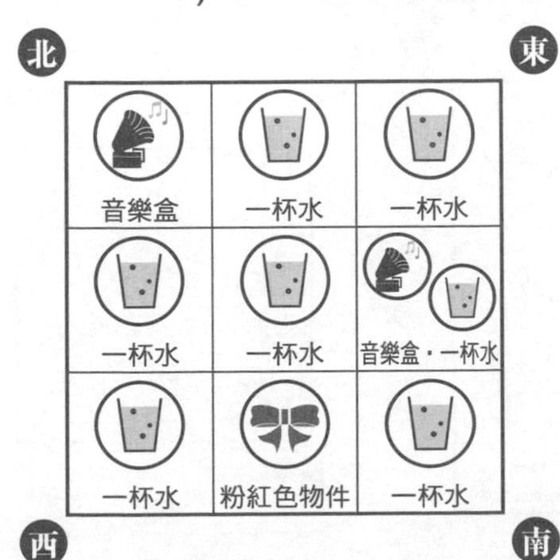

坐未

七	三	五
6　3	1　7	8　5
六	八	一
7　4	5　2	3　9
二	四	九
2　8	9　6	4　1

向丑

11. 大門向東北 37.5 至 67.5 度

i) 一九八四年至二〇〇三年入伙之屋用此圖

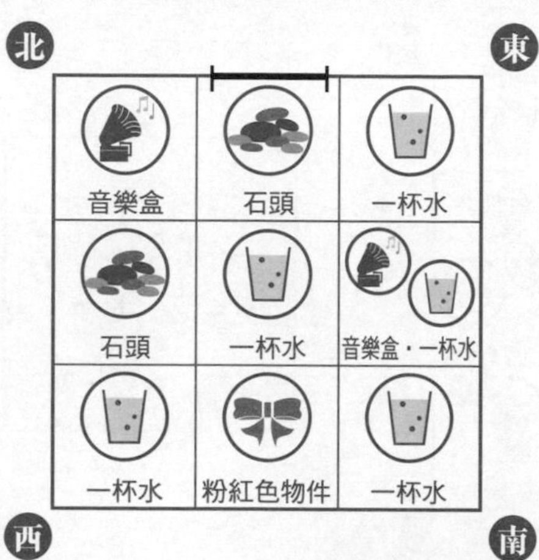

坐坤申

六 3 2	二 8 6	四 1 4
五 2 3	七 4 1	九 6 8
一 7 7	三 9 5	八 5 9

向艮寅

二〇二一飛星圖

5	1	3
4	6	8
9	2	7

ii) 二〇〇四年後入伙之屋用此圖

坐坤申

七 4 1	三 9 6	五 2 8
六 3 9	八 5 2	一 7 4
二 8 5	四 1 7	九 6 3

向艮寅

12. 大門向東偏東北 67.5 至 82.5 度

i) 一九八四年至二〇〇三年入伙之屋用此圖

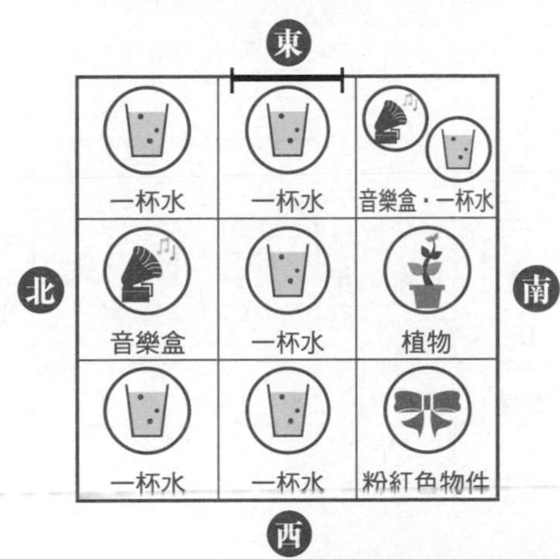

向甲 / 坐庚

六 8　4	二 4　9	四 6　2
五 7　3	七 9　5	九 2　7
一 3　8	三 5　1	八 1　6

5	1	3
4	6	8
9	2	7

二〇二一飛星圖

ii) 二〇〇四年後入伙之屋用此圖

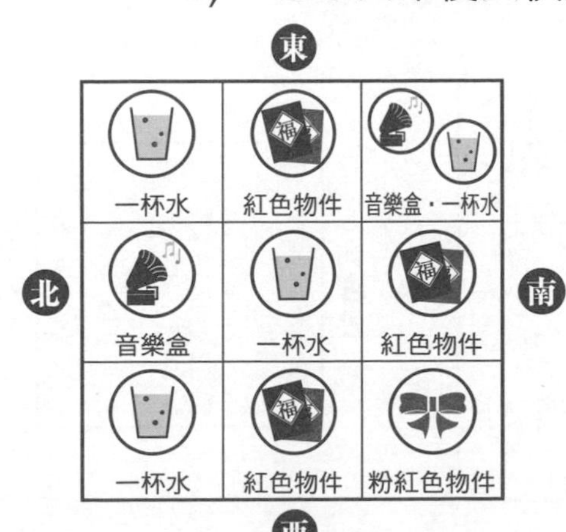

向甲 / 坐庚

七 9　7	三 5　2	五 7　9
六 8　8	八 1　6	一 3　4
二 3　4	四 6　1	九 2　5

13. 大門向東 82.5 至 112.5 度

i) 一九八四年至二〇〇三年入伙之屋用此圖

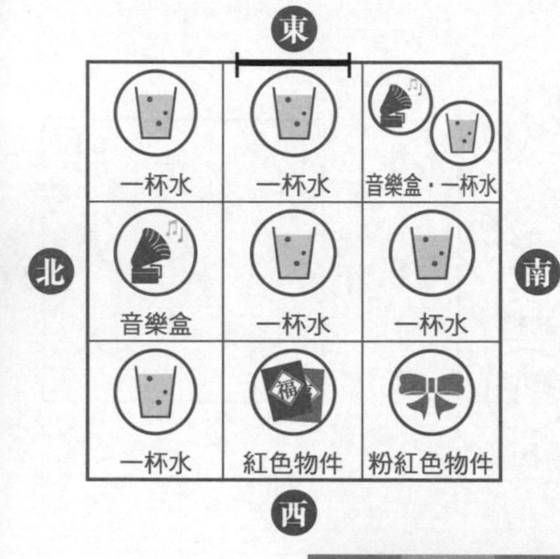

向卯乙 / 坐酉辛

六 1　6	二 5　1	四 3　8
五 2　7	七 9　5	九 7　3
一 6　2	三 4　9	八 8　4

二〇二一飛星圖

5	1	3
4	6	8
9	2	7

ii) 二〇〇四年後入伙之屋用此圖

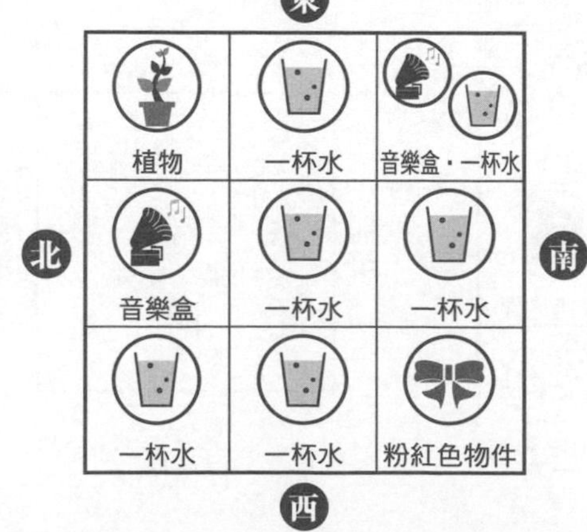

向卯乙 / 坐酉辛

七 2　5	三 6　1	五 4　3
六 3　4	八 1　6	一 8　8
二 7　9	四 5　2	九 9　7

14. 大門向東南偏東 112.5 至 127.5 度

i) 一九八四年至二〇〇三年入伙之屋用此圖

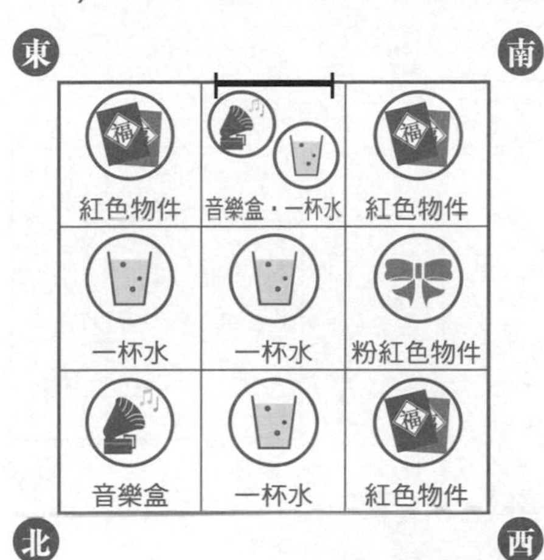

向辰

六 9 7	二 4 2	四 2 9
五 1 8	七 8 6	九 6 4
一 5 3	三 3 1	八 7 5

坐戌

二〇二一飛星圖

5	1	3
4	6	8
9	2	7

ii) 二〇〇四年後入伙之屋用此圖

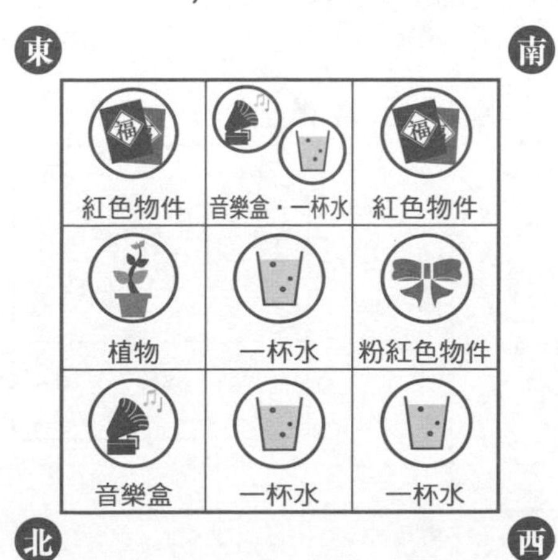

向辰

七 8 6	三 4 2	五 6 4
六 7 5	八 9 7	一 2 9
二 3 1	四 5 3	九 1 8

坐戌

15. 大門向東南 127.5 至 157.5 度

i) 一九八四年至二〇〇三年入伙之屋用此圖

東　南

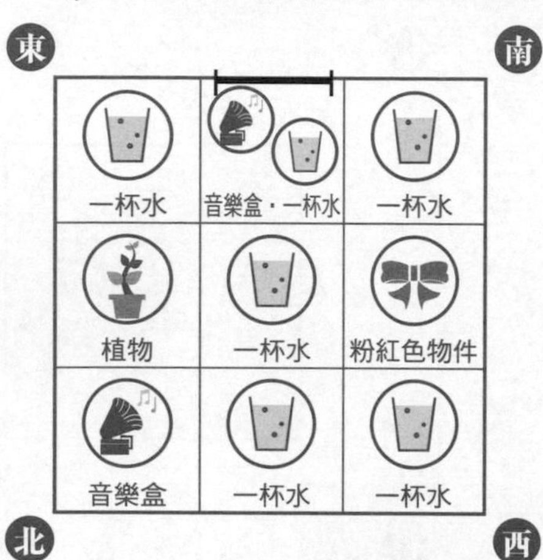

北　西

向巽巳

六 7　5	二 3　1	四 5　3
五 6　4	七 8　6	九 1　8
一 2　9	三 4　2	八 9　7

坐乾亥

二〇二一飛星圖

5	1	3
4	6	8
9	2	7

ii) 二〇〇四年後入伙之屋用此圖

東　南

一杯水	音樂盒・一杯水	一杯水
一杯水	一杯水	粉紅色物件
音樂盒	一杯水	一杯水

北　西

向巽巳

七 1　8	三 5　3	五 3　1
六 2　9	八 9　7	一 7　5
二 6　4	四 4　2	九 8　6

坐乾亥

16. 大門向南偏東南 157.5 至 172.5 度

i) 一九八四年至二〇〇三年入伙之屋用此圖

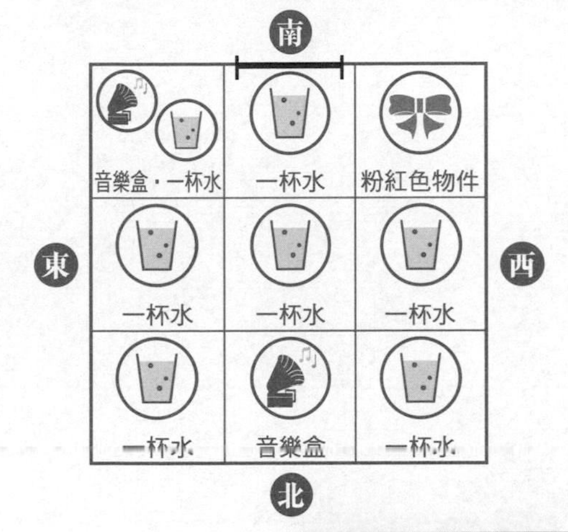

向丙

六 2　3	二 7　7	四 9　5
五 1　4	七 3　2	九 5　9
一 6　8	三 8　6	八 4　1

坐壬

二〇二一飛星圖

5	1	3
4	6	8
9	2	7

ii) 二〇〇四年後入伙之屋用此圖

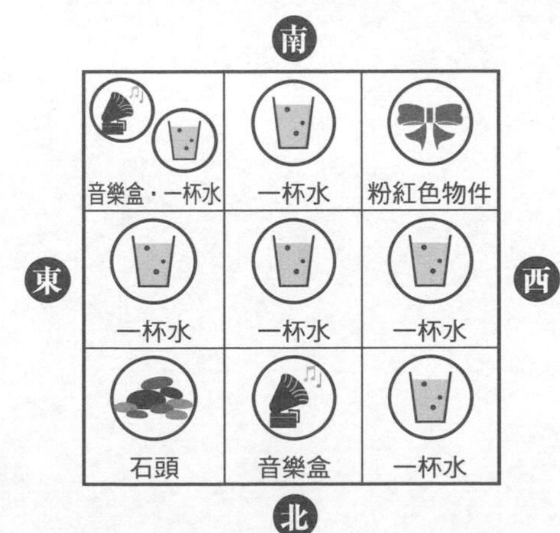

向丙

七 5　2	三 9　7	五 7　9
六 6　1	八 4　3	一 2　5
二 1　6	四 8　8	九 3　4

坐壬

第四章

牛年生肖運程

寒、熱、平命計算方法

寒命人 出生於西曆八月八日後，三月六日前（即立秋後、驚蟄前）。

熱命人 出生於西曆五月六日後，八月八日前（即立夏後、立秋前）。

平命人 出生於西曆三月六日後，五月六日前（即驚蟄後、立夏前）。

寒命人 利木火、東南、青綠紅橙紫。

熱命人 利金水、西北、白金銀黑灰藍。

平命人 木火土金水皆可為用，然金水較佳。

二〇一六年始至二〇二一年，這數年都是金水流年，尤其二〇一九至二〇二一為大水年，對熱命人特別有利。故此由二〇一九年起，熱命人可以放膽嘗試，平命人亦可進攻，寒命人則宜守靜，靜待至二〇二二年秋後才可進攻，運至二〇二八年秋止。

肖牛運程

• 一九三七
• 一九四九
• 一九六一
• 一九七三
• 一九八五
• 一九九七
• 二〇〇九

寒命人——出生於西曆八月八日後、三月六日前（即立秋後、驚蟄前）。

熱命人——出生於西曆五月六日後、八月八日前（即立夏後、立秋前）。

平命人——出生於西曆三月六日後、五月六日前（即驚蟄後、立夏前）。

肖牛的你去年是太歲相合生肖，各樣事情都應該來得較為穩定，惟這穩定情況可能只維持至西曆四月五日止。因今年肖牛的你為犯太歲生肖，為各個生肖最要留意者，雖然犯太歲與運氣無直接關係，惟容易出現悲觀負面情緒，而這也是會間接為工作帶來壞影響，加上犯太歲年特別容易出現一些令你不如意的小事情，如遺失物件、外遊遇阻滯，甚至感情障礙、家人身體欠佳等這些事情，這亦會加深你的負面情緒，唯有盡量正面一點，盡力保持樂觀的心態，才不至於因犯太歲而大大影響到正常生活。

二十四歲犯太歲者，最容易出現的是感情變化，單身者還好，因只會變來而不會變走，惟已經有穩定感情的你，如沒有打算今年結婚的話，便要好好努力維繫，尤其是男性的牛，因在這個歲數結婚的機會始終不大。

三十六歲、四十八歲，及十二歲的你，特別容易出現悲觀負面情緒，當中最嚴重者為三十六歲的你，事事容易往壞處想，甚至覺得生活了無意義，又或者出現過分擔心的情緒，唯有時刻提醒自己，這是因為犯太歲所致，不一定是實際上出了甚麼問題；其次是四十八歲的你，但因有三十六歲時的經驗，應該比較容易紓緩犯太歲所帶來的負面情緒；十二歲的你，不要因功課壓力、考試壓力而令自己太過緊張。

六十歲者要多加注意身體，尤其是嘴唇暗黑、嘴角下垂、門牙脫落或齒型不佳等特徵者，則更要多加注意。

七十二歲及八十四歲的你，人生經驗豐富，這個犯太歲年對你的壞影響相對較少。

又犯太歲年易見損傷，尤其是農曆六月及十二月，可以的話，這兩個月可以捐血、洗牙、驗身，流一點血去應掉損傷；又肖牛的你先天容易出現腸胃問題，故今年在飲食上也要多加注意；又農曆十二月時間許可的話，最好外遊散心，這樣有助加快消散犯太歲所帶來的負面情緒，因今年之氣會延至二〇二二年西曆八月七日立秋後才會完全消散。外遊方面，生於西曆三月六至八月八日的平命、熱命人宜去西、北方；生於西曆八月八日之後，三月六日之前則宜去東、南方，如外遊的方向不對，這對紓緩犯太歲的負面情緒是無幫助的。

今年吉星全無，缺乏外來助力，故即使生於春夏天的熱命平命人也要加倍努力，才能獲得較佳成績，而出生於秋冬天的寒命人，更只能去盡力耕耘好了。

凶星有「劍鋒」、「伏尸」，這兩顆損傷星每年都會伴隨犯太歲生肖，故每年犯太歲生肖特別容易出現損傷可能也是拜此兩星之故；唯有在農曆六月及十二月去捐血、洗牙、驗身，流一點血去應掉損傷。

「華蓋」，容易引發孤獨情緒；惟此星有利藝術創作，而創作之路，從來都是孤獨的。

「太歲」，即犯太歲之意，其影響已詳述。

其他凶星有「的煞」、「破碎」、「黃旛」等無大影響，可無需理會。

寒命人 今年是水旺運的最後一年，再忍耐多一年，二〇二二年入秋之後又輪到你的旺運降臨，而此運會延至二〇二八年入秋前。惟有時二〇二二至二〇二四年的運程並不明顯，但二〇二五、二〇二六、二〇二七這三個大火年必然可以把你的運氣提升一級。

熱命人 本年為大水運的最後一年，要好好把握，已經起步的可以加快發展，未曾起步者則要好好把握時機。因本年不起步的話，明年以後便要靜守數年了。

平命人 今年仍然是水旺之年，有新機會仍

可嘗試，惟一生較為平穩的你，好壞運有時會來得不太明顯；但相較起來，本年如有機會仍可把握，其結果趨向好的機會也是大的。

一九三七年出生的牛—今年為權力地位提升年，惟年紀不輕的你，在事業上能再提升的機會不是很多，可能只是家裏添了小成員，令你輩份提升，又或者受晚輩尊重多了而已。

一九四九年出生的牛—今年為財運年，惟這年紀，除非是從商者，否則能再進財源的機會始終不大，可能是投資的收益多了，又或者是晚輩多給一些零用錢罷了。

一九六一年出生的牛—今年為思想學習投資年，很多上班一族都想在退休以後嘗試，下做生意，但因年紀已不小，這決定一定會有些冒險，故要三思而後行；如果是正在從商的你，今年可能會有新發展機會。

一九七三年出生的牛—今年為辛苦個人力量得財年，今年工作相對會較忙碌，這對收入不穩的自僱一族幫助最大，因收入必能因工作量上升而有所增加。

一九八五年出生的牛—今年為貴人舒服懶年，工作了一段時間，有時放慢一下腳步，停一停、想一想日後的去向也是好的，而今年正好有時間讓你去作一個中期檢討。

一九九七年出生的牛—今年為權力地位提升年，已經在上班的你今年有升遷機會，如果才剛完成學業本年才開始工作，這樣也算是地位提升，因從今開始做任何事都要自己負起責任。

二〇〇九年出生的牛—今年為財運年，才十二歲的你，自己能賺取金錢的機會始終不大，可能是父母多給一些零用錢罷了。

財運

今年為財運年，雖然是犯太歲，但這與財運並無直接影響，只要能好好處理負面情緒，仍然可以努力地爭取到好成績，尤其是夏天出生的熱命人更要好好努力爭取。因今年是旺運的最後一年，明年入秋後運程有機會開始慢下來；其次是春天出生的平命人，今年運程仍然是可以的；而秋冬天出生的寒命人運程始終一般，即使是財運年也不要太過寄予厚望。

事業

犯太歲的你，今年財運雖然影響不大，但事業運則要好好留意；因今年犯太歲容易對情緒產生負面影響，忍耐力可能變差，因而影響到人際關係，連帶事業都容易受到負面影響。加上今年吉星全無，亦缺乏外來助力，平命、熱命人還好，寒命人則要提醒自己事事盡量要正面一點。

感情

犯太歲年，特別容易影響感情，即使不是二十四歲及三十六歲的你，也容易因負面情緒而令到感情間接受到影響，故心情覺得煩燥時，唯有減少傾談，避免產生磨擦，讓感情進一步受到不良影響。

身體

犯太歲年，身體亦特別容易受到意外損傷，當中尤以二十四歲的女性及六十歲的男性要特別小心；除了可以在農曆六月及十二月捐血、洗牙以化損傷外，六十歲的你如果覺得有需要的話，做一個全面身體檢查也是需要的。

是非

犯太歲年，是非在所難免，加上今年吉星全無，事事都要靠自己去趨避，除了要好好控制自己情緒之外，唯有在今年正南桃花位放一杯水、西南爭鬥位放粉紅色物件去旺人緣，化是非。

農曆一月

本月為思想學習投資月，今年犯太歲的你，投資方面定不太適宜，反而趁這犯太歲年進修一下是適合的，當然學一些工作以外的興趣及沒有考試壓力的才適合；否則只會有反效果，不但不能紓緩犯太歲所帶來的負面影響，反而加深了情緒的壓力。

財運 本月為思想學習投資月，不管學習或者投資，意外開支必然比平常多，故本月在財運上不要存有寄望；加上農曆年假期，額外的消費必然在所難免，故本月不難是出財多，入財少的一個月份。

事業 本月為思想學習投資月，投資方面必然不太適合，即使在順運中的平命、熱命人也要三思；因本年始終是犯太歲年，恐防決策容易出現錯誤而導致不必要的損失，故本月事事以守靜為佳。

感情 本月是肖牛的桃花月，加上犯太歲感情容易出現變化，這對單身的你而言，算是要好的一個月，如果不想繼續單身的話，本月便要好好把握了；因月份的桃花，其力量一般不會太強，況且只一個月，機會必然稍縱即逝。

身體 雖然今年犯太歲年身體容易遇到意外損傷，惟本月並無刑沖，又是桃花月，身心方面仍然是健康的，即使農曆新年偶爾放縱一下胃口，也不會因此而吃出病來。

是非 本月是肖牛的桃花月，人緣運承接去年太歲相合，仍然是不錯的，即使農曆一月應酬較多，但反應也都是正面的，故本月無需為是非太過擔憂。

農曆二月

本月為思想學習投資月，如上月已經起步學習進修，本月將會持續。如想嘗試起步從商，即使是夏天出生的熱命人也要三思，因為本年是水旺運的最後一年，明年你的運程便會開始放慢，再加上今年為犯太歲年，思緒比較容易出現問題，因而作出錯誤抉擇，而秋冬天出生的寒命人，本月不用多想，一切就待至二〇二二年入秋後再去決定好了。

財運 本月是思想學習投資月，仍然會是開支較大的一個月，故在財政上要小心處理，以免因過度開支而引致財政不穩，那復活節假期便要泡湯了。

事業 本月為思想學習投資加暗中權力提升月，這代表可能要管的事情多了，責任大了，職位與工資都不會因此而改變，算是只添忙碌的一個月；但這也是好的，最少不會有太多空閒時間而讓你胡思亂想，可以全心投入工作去。

感情 本月並無刑沖，亦非桃花月，感情看不見有絲毫變化；惟本月是思想學習投資月，如無學習投資，則容易胡思亂想而引致情緒不穩，這必然間接影響到雙方關係。

身體 本月如無學習也沒有投資的話，怕思想無所歸而引致情緒不穩，這樣必然容易引致失眠；唯有睡前看些消閒書又或者喝少許葡萄酒，這也是有助入眠的。

是非 無刑無沖，但亦非桃花或相合月，人緣運是一般的，是非也並不明顯，故本月無需刻意提防是非，就好好管控自己情緒便可以了。

農曆三月

本月為肖牛的財運月，從商或自僱的你可以

努力一些，望能在這財運月而令收入有所增加，收入穩定的上班一族雖然不會因一個月的財運而令收入有所增加，惟這足以防止無端破財，故開支必然會比上兩個月少，而本月財運也算是無形增加了。

財運 財如春草，不見其生，日有所長。本月始終是肖牛的財運月，雖然是正財，代表要通過自身努力而所得的財，並非意外橫財，但這也足以令你努力投入工作，因財運可以因你的努力而有所上升，這樣令你工作起來都分外起勁。

事業 日月推移，漸漸進步。收入不穩的從商或自僱者，本月財運有所增加，這亦間接代表事業應該有正面進展，即使是收入穩定的上班一族，本月亦能因努力而使工作能夠順利進行，故本月事業運是不錯的。

感情 本月並無刑沖，亦非桃花相合月，感情運相對是穩定的，看不見有任何變化，仍未感受到因犯太歲年而出現的不穩與變化，惟單身者能在本月認識新異性的機會也不大。

身體 每年三月你的腸胃都特別容易出現不適，惟本年這個三月並無刑沖，犯太歲的壞影響仍未浮現，腸胃方面仍然是可以的；只要正常飲食，腸胃是不會出現問題的，故本月健康運是可以的。

是非 每年農曆三月，肖牛的你是比較容易招惹是非的，雖然這個月肖牛的你並無刑沖，是非並不明顯，但也是要減少應酬為上，這樣可以進一步退避是非。

農曆四月

本月為肖牛的偏財月，比較容易出現意外

之財，收入穩定的上班一族，本月可以多買些獎券，看看能否給你帶來一點點的意外驚喜；而收入不穩的從商或自僱者，這些意外收穫一般都是因生意得來的，本月可能有一些意想不到的生意自動找上門，又或者客戶介紹些生意給你，讓你做起事來都能事半功倍，財運也因此而有所上升。

財運 財帛可得，可有進展。本月仍然是肖牛的財運月，特別容易出現些意想不到的意外收穫，即使是收入穩定的上班一族，也可能有些意外驚喜，老闆分發賞錢也好，中些彩票也好，都比較容易讓你有些意外收穫。

事業 勞而有功，用力前行。既然本月有機會獲得意外收穫，那不妨好好努力，看看機會甚麼時候會撞上來；因為即使是財運月，如果不努力踏出去，機會也不容易找到你，正如中彩票前，第一步是需要先去買些彩票。

感情 本月為肖牛的遙合月，感情方面看不見有突破，單身的你最多也只能出現來自遠方的暗戀對象而已，能開展到一段新感情的機會不是很大；反而是想在這犯太歲年更進一步的你，本月感情運是穩定及良好的。

身體 本月是肖牛的遙合月，突然遇到意外損傷的機會不大，而腸胃問題本月也沒有給你帶來困擾，算是健康的一個月份。

是非 本月為肖牛的遙合月，容易有遠方貴人扶助；雖然貴人在遠方起不了即時作用，但這遙合月已足以讓你減免是非，故本月人緣運是不錯的。

農曆五月

本月是權力地位提升月，也是肖牛的桃花月。本月過後，犯太歲的壞影響容易逐漸浮現，故宜藉此月把各樣事情都做好一點，讓犯太歲月來臨時把阻力盡量減少；又上班一族如果想在這年爭取升遷，本月是一個好的月份，故本月宜全力以赴，做到最好，看看能否如願。感情方面，如打算在這年結婚或添一個家庭成員，本月是一個實行的好時機；單身者亦可藉此桃花月，看看能否因犯太歲年而為你帶來一段新感情來。

財運 本月為權力地位提升月，上班一族如果真的能落實升遷，財運必然會隨之而來；從商或自僱者亦能藉此權力地位提升月，盡量把自己在行內的名聲提升，這樣對日後的事業財運，必然能起到正面作用。

事業 有梯有板，高樓直上不難。本月為桃花加權力地位提升月，不論對從商、自僱或上班一族都能起到正面作用；故本月宜努力把自己在行內的名聲提升，而上班一族亦能望在此月讓事業運更上一層樓。

感情 本月為肖牛的桃花月，單身的你如果想在犯太歲年為你帶來一段新感情，本月可以積極努力多些外出，給自己製造多些機會，因這幾個月較容易為你帶來一段新感情；本月過後，隨後的六月、七月機會也是大的。

身體 本月並無刑沖，加上又是桃花月，身心健康也都是正常的，即使偶爾多些外出應酬或相約朋友外出夜蒲，也不會因此而惹出病來。

是非 桃花月，人緣佳，是非自然遠離。惟距離下月相沖已近，故本月要盡一切努力，望能在犯太歲開始出現壞影響前，盡量打好些人際關係。

農曆六月

本月為肖牛的相沖月，犯太歲年的影響開

始浮現，惟沖太歲月容易出現兩種極端狀況，在順運中的平命、熱命人可能影響不大，甚至出現好的機會，相反，秋冬天出生的寒命人，本來已經在逆運中，本月更容易因相沖而令運程加速逆轉，故事事要以保守為上。又本月土土相沖，腸胃特別容易出現不適，故本月在飲食上要特別小心，方免情況惡化。

財運 賺錢不難也不易，財入錢出付水流。本月仍然是肖牛的財運月，惟因相沖的關係，容易出現財來財去之象；加上腸胃容易出現不適，如處理不宜，金錢亦容易要花在醫療之上，故本月額外支出可能是意想不到的。

事業 本月為沖太歲月，事業容易出現變化，惟這變化容易出現兩極現象。平命、熱命人轉好的機會較大，而寒命人則要步步為營，萬事要以不變為佳。

感情 本月為肖牛的相沖月，感情亦容易出現變化，如打算在今年結婚者，本月是一個好機會；相反，本月便容易出現危機。故未婚者如沒打算在今年結婚，但又不想感情受到破壞，本月開始便要好好維繫了。

身體 土土相沖，腸胃特別容易不適；故本月在飲食上要好好節制，盡量多吃點清淡的食物，讓腸胃不要受太大壓力，以免情況惡化。

是非 沖太歲月，是非必然比平常多，故本月宜盡量減少外出應酬，這必然有助減免是非；亦可以在本月西北桃花位放一杯水，東北爭鬥位放粉紅色物件旺人緣化是非。

農曆七月

本月為貴人舒服懶月，經過上月相沖的不穩因素後，本月放慢一下腳步也是適宜的，加上本月為肖牛的桃花月，倒不如藉此月多些外出，與各方打好關係，這必能讓這犯太歲年的壞影響減至最低，而單身者更可趁本月工作不太忙碌，多些相約朋友外出，給自已製造多些機會，看看能否因這桃花月而碰到心儀的異性。

財運　本月為貴人舒服懶月，適宜把腳步放慢一點，這樣必然連帶收入也不會有寸進；尤其是收入不穩的從商或自僱者，收入必然減少，惟本年始終為犯太歲生肖，保持樂觀情緒是首要任務。錢財方面，也不要急在一時。

事業　不如閒中尋樂，無需為錢重肩。既然是舒服懶月，本月在事業上就先不要太過着緊，不如藉此桃花月，盡量打好各方關係，為日後事業打好長遠基礎。

感情　本月是肖牛桃花月，如有意在犯太歲年結婚者，本月是一個適合的月份；單身者本月更是一個脫單的好機會，如果不想再單身下去的話，本月要加倍努力了。

身體　腸胃不適的月份已經過去，代之而來的是桃花人緣月，心情較上月輕鬆，壓力也相應較少，腸胃毛病自然大大減輕；即使因桃花月而多了應酬，腸胃也不會因此而產生毛病。

是非　雲開霧散，天朗氣清。上月相沖的影響已經散去，雖然今年是犯太歲生肖，惟本月是肖牛的桃花月，人緣運在本年內算是不錯的；故應藉此桃花月多些外出，與朋友、客戶打好關係，讓犯太歲的壞影響減至最低。

農曆八月

本月依然是貴人舒服懶月，又是肖牛的相合月，人緣運雖然不及上月佳，但整體仍算是穩定的，不論在感情或事業人緣上也一樣；故本月適宜放慢腳步，先穩定好固有的人際關係，望能在犯太歲年不致有太大影響。思想方面，宜正面一點，勿讓犯太歲的悲觀負面情緒籠罩着你；因入冬以後，負面情緒會逐漸浮現，故宜早作準備。

財運 本月既然是貴人舒服懶月，財運就先不去想好了，反正寒命人要待至明秋才有新機會；而平命、熱命人經過這數年的努力，在今年犯太歲時放慢一下腳步也是合時的，故本月財運就先放一邊好了。

事業 不雨不晴之日，非寒非暖之時。本月事業運看不見有突破，但也並非困難重重，既然是舒服懶月，就放慢腳步慢活一下便好了；本年是水運年最後一年，不論寒熱平命人都宜好好準備，迎接運程之改變。

感情 本月感情運穩定，惟下月開始，感情便要好好維繫；尤其是已有穩定感情、無打算在今年結婚、又不想分手的你更要注意。

身體 依然平安無恙，平常腸胃不佳的你，本月的健康仍然是可以的，壓力及負面情緒仍不是那麼明顯，故本月無需為健康太過擔憂。

是非 本月是肖牛的相合月，人緣運雖然沒有桃花月那麼好，但也算是穩定的，突然招惹是非的機會不是很大；故仍然可以如上月一樣，多些外出與客戶、朋友聯繫，打好各方關係。

農曆九月

本月為肖牛的相刑月，是非必然比上兩個月為多。身體方面，腸胃容易產生毛病，加上本月為辛苦個人力量得財月，工作量突然大增，是非、身體及工作壓力，本月都明顯上升，唯一可做的便是盡力放鬆心情，以免情況惡化。飲食方面，本月要小心注意，盡量食些清淡易消化的食物，生冷、煎炸之物少沾為妙，感情方面亦要多加注意，以免因壓力太大導致忍耐力不足而傷感情。

財運 本月為辛苦個人力量得財月，工作量突然多起來，雖然對多勞多得者能有正面作用，惟本月為肖牛的相刑月，是非在所難免；即使收入不穩的從商或自僱者也不容易，對收入穩定的上班一族則只有辛勞與是非而已。

事業 車轍滿泥塵，轉動多費力。本月為辛苦個人力量得財月，工作量增多是正常的，惟本月又是肖牛的相刑月，加上今年犯太歲的你，本月恐防是非亦會大增，令到工作阻力增多，唯有盡力而為，得失由天好了。

感情 本月為肖牛的相刑月，感情唯恐不太穩定；今年有喜事還好，否則本月要好好維繫，方能免一時意氣之爭而大大破壞了雙方關係。

身體 土土相刑，腹部腸胃之疾容易突襲，唯有盡量放鬆心情，避免給自己太多壓力，望能把腸胃不適減至最低。

是非 口舌是非，小人必多。本年肖牛的你是犯太歲年，本月又是你的相刑月，是非在所難免，唯有盡量減少外出應酬，以減免是非；又或者在本月正南桃花位放一杯水，西南爭鬥位放粉紅色物件去旺人緣化是非。

農曆十月

本月為辛苦個人力量得財月，雖然本月為遙合月，易有遠方貴人扶助，惟入冬後漸漸開始受犯太歲影響，容易出現悲觀負面情緒，因而影響事業進展。惟犯太歲十二年只有一次，故這個冬季宜放鬆一點，不要把得失太過放於心中，這樣有助抵抗負面情緒加深，讓你安然度過這個冬季。

財運 本月雖然是辛苦個人力量得財月，從商或自僱的你容易因工作量上升而有所增加，惟入冬後容易因犯太歲年引發負面情緒；故本月不要太過計較得失，反而要盡量放鬆一點，因有時健康遠比金錢重要。

事業 上山多費力，有樹可扳枝。本月為辛苦個人力量得財月，事業本來應有不錯進展的，尤其是收入不穩的從商或自僱者，工作忙碌可代表利用價值不錯，收入亦能因此而上升，惟入冬以後容易受悲觀負面情緒影響；如發現出現此情況，那就要放慢一下腳步，讓犯太歲年過去後再行努力好了。

感情 本月並無刑沖，情況比上月為佳，惟入冬後與犯太歲月逐漸移近，情緒容易出現不穩；故本月要好好提醒自己，勿因一己之情緒影響到雙方關係。

身體 本月並無刑沖，腸胃問題亦逐漸紓緩，惟情緒問題本月可能來襲；故本月要保持身心健康，做適當運動，這亦有助於紓緩情緒，讓思想能夠正面一點。

是非 本月並無刑沖，故是非並不明顯，惟人緣運亦不一定順利，因本月開始受到犯太歲的影響而令情緒不穩，而這是交際應酬之大忌，故本月亦不宜太過積極去對外交往。

農曆十一月

本月為思想學習投資月，惟在此時作出新投資，恐防不是一個明智選擇。一來犯太歲嚴重影響的月份臨近，二來今年是水旺的最後一年，平命、熱命人運程將會逆轉，而秋冬天出生的寒命人運程要明年才有機會逐漸轉順；故不論寒熱平命人在此時只宜靜不宜動，宜守不宜攻。唯一可幸的是本月是肖牛的相合月，人緣運是穩定的，

這最少可以減免人事上的顧慮，亦能減免是非。

財運 雖然是思想學習投資月，惟年之將盡，不論投資或學習都好像不是一個好時機，可是在投資月，如無學習亦不投資恐防思想無所歸而引致情緒不穩；如假期許可的話不如作一個短期旅遊又或者多些相約朋友外出，這樣可以應掉破財，又可以紓緩情緒。

事業 雖然是思想學習投資月，惟今年是水旺的最後一年，明年開始便是六年的木火運，在這水火互換的年份，每個人運程都不太穩定，故在事業上都不宜有任何大動作，一切都應以守舊為佳。

感情 本月為肖牛的相合月，要好好利用此月讓感情更加穩固；因下月犯太歲月唯恐對感情及情緒都容易帶來壞影響，望能在本月讓感情穩定下來，讓下月犯太歲月來臨時不會有太大影響。

身體 本月為思想學習投資月，如不投資亦無學習，唯恐思想無所歸而引致容易胡思亂想因而引致失眠，而睡眠不足便容易百病叢生；故本月在情緒上要處理得宜，以免問題惡化。

是非 本月為肖牛的相合月，是非並不明顯，惟本月容易情緒不穩，故不宜太多外出應酬，免因自己情緒不穩得罪了別人而不自知；如覺得沉悶，倒不如多些約三數知己傾談，抒發一下心中悶氣好了。

農曆十二月

本月為思想學習投資月，又是肖牛的犯太歲月，兩者相遇恐防會把情緒問題惡化；除了要好好控制情緒，讓思想正面一點外，最好是外遊散心，這必然對犯太歲的你起到正面作用，尤幸本年農曆年來得較早，可以早一些在農曆年來臨前外遊。秋冬天出生的寒命人宜去東、南方；春夏天出生的平命、熱命人宜去西、北方，否則容易出現反效果；本月容易出現意外損傷，可以的話宜捐血、洗牙或驗身等以應損傷；又本月腸胃容易不適，故在飲食上要多加節制為上。

財運 本月就先不要去想好了，因本月為犯太歲年的犯太歲月，最先要處理的是情緒問題，切忌在金錢上再給自己添加壓力；本月即使花費比平常多，也不要太過計較，待本月過後再追回所失好了。

事業 無風無搖花自落，有雲有雨暗濛濛。本月宜一切守舊為佳，始終是犯太歲年月，容易出現想不到的突發事情，故事業方面一定以守舊為佳，即使遇到突發情況也會較容易應付。

感情 本月為犯太歲月，連帶感情都容易因自己情緒不穩而出現變故；尤其是已有穩定感情的未婚者，這是一個給你考驗的時候，如不想因犯太歲月而影響到雙方關係，這個月便要共同努力了。

身體 本月為肖牛的犯太歲月，身體方面要多加注意，除了在情緒上，實質的腸胃毛病亦要小心；加上本月為交通意外高危月，可以的話，本月就少一點駕駛好了。

是非 閉口藏舌，閒事莫理。本月是你的犯太歲月，是非比平常多。在公在私宜好好處理，望能把犯太歲月帶來的壞影響減至最低，亦可在本月正東桃花位放一杯水，旁邊再放一個音樂盒每天響一遍，增加人緣運，以減免是非。

- 一九三八
- 一九五〇
- 一九六二
- 一九七四
- 一九八六
- 一九九八
- 二〇一〇

寒命人——出生於西曆八月八日後、三月六日前（即立秋後、驚蟄前）。

熱命人——出生於西曆五月六日後、八月八日前（即立夏後、立秋前）。

平命人——出生於西曆三月六日後、五月六日前（即驚蟄後、立夏前）。

肖虎

今年為紅鸞桃花年，如已有穩定感情者，在此年提出婚嫁，將會是一個好時機，加上去年是驛馬年，有遷移有變動之象，如已經準備了日後的住處，迎接這個紅鸞桃花年將會是雙喜臨門。單身者如果不想再單身下去的話，便要加倍努力，旁人介紹也好，六人晚宴也好，總知就給自己多些接觸陌生人的機會；且紅鸞為正桃花，如今年開展的新感情，能夠發展下去的機會相當大。

今年桃花年代表人緣好，易得貴人扶助，這對無論單身或已婚人士都能帶來正面作用，讓工作與人際關係都能順暢不少。

又今年為貴人舒服懶年，可能人不是太過積極，惟本年得桃花之助，即使不太努力亦容易事半功倍；平命、熱命人固然佳，即使寒命人，亦能因桃花之助，望能得貴人、長輩、上司之眷顧，而令下降軌跡減慢一點。

今年吉星有「太陽」，代表容易出現男性貴人，如果長輩、上司、老闆是男性的話，助力相對會更加明顯。

「紅鸞」，桃花星，對感情人緣起到正面作用，這必然間接對事業也有幫助。

凶星有「孤辰」，心情容易常覺孤獨，不開朗，惟今年是紅鸞桃花年，當你覺得孤獨時相約朋友外出，我相信他們也是樂意的。

「劫煞」，容易因朋友而破財，借錢擔保之事可免則免，即使要好的朋友求助，也要預算他們今年難以償還借貸。

「天空」，計劃容易成空，反正今年是舒服懶年，人不太積極，更不用去計劃太多了；況且我常常說，計劃通常都跟不上變化，事事就見步行步好了。

「晦氣」，談好之事情容易被人捷足先登，故談事時要跟貼一點，望能減免此等事情。「吞陷」，無甚影響，無需理會。

寒命人 今年為水旺的最後一年，待今年過後，你的旺運循環便開始了；加上本年是紅鸞桃花年，人緣佳，是非星亦無顯現，這必然能令你這年順利過渡。

熱命人 今年要加倍努力，早幾年所作的努力很可能今年全數回收；又今年為桃花年，貴人及人緣運必能有所提升，讓在順運中的你做起事來更能得心應手。

平命人 在平穩之中今年算是一個極佳年份，一來本年是水旺之年，運程仍然是處於高點；二來本年是紅鸞桃花年，人緣佳則易得貴人扶助，讓今年無論在事業及感情人緣方面都是順暢的。

一九三八年出生的虎—今年是辛苦個人力量得財年，雖然已到這年紀，但人還是活力十足的；雖然在這年紀大部分已經退休良久，但保持一定的交際也是應該的。

一九五〇年出生的虎—今年為貴人舒服懶年，那就放慢一下腳步，享受一下生活好了，因有時把腳步放慢，更能感受心中所想要的；雖然已年屆七旬，但對現代人來說，往後還有很多日子讓你去實現心中所想。

一九六二年出生的虎—今年為權力地位提升年，除非是從商者，否則在今年內能提升的機會不大；但如果想在退休之後開創新事業，一嘗做老闆的滋味，這也算是一種提升。

一九七四年出生的虎—今年為財運年，各個肖虎之中以你財運最佳，這對收入不穩的從商或自僱者最有幫助，因能在工作中獲得相應的收益，而收入穩定的上班一族，則可多買一些彩票，看看能否因此而獲得些意外之財。

一九八六年出生的虎——今年為思想學習投資年，惟投資方面，時機不是太好，因平命、熱命人順運已行至最後一年，在今年才起步可能時間不太充足，而秋冬天出生的寒命人，明年才是旺運年的開始，如果在今年起步的話可能會較艱辛。

一九九八年出生的虎——今年為辛苦個人力量得財年，不論是今年開始投入工作，又或者已工作了一段時間的你，今年都會比較忙碌，人也會變得積極一些。

二〇一〇年出生的虎——今年為舒服懶年，望十一歲的你不用面對重要考試，否則的話，自己要加倍努力放下慵懶的心情。

財運 雖然今年為舒服懶年，但財運卻沒有因此而變差；因本年是紅鸞桃花年，人緣運比平常為佳，讓你不需要太過努力，事業都容易順利進展，收入不穩的從商或自僱者固然得益，收入穩定的上班一族也能因桃花之助而令工作順暢起來。

事業 今年為貴人舒服懶年，相對對事業亦會較為不積極，惟春夏天出生的平命、熱命人今年宜加倍努力，因為今年是水旺的最後一年，如今年不積極爭取，恐明年運程慢下來後，再努力也無用了。

感情 桃花年，感情人緣佳，除了對單身者有利外，即使是已婚者也能令雙方關係加深，增進了解；如想在今年婚嫁或加添新家庭成員，也是一個適當的好時機。

身體 本年並無刑沖，亦無疾病損傷星，相信健康運是良好的，平常筋骨、手腳容易損傷的你，今年大可以放鬆一點；加上本年又是重桃花年，人緣運亦是良好的，讓你能過一個身心都健康的年份。

是非 桃花年，人緣好，是非自然遠離，加上今年並無是非星，即使多些外出應酬，反應也是正面的多，負面的少；故宜藉此桃花年多些相約客戶、朋友外出，建立更強的人際網絡，尤其是秋冬天出生的寒命人更要早做準備，迎接明年旺運來時，更能得貴人之助而讓事業運進展得更為順利。

農曆一月

本月為權力地位提升月，惟農曆年才剛過去，能在本月提升的機會始終不大，除非是去年底已定下來。否則，這個升遷運能如願的機會不大；惟從商或自僱者可以把握此月，多些外出與客戶聯繫，提升自己在行內的名聲，又本月雖然是肖虎的犯太歲月，是非容易比平常多，惟今年是你的重桃花年，小小一個犯太歲月影響不大，即使多接觸陌生人，也不會因此而惹上是非。

財運 表面風光，地位提升。本月為權力地位提升月，惟財運並不明顯，上班一族除非在去年已訂下過年後升遷，財運才可能有所增加；否則，本月財運就和往常一樣而已。

事業 雖然本月為權力地位提升月，惟在農曆年後能馬上升遷的機會始終不大，不如藉此升遷月多些外出打打關係好了，這不論對寒熱平命人都能起到正面作用，寒命人可以早點準備明年旺運來臨，平命、熱命人則可把握金水運最後一年，望能把事業推至最高點。

感情 雖然今年是桃花生肖，惟本月仍未能發揮作用；但本月並無刑沖，感情運是穩定的，不會因桃花力量仍未開始而有不良影響。

身體 農曆年過後，開始要勤做運動，把農曆年時儲積的脂肪去掉；惟本月並無刑沖，即使勤做運動，體力也能應付裕如，並不會因過勞而引致身體不適。

是非 本月雖然是肖虎的犯太歲月，惟本年是桃花生肖的你，並不會因這個犯太歲月而招惹是非，即使桃花年的力量仍未開始，但也無需特別去提防是非。

農曆二月

本月仍然是權力地位提升月，有意爭取升遷的上班一族，本月可以加倍努力，看看能否如願；而從商或自僱者，農曆年過後，相信生意已回復正軌，讓你能努力一點去令生意能相應有所提升，加上本月為肖虎的桃花月，人緣運亦明顯好起來，單身者亦可以把握脫離單身的機會，多些外出接觸陌生人，給自己製造多些機會；預備於今年婚嫁者，本月亦是一個提出的好時機。

財運 本月為權力地位提升月，這間接對財運亦能起到正面作用，上班一族如果能爭取到升遷，財運自然能相應增加；從商或自僱者亦能藉此桃花及升遷月，讓你接觸客人時能夠得到別人的尊重與喜愛，這必能有助把生意促成，財運亦自然相應增加。

事業 盡可放馬揚鞭，自能頭頭是道。本月是桃花月又是權力地位提升月，除了有助人緣的交往外，亦能提升在行內的名聲，讓你做起事來都格外順利，生意當然能夠有所增長。

感情 桃花月，感情及人緣之交往都能起相應幫助；除了對單身及準備婚嫁的你有幫助外，對夫妻及朋友間的感情亦是正面的，本月是一個感情順暢的月份。

身體 本月並無刑沖，加上又是桃花月，身心健康都是良好的；即使多些外出應酬，也不會因一時貪吃而惹出病來，就好好享受一下身心健康的一個月吧！

是非 春到南枝，自有微陽相應。本月既然是桃花月，人緣運必然比平常佳，讓你有春回大地的感覺；即使工作忙碌，應酬較平常多，心情也是良好的，本月更不用為是非費神。

農曆三月

本月為貴人舒服懶月，經過上月一輪衝刺後，本月放慢一下腳步看看成果也是好的；又下半月有暗財，讓你不用太過積極，下半月仍然有不錯收益，故整個月下來，收入並沒有因放慢了腳步而有所下降；又本月為遙合月，易有遠方貴人扶助，這對常從事與外國聯繫工作者更能起到有力的幫助。

財運 先懶後勤，數該如此。上半月放慢一下腳步，檢討一下目前得失，後藉下半月財運之助，稍加努力，便可以維持本月的收益；而收入穩定的上班一族，也可以享受一下上半月所帶來的閒暇。

事業 本月為貴人舒服懶月，讓你不需要太過努力，事業便可以自然而然地穩步向前；本月又能得力於遠方貴人，讓從事常與外地接觸的你可以穩定前進，故本月雖然是舒服懶月，惟事業運還是可以的。

感情 本月並無刑沖，亦非桃花月，感情運是穩定的，惟單身者本月能開展到新感情的機會相對不大，最多是男性的虎出現些暗戀對象而已，到最後能否可以發展，還需看本年餘下的月份。

身體 本月下半月要注意飲食，避免腸胃出現毛病；除此以外，本月健康運是正常的，上半月較為空閒，工作壓力也不多，只要謹飲慎食，健康運是不錯的。

是非 無是又無非，光陰日影移。本月人緣運雖然不是特別好，惟小人是非也並不明顯，就如平常一般的日子，沒有甚麼要值得特別小心的。

農曆四月

本月為貴人加思想學習投資月，惟本月是肖虎的相刑月，是非難免會比平常多，故本月宜盡量減少外出應酬，以趨避是非；還好本月工作量不大，讓你可以減少外出應酬，這必能減免是非。投資方面，本月亦不是一個好時機，倒不如藉此月去進修學習一下新知識，即使與工作無關的個人興趣，懂多一點畢竟也都是好的。

財運 本月貴人加思想學習投資月，工作量不大，財運也不會有突破，且下半月為思想學習月，真的去上學也好，多些相約朋友吸收些別人經驗也好，都是有些額外花費的，故本月不難是一個入不敷支的月份；惟一個月的花費，對整體財政影響不大。

事業 鏡內有花難到手，水中撈月枉勞心。下半月雖然有投資機會，但這不是一個好時機，如不想徒勞無功，記着要三思而後行；即使在旺運中的平命、熱命人，也不是一個好時機，秋冬天出生的寒命人就更加不用去想好了。

感情 小是小非促圓滿。本月是肖虎的相刑月，感情容易出現小風波，尤其是打算在今年婚嫁的你，在談論婚嫁時更容易出現意見不合，故要好好提醒自己，又或者待本月過後再詳細商討也是適宜的。

身體 本月為相刑月，皮膚及腸胃比較容易出現毛病，尤其是皮膚方面要多加注意，除了個人衞生外，在飲食上，煎炸燥熱之物也是少沾為佳。

是非 雖無大礙，頗多小疵。本月為肖虎的相刑月，是非在所難免，惟本年肖虎的你為桃花生肖，人緣比別的生肖為佳，一個月的小是小非，對整體影響不大，故無需放在心中。

農曆五月

本月為辛苦個人力量得財月，經過慵懶的兩個月後，本月要開始積極努力了，尤其是多勞多得的自僱一族，本月必能因工作量上升而收入有所增加；再加上本月是你的相合月，人緣運明顯比上月為佳，這必有助於事業，讓你能在平和的氣氛下順利完成自己訂下的目標。收入穩定的上班一族，也能因相合月而令人緣好起來，即使工作稍為忙碌，但心情仍然是愉快的。

財運 本月為辛苦個人力量得財月，除了自僱一族能直接受惠外，從商者亦能間接令財運提升；因本月工作忙碌代表接觸客戶的機會多了，做得成生意的機率自然增加，連帶財運都有所提升。

事業 變橫流為安瀾，化霪雨為甘露。本月為辛苦得財月，工作量大了，這代表機會亦多了；即使是收入穩定的上班一族，不會因一時的工作量上升而收入有所改變，惟工作忙碌亦代表你有一定的工作能力，長遠而言，也可以提升自己。

感情 本月為肖虎的相合月，上月之浮雲已經消散，故想在今年婚嫁的你在本月商討細節時，氣氛是良好的，不會如上月般出現齟齬；

惟本月並非桃花月，只對已有穩定感情者有幫助，單身者能得到好處的機會不大。

身體

本月為肖虎的相合月，突然遇上意外損傷的機會不大；加上本月是肖虎的相合月，自身的人緣運也是好的，連帶心情都輕鬆愉快，故本月身心健康都是正常的。

是非

雲開霧散，天朗氣清。上月之小風雲已經消散，代之而來是人緣要好的一個月，讓你完成忙碌的工作後，多些外出鬆一鬆也不會因接觸的人多了而惹上是非。

農曆六月

本月依然是辛苦個人力量得財月，從商或自僱的你，本月仍然可以努力去爭取好成績；雖然本月是本年的相沖月，整體社會氣氛不太平和，惟本月是肖虎的桃花，人緣運比別的生肖為佳，即使在社會逆境中，相信亦能逆流而上，爭取到比別人要好的成績。單身者亦可以好好把握機會，看看能否在這桃花月為你開展到一段新感情來。

財運

本月為辛苦個人力量得財月，收入不穩的從商或自僱者仍然可以努力、積極一點，望能爭取到更佳成績；因本月是肖虎的桃花月，人緣運比上月更佳，這必能有助於你的事業與財運。

事業

本月是本年的沖太歲月，整體社會氣氛會較為動盪；惟本月是肖虎的桃花月，自身的人緣運比別的生肖為佳，正是人退我進之時，故這個相沖月反而對肖虎的你是有利的。

感情

本月是肖虎的桃花月，已有穩定感情者固然可以讓感情更加穩固；單身者更可藉此桃花月多些外出，多些相約朋友，接觸多些陌生人，看看能否碰上你的心儀對象。

身體 本月為本年的相沖月，交通意外恐防會較為頻繁；雖然對肖虎的你並無直接影響，但在路上一定會碰上本年沖犯太歲的生肖，故肖虎的你在駕駛時也要打醒十二分精神。

是非 桃花月，人緣好，是非欲侵亦無從。即使外面幾多風雨，也不會沾上你身，即使多些外出應酬，結果也是良好的多；故應藉本月別人是非特別多時，自己盡量去爭取，打下更佳的人際網絡。

農曆七月

本月為思想學習投資月，學習進修無論任何年紀，運程順逆都是適宜的；即使學習個人興趣，也能增加生活的趣味，如進修與工作有關的課程，則更能提升自己的競爭力，在這知識型社會是有需要的。投資方面，秋冬天出生的寒命人一定不是一個好時機，即使是春夏天出生的平命、熱命人在進行之前也要三思，因恐防明年後運程會逐漸慢下來。

財運 既然是思想學習投資月，不論學習或投資，或多或少都有些額外花費，又或者在這個肖虎的沖太歲月去外遊見識一下異地風情，這也是需要錢的，故本月開支必然會比平常為多。

事業 欲左欲右，心中不定。本月是思想學習投資月，但總不能每次遇到學習投資月都會去實行，所以這個思想月有時會令到自己胡思亂想，情緒不穩，故本月在事業上先不要太過積極，首要之事是讓情緒安穩。

感情 本月為肖虎的相沖月，如沒有打算在本年婚嫁，本月便要好好維繫，以免因相沖月而破壞雙方關係；而單身者本月可以悠閒一點，不用太過積極，因在這相沖月能開展到一段新感情的機會不大。

身體 本月為肖虎的相沖月，每年到此月你都要小心損傷，本年也不例外；雖然本年不是損傷年，亦無損傷星，但也是要小心一點為佳。

是非 本月為肖虎的相沖月，是非難免較平常多，惟本年肖虎的你為重桃花年，整體人緣運比平常佳；加上本月是本年的桃花月，整體社會氣氛是良好的，即使肖虎的你本月相沖，也不會因此招惹太多是非，惟本月保持 下社交距離也是適當的。

農曆八月

本月依然是思想學習投資月，投資方面，不管在順運中的平命、熱命人或是最快明年轉運的寒命人都是要三思的；因為今明兩年是水火交替年，運程順逆容易出現交替，很多意想不到的事情是預料不到的，故如果真的要作出投資，便要好好作出心理準備。學習方面，不論上月已開始又或者本月才實行也都是適宜的。

財運 本月仍然是思想學習投資月，額外花費依然比平常多，惟本月是暗中權力提升月，在公司內可能會較為重用；惟權力大了，要負的責任多了，收入能上升的機會卻不大，本月就先不要對財運寄予厚望好了。

事業 左亦是路，右亦是路，路多反覺難啟步，且本月亦不適宜起步作新發展，一切也要看定形勢再去作打算，加上今明兩年是水火互換年，今年水運將盡，明年木火運漸漸移近，各人運程都容易出現反覆變化，故本年餘下來的月份也是一動不如一靜才是上策。

感情 本月並無刑沖，感情運又回復正常，惟本月並非桃花月；單身者可能要加倍努力，因為下半年只有農曆十二月是重桃花月，其他月份唯有靠自己主動一點，多些外出接觸陌生人，給自己製造多些機會。

身體 相沖月已經過去，一切又回復正常，本月雖然不是桃花月，但心情仍然是要好的；身體方面也沒有甚麼要特別注意，故本月身心也是健康的一個月。

是非 上月的小小烏雲已經散掉，雖然本月並非肖虎的桃花月，但人緣運仍然是好的；即使本月不去作新投資，但多些外出與客戶、朋友聯絡，吸收多一點資訊，總是對事業是有幫助的。

農曆九月

本月為肖虎的財運月，收入不穩的從商或自僱者固然可以努力望財運提升；收入穩定的上班一族，本月可嘗試多買些彩票，看看能否因這個偏財月為你帶來意外驚喜。又本月雖然不是桃花月，惟男性的虎，本月仍可以努力一點，因男性虎在本月容易出現心儀對象。

財運 本月為肖虎的財運月，算是本年要好的一個月，行運中的平命、熱命人固然得益，即使在逆運中的寒命人亦能受惠於這個財運月；又本月為偏財月，從商或自僱者可能接到一些銀碼較大又或熟客介紹了一些新客戶，讓你不需要太過努力，財運便可以自然而然地提升。

事業 本月為肖虎的財運月，事業運必然因財運所帶動而進步良多，惟上班一族則不會因財運月而帶動工作運，故本月相信事業運只一般而已。男性的虎本月異性緣佳，如上司、同事、客人以異性居多的，本月事業運也是不錯的。

感情

本月為肖虎的暗合月，感情運是穩固的，惟本月並非桃花月，能在此月開展到一段新感情的機會不大；尤其是女性的虎，最多也只能遇到一些來自遠方又或者外遊時遇到一些合眼緣的人而已。

身體

本月為肖虎的遙合月，健康運是穩定的，突然遇上意外損傷的機會不大；即使因收入增加而多了外出應酬或相約朋友外出，健康運還是良好的。

是非

本月為肖虎的遙合月，整體人緣運是良好的，且容易有遠方貴人扶助，這對從事常接觸外地工作的你，人緣運比其他肖虎者還多；是非之事，本月更無需特別注意。

農曆十月

本月為肖虎的財運月，更是月令相合月，人緣運比上月更佳，惟本月是正財月，代表財運必須要從努力工作後所得的，並非意外或易得之財，故從商或自僱者想在此月把財運提升，必然要加倍努力；而收入穩定的上班一族，本月的財運可能與你無關，又本月為肖虎的相合月，如準備在本年婚嫁的你，在這個月進行的機會也是大的；已有穩定感情又或者因本年桃花年才認識的異性，本月關係也能更進一步。

財運

本月為肖虎的財運月，可以再接再勵，盡最大努力去爭取更好成績；惟本月是正財月，上班一族不會因一個月的財運而令收入有所改變，故這個財運月可能與上班收入穩定的你並無直接關係。

事業

本月為肖虎的相合月，人緣運是不錯的；

這無論對從商、自僱又或者是上班一族，都能帶來正面作用，最少能在平和的環境下工作，事業遇到的阻力亦相應較少。

感情 本月為肖虎的相合月，感情運是穩定的，不論想在本年婚嫁的你又或者只是維持男女關係，感情都能夠更進一步；而男性的虎，本月仍可努力，看看能否在這相合月為你帶來一段新感情來。

身體 本月為肖虎的相合月，突然遇上意外損傷的機會不大；加上工作並不是太忙碌，壓力亦不大，身心都能保持在健康狀態。

是非 相合月，人緣佳，是非自然遠離，本月人緣運比上月還好，小人欲惹是生非亦無從；就藉此相合月，多些相約朋友或另一半外出，好好享受一下平和的樂趣。

農曆十一月

本月為權力地位提升月，又到上班一族努力爭取的時候了，如果想在本年爭取升遷，這兩個月是一個好時機；加上本年是肖虎的桃花年，易得長輩、貴人扶助，這也能增加你的成功機會，而從商或自僱者亦可以藉此月把自己在行內的名聲提升，雖然這樣可能因參加多些行內聚會而帶來額外花費，但長遠而言，必然有助於事業與財運。

財運 本月為權力地位提升月，從商或自僱者可是名惠而利不至，惟事業與財運並不是以一時去計算，名氣大了，行內的名聲好了，日後財運不難會倍增。

事業 有梯有板，高樓直上不難。本年是桃花生肖的你，在爭取名氣地位提升及上班一族爭取升遷都能帶來直接幫助；尤其是上班一族，桃花年必能提升別人對你的觀感，這在爭取升遷之時是不可少的。

感情　本月並非桃花月，亦非相沖相合月，惟聖誕新年期間選擇辦酒席是很多人的選擇，紅鸞桃花年的你，如果選擇在這時也是正常的，並無甚麼要特別小心；而單身者可能要待至下月重桃花月，才能增加擺脫單身的機會，惟在聖誕新年期間外遊或多些相約朋友外出，多接觸些陌生人，說不定待至下月桃花月來時成事也說不定呢。

身體　本月是本年的相合月，社會氣氛是穩定的，而肖虎的你並無刑沖，自身狀況也是正常的，即使聖誕新年假期時體力有些透支，但健康運也是可以的。

是非　雖然本月肖虎的你人緣運只是一般，惟本月是本年的相合月，整體社會氣氛是平和的，加上本年是桃花生肖的你也能受惠；即使在聖誕新年時應酬多了，也不會因此而招惹是非。

農曆十二月

本月仍然是權力地位提升月，上班一族仍然可以努力爭取升遷，如知道公司準備作內部提升，不妨主動爭取，且升遷運不管對寒熱平命人機會是均等的；加上肖虎的你本年是桃花生肖，而本月又是重桃花月，能成功爭取到的機會一定比別的生肖為大，而從商或自僱者亦宜藉此重桃花月，多些相約客戶或出席行內的活動，讓自己的名聲加以提升，名聲好了，還怕生意不來嗎？

財運　本月為重桃花月，又是權力地位提升月，不論對從商、自僱又或上班一族都能帶來正面作用。上班一族如能落實升遷，財運必然相應增加，而從商或自僱者財運雖然不一定能立竿

見影地增加，但長遠而言對財運必能起到正面作用。

事業 前途自有漁舟引，不必遲疑自在行。本年本月肖虎的你都是桃花生肖，人緣及貴人運自然比其他生肖為佳，使你做任何事情都能夠事半功倍；且人緣好了，遇到困難時得到的助力自然會提升，事業自然而然穩步前進。

感情 桃花月，感情人緣佳，如打算在農曆年前舉行儀式，時機上是非常好的；單身者亦可以把握這個農曆年假期，看看能否在假期外遊時碰上心儀的異性。因二〇二二年的農曆年來得較早，年初四以前仍算是牛年的農曆十二月。

身體 本月為桃花月，心情是輕鬆愉快的，加上聖誕新年假期才剛過去，身心都回復到至高狀態，病菌欲侵也無從。

是非 桃花月，人緣佳，是非自然遠離。即使農曆年底應酬增多，但反應也是正面的多，負面的少；這除了可以減免是非外，亦能令你有一個愉快的農曆年假期。

- 一九三九
- 一九五一
- 一九六三
- 一九七五
- 一九八七
- 一九九九
- 二〇一一

寒命人——出生於西曆八月八日後、三月六日前（即立秋後、驚蟄前）。

熱命人——出生於西曆五月六日後、八月八日前（即立夏後、立秋前）。

平命人——出生於西曆三月六日後、五月六日前（即驚蟄後、立夏前）。

肖兔的你今年並無刑沖，亦非桃花生肖，故是非不會太多，但人緣運亦一般而已，如果在去年因紅鸞桃花已經結了婚的話，今年在感情上並無驚喜，亦不見齟齬，就平平淡淡而已；如去年整年過後你仍是單身的話，趁春季去年的餘氣仍在，就加一把勁好了，除非你很享受單身的生活。

肖兔今年為舒服懶年，經過去年努力學習後，今年放慢一下腳步也是好的；因今年為水火互換年，水氣將盡而木火之氣漸進，寒熱平命人運氣開始出現交替，故今年宜看定形勢，謀定而後動。

今年吉星全無，缺乏外來助力；去年的桃花餘氣亦只能對春季一月、二月有一點點作用，其餘月份就要全靠自己了。

凶星有「囚獄」，是非星，不是代表有牢獄之災。雖然今年並無吉星，但亦並非刑沖之年，是非不會特別多，只要每事揸正來做，必能避免是非纏繞。

其他凶星還有「披頭」、「災煞」、「喪門」、「地喪」等無甚影響，可無需理會。

寒命人 今年為水旺運之最後一年，忍耐多一年之後，明年木火運漸至，又是到你一展抱負的時候；尤其二〇二五至二〇二七這三年大火年，進展應該是迅速的。

熱命人 今年為水旺運的最後一年，你要好好把握最後機會；尤其是如果在去年投資年作了新改變，今年更加不能鬆懈，即使今年是舒服懶年，但你也要好好加一把勁，把事業穩定下來，望把這旺運延至二〇二四年。

平命人 今年是水旺運的最後一年，你的運程仍然是可以的，依然可以在平淡中求進步；即使遇着今年是舒服懶年，但一生平穩的你依舊是慢步前進的。

一九三九年出生的兔—今年為財運年，惟這年紀，除非是從商者，否則能在這時得到財運的機會不大，可能是投資收益多了，又或者晚輩多給一些零用錢罷了。

一九五一年出生的兔—今年是思想學習投資年，除非已經處於商界，否則，在這年紀才開始投資會有一點冒險；再加上今明兩年是水火互換年，平命、熱命人旺運逐漸減慢，而秋冬天出生的寒命人則要待至明年運程才逐漸上升，故不論何種命人在此時起步都不算是一個好時機。

一九六三年出生的兔—今年為辛苦個人力量得財年，最能直接受惠的是自僱一族，收入必然能跟工作量上升而有所增加；其次是從商者，工作忙了，接觸客人的機會多了，自然能促成生意，機會亦有所增加；收入穩定的上班一族，這個忙碌年亦可代表你在公司還有不錯的利用價值。

一九七五年出生的兔—今年為貴人舒服懶年，人到中年，停一停、想一想也是適合的，可以慢步檢視一下目前情況，到底是在原地直至退休，或是有一些新想法，到了這年紀應該來個決定了。

一九八七年出生的兔—今年為權力地位提升年，上班一族可以盡努力去爭取，看看能否如願；從商或自僱者亦可藉此把自己在行內的名聲提升，這對長遠而言亦必然有幫助的。

一九九九年出生的兔—今年為財運年，剛踏入社會一嘗自己搵錢的滋味也好，已經工作了一段時間也好，今年各個肖兔中就以你的財運機會較大，就好好努力把握好了。

二〇一一年出生的兔—今年是思想學習考試年，這無論對學習或考試都能帶來正面作用，如能再用功一點，相信不難獲得理想成績。

財運 本年為貴人舒服懶年，財運方面先不去求突破好了，肖兔者以一九六三年及一九九九年出生的兔財運較佳，其他兔就一般而已；在這水火互換，各人運氣轉折之間，放慢一些腳步也是適當的選擇。

事業 今年為貴人舒服懶年，倒不如藉此年多些外出，與各方打好關係好了；況且本年的工作壓力不大，運程前路上又開始順逆互換，在這時保留實力，待明年木火來時，平命熱命望能把旺運延續。而秋冬天出生的寒命人望能馬上轉佳，而這些得到旁人助力，必然能事半功倍的。

感情 去年是紅鸞桃花的你，如已結婚或正在懷孕，今年感情運會慢慢轉歸平淡，可能因已習慣了這樣的生活；如去年整年過後你仍然是單身的話，如想脫離單身，在春季一月、二月仍然是可以努力的；否則，待至二〇二二年又是你的桃花年了。

身體 本年並無刑沖，亦非桃花或相合生肖，身體健康狀況正常；平常皮膚容易敏感的你，來到今年也看不到有甚麼要特別注意，只要小心牛年的兩個沖犯太歲的月份，即六月及十二月及自己沖犯太歲的月份，二月及八月便可。

是非 雖然本月並非桃花年，人緣運又回復到平常一樣；惟本年並無刑沖，只有一個「囚獄」星帶來一些小是非，惟整體人緣是可以的，即使因貴人舒服懶年而放慢了工作上的腳步，而多了外出與朋友、客戶聯繫，也不會因此而多了是非，又或者可以在今年正南桃花位放一杯水，西南爭鬥位放粉紅色物件去旺人緣化是非。

農曆一月

本月為權力地位提升月，惟農曆年才剛過去，能在此時升遷的機會不大，除非是在去年已經定下來的，否則本月可能是工作量多了，責任大了些而已，而從商或自僱者則可趁着農曆年假後，多些與客戶聯絡，建立更好的人際網絡，讓自己在行內的名聲得以提升；又本月為霧水桃花月，這對男女關係起不到甚麼作用，但對提升人緣運則有小許助力。

財運 有名無利，時運未至。本月算是名惠而利不至的一個月，但這也是正常的；因為農曆年假後，很多公司也未完全投入運作，即使想努力爭取，也無處着力，故還是先行打好各方關係好了。

事業 本月為權力地位提升月，雖然上班一族能在此時升遷的機會不大，但還是受公司重用的；不論從商、自僱又或者是上班一族，都宜先行把自己的名聲提升，這長遠而言，不論對事業或財運都必然能帶來幫助。

感情 去年是紅鸞桃花的你，來到本月餘氣猶在；單身者如果不想再單身下去的話，本月仍可以努力爭取，多些出席朋友聚會，看看能否為你開展到一段新感情來。

身體 農曆年才剛過去，經過假期休息後，身心都回復到至高狀態；即使農曆年後可能多一些飯局，身體也是應付得來的，本月無需為健康運憂心。

是非 去年為紅鸞桃花生肖，本月又是霧水桃花月，人緣運依然是不錯的，即使新春多出席些聚會，反應也是正面的多，負面的少，更不會因此而惹出是非來。

農曆二月

本月仍然是肖兔的地位提升月，雖然每年農曆二月都是你的犯太歲月，容易出現情緒不定，是非亦會比平常多；惟去年桃花的餘氣仍在，故本月人緣及情緒都處於正常狀態，讓你在爭取名氣地位提升時容易得貴人扶助，因各自競爭而惹上是非的機會不大。

財運 求之以規矩，自可成方圓。本月仍然是你的權力地位提升月，上班一族如果爭取成功升遷，財運必然隨之而增長；惟從商或自僱者，本月仍然要以求名為先，打好在行內的名聲後，日後再想淘利好了。

事業 立定腳跟，認清方向。從商、自僱及上班一族，各自要認定目標，才不致徒勞無功。上班一族可全力爭取升遷，得固然好，即使爭取不了，也沒有損失；而從商或自僱的你，本月先不要着急求財，因這可能會有反效果，本月宜多些出席行內的聚會或慈善活動，先打造自己的好名聲，這樣錢財自然會來靠近你。

感情 桃花餘氣仍在，單身的你看看能否在這犯太歲月為你帶來一段新感情；而在去年已經結婚又或者已有穩定感情者，本月並無刑沖，亦沒有風波，算是平靜的一個平常月。

身體 每年到此月你都要提防損傷，惟本年肖兔的你並非損傷生肖，亦無損傷星，在此月突然遇上意外損傷的機會不大，即使因應酬多了而飲食較不平衡，身體狀況仍是良好的。

是非 康莊可步，安用徘徊。雖然本月是你的犯太歲月，惟去年桃花的餘氣猶在，故本月無甚麼要特別注意的，即使交際應酬比平常多，但人緣運仍然是不錯的，不會因此而惹出是非來。

農曆三月

本月為貴人舒服懶月，經過上兩個月較積極主動後，本月可以放慢一下腳步，好好審視一下目前形勢。因本年為水火互換年，平命、熱命人如果想在今年作新嘗試，經過詳細考慮後仍想一試，那便要好好籌備，盡快進行；因為你的運氣快則二〇二二年止，慢則可延至二〇二四年，惟必要在今年起步，因明年只是運氣的延續，不太適宜去作新發展。而秋冬天出生的寒命人，在這幾年儲備了力量，如想在明年開始起步，這時放慢一下腳步，看看有甚麼新構想也是適宜的。

財運 謹守櫃中物，莫貪意外財。本月既然是舒服懶月，財運就先不要去想好了，況且本月亦非偏財月，能有意外收穫的機會不大；那倒不如放慢一下腳步，慢活一陣好了。

事業 天意未必合人心，事到中途尚沉吟。本月是貴人舒服懶月，即使想作新嘗試的平命、熱命人，一時亦難以看見頭緒；在逆運中的寒命人，就更不用去想好了。本月就讓時光慢慢流逝，一切就待這兩個舒服懶月過去以後才決定好了。

感情 本月是肖兔的相沖月，容易出現小小是非；惟這等小是非不會影響到雙方關係，反而誤會過後可加深相互了解。

身體 本月為肖兔的相穿月，皮膚及腸胃要稍為小心；加上季春陰濃濕重，亦不利皮膚，可以的話，多煮些去濕之物，這必能減免皮膚上的毛病。

是非 小是小非，無需掛懷。本月雖然因相穿月而容易出現是非，惟這相穿的影響是非常輕微的，加上本月腳步放慢了，心情輕鬆了，一點點的小是非對你生活並無影響。

農曆四月

本月為貴人舒服懶月，又是肖兔的驛馬月，既然工作量不大，就藉此驛馬月去外遊散心好了，說不定還可啟發到你的靈感，讓你更清楚日後去向；尤其是明年漸入佳景的寒命人，更加要看清路向，在創業與打工當中好好選擇，雖然我常說，行運適宜做生意，惟不是每一個人都有做生意的性格，反而很多人覺得安安穩穩地生活已經是不錯了。

財運 本月為肖兔的驛馬月，外遊也好，多了約朋友外出也好，本月一顆驛動的心必然連帶支出會比平常多；加上本月事業運也是一般，故財運不難是開支比收入多的一個月。

事業 有求便覺人情淡，無欲方知天地寬。本月為貴人舒服懶月，就先不要去積極好了，反正這時平命、熱命人好運快將慢下來；而秋冬天出生的寒命人又要等待明年的好運漸進，此時做甚麼東西也無用，倒不如藉這個舒服懶月，享受一下慢活的滋味好了。

感情 本月是肖兔的驛馬月，如時間許可，倒不如相約另一半去外遊、散散心，在這旅遊淡季的月份，也不要預早刻意安排，可以待此月後才順心去想好了。

身體 本月為肖兔的驛馬月，外遊也好、公幹也好，相約朋友外出也好，即使動象多了，也沒有甚麼要特別注意；意外損傷並不明顯，自身的身體狀況也是正常的。

是非 本月並無刑沖，亦非桃花相合月，人緣運只一般而已；惟本月亦非是非月，即使因驛馬月而多了外出，但也無需刻意去提防是非。

農曆五月

本月為辛苦個人力量得財月，經過慵懶的兩個月後，本月工作量突然上升，讓你險些兒有些不適應；尤其是收入穩定的上班一族，更是忙得不是味兒，因收入不會因工作量上升而有所增加，故本月只是徒添忙碌而已，還幸本月是肖兔的桃花月，人緣運是良好的，讓你全心投入工作之時，不用分神去處理是非。

財運 得人輕借力，便是運通時。本月為辛苦個人力量得財月，這對收入不穩的從商或自僱者最有幫助，因收入能隨着工作量上升而有所增加；再加上本月為肖兔的桃花月，人緣好，容易得貴人扶助，讓你能輕輕用力，事事便可以馬到功成。

事業 隨遇而安，偏多佳趣，好大喜功，反非所宜。本月工作量全然上升，一切就隨着眼前所見去做好了，雖然本月是肖兔的桃花月，但也不宜去刻意求成；因平命、熱命人運程在明年有機會會慢下來，而寒命人運程仍未開始，故本月把手頭工作好好處理掉便可，不宜有太大舉動。

感情 桃花月，單身者又有脫單機會了，雖然月份的桃花力量不大，但總比普通平常月機會來得多一點；如果想盡快脫離單身的話，記着在忙碌工作之餘亦要多抽些時間外出，接觸多些陌生人。

身體 本月並無刑沖，加上是肖兔的桃花月，身心也都是健康的，雖然本月有些忙不過來，但在工作之餘爭取充足睡眠，本月身體狀況是良好的。

是非 桃花月，人緣佳是非自然遠離；加上本月工作量大增，工作過後自然想輕鬆一下，盡量減少些工作上的應酬，這樣更能進一步把是非遠離。

農曆六月

本月仍然是辛苦個人力量得財月，從商或自僱的你，仍然可以盡努力去爭取好成績，而本月是肖兔的相合月，人緣運是要好的，雖然本月是本年的沖太歲月，整體社會氣氛不太平和，惟這無阻你在此月的進度，反而因很多生肖本月運程反覆而因你較穩定，人緣亦比別的生肖為佳，令你反而容易獲得不錯的進展。

財運 人退我進，本應如此。本月整體社會氣氛不太平和，惟對肖兔的你影響不大；你因本月相合的關係，人緣運比別的生肖為佳，這樣你能達成目標的比率必然比別的生肖為大，故本月的努力是值得的。

事業 片帆無恙，更遇東風。本月外面的風風雨雨並不會沾上你身，反而因本月是你的相合月，比較容易遇到貴人扶你一把；即使是收入穩定的上班一族在財運上並無額外收益，惟本月事業運仍然是順利的。

感情 本月為肖兔的相合月，自身的感情是穩定的，除非另一半剛好是本年沖犯太歲的生肖，感情才會容易引起波濤；如真的是這樣，唯有對對方多作體諒，而這小風波在這沖太歲月過後便會消散。

身體 本月是本年的相沖月，容易出現腹部流行疾病，雖然對肖兔的你並無影響，惟外出吃飯時，不難遇上本年沖犯太歲的生肖；故要加倍小心，生冷不潔之物以少沾為妙。

是非 本月為本年的相沖月，算是本年是非較多的月份，惟本月是你的相合月，自身的人緣運是良好的，給是非沾上身的機會不大；故工作之餘可放心相約朋友或另一半外出，是非也不會因此而生。

農曆七月

本月為思想學習投資月，學習方面，不管任何時間都是適合的，尤其是上班一族，在這知識型社會，無時無刻都要增值自己，方免被社會淘汰；而從商或自僱者亦要貼近市場資訊，方能把業務擴展。但投資方面則要三思，除了在逆運中最後一年的寒命人仍要退守外，即使在旺運中的平命、熱命人亦要三思而後行；因旺運快則今年止步，即使有幸能延至二〇二四年，惟二〇二二年木火運後，始終都會慢下來，那幾年也只會是好運的餘氣而已。

財運 本月是思想學習投資月，不論投資又或者去進修學習一些新課程，或多或少都有些額外花費，又或者不是去正式學習，只是求教別人，這飲茶吃飯總也是要自己付出吧，故本月在開支方面不難會比平常多。

事業 達變通機，急流勇退。春夏天出生的平命、熱命人，來到此時應該要盤點計數，如果在二〇一六年後開始進攻，這時應該已在收成期；如果在這段時間內仍然猶疑至今，我想還是留在原地至二〇二八年才再算好了。

感情 本月是肖兔的暗合月，感情運是穩定的，惟本月並非桃花月，單身者最多也是碰上些心儀對象；惟這只是單方面的，能夠發展的機會不是很大。

身體 本月並無刑沖，亦非交通意外高危月，一切又回復到往常一樣，即使因思想學習月而多了在外間走動，也不會因此而增加意外損傷的機會，故本月身體狀況是良好的。

是非　上月之社會不穩定因素已經消除，加上本月又是肖兔的暗合月，易有貴人暗中扶助，而這亦間接能減免是非；加上本身人緣運本月其實不差，即使多了外出應酬，也無需刻意提防是非。

農曆八月

本月為肖兔的相沖月，易見遷移外出之動象，惟一個月的相沖，不一定出現大轉變，只是機會較高而已。又本月金木相沖，易見損傷，駕駛者每年到了農曆八月都要小心駕駛，以免一時大意而引致意外損傷；又本月金木交戰，除了駕駛者要小心外，平常入廚及走路時也要穩當一點，以免因相沖月而引致損傷。

財運　本月仍然是思想學習投資月，如上月已經開始了，不論學習也好，真的起步實行投資也好，本月是上月運勢之延續；如上月仍未開始，本月起步學一些新知識也是適宜的，故本月開支也是比平常為多的一個月。

事業　本月為肖兔的相沖月，事業亦容易出現不穩，惟在此時，不應該主動去作任何改變；尤其是秋冬天出生的寒命人，改變後唯恐更不理想，故可以的話，目前即使不太如意，也應該忍讓至明年春天。

感情　本月相沖，感情容易出現不穩，故本月宜減少會面時間，以免見面時鬧意見影響到雙方關係。單身者此月剛好相反，因已經在單身中，變無可變，故只可能因相沖月為你變出一段新感情來；故單身的你本月宜多些外出，看看能否因此相沖月而為你沖出一段感情來。

身體　金木交戰，易見損傷。雖然肖兔的你今年並非損傷生肖，亦無損傷星，惟每年來到此月也是小心一點為上，此外亦可在全屋中央位置放一杯水去化掉損傷。

是非 相沖月，是非一定會比別的生肖為多，故除了感情上要多加注意外，在人緣交往時亦要小心；可以的話，本月就盡量減少外出應酬，這必然有助於減免是非。

農曆九月

本月為肖兔的財運月，從商或自僱者又可以努力爭取了，加上本月為肖兔的相合月，上月一切的不穩定因素已經消除，讓你能專心全力去爭取而不需要分神去處理無關的私人關係；而上班一族雖然不會因一個月的財運而收入有所上升，唯有多買些彩票，看看能否獲得些意外之財。又本月因相合之關係，感情運亦是穩固的，如因上月的相沖而出現了一些磨擦，本月正好有時間讓你去修補。

財運 本月為肖兔的財運月，財運不難能夠自然而然地增長，這不同辛苦個人力量得財月事事要靠自己全力爭取；反而可能因無心插柳下接到一些意想不到的生意，而令財運意外地增長。

事業 既獲操縱裕如之利，更無往來負累之憂。本月是肖兔的相合月，人緣運明顯比上月佳，讓你在爭取事業成績時都少了不少顧慮；而上班一族本月也能在平和的氣氛下工作，即使不能因財運月而令收入有所增長，惟能夠在平和的氣氛下工作也算是另類的得着。

感情 本月為肖兔的相合月，上月的不穩定因素已一一消除；如果上月因相沖的關係雙方出現些不快，那更要好好利用這個相合月去修補雙方關係。

身體 上月的相沖已經消散，代之而來的是你的相合月，身體健康狀況回復正常，也不會因此而特別容易遭受到意外損傷，故本月身體算是平穩無波的一個月。

是非 雲開霧散，天朗氣清。上月的浮雲已經散盡，代之而來是人緣運要好的相合月；本月即使多些外出應酬，又或者多些相約另一半外出、外遊，結果也是和諧的多，就好好利用這個相合人緣好的月份好了。

農曆十月

本月為貴人舒服得財月，情況比上月更佳，且本身亦是肖兔的相合月，人緣運仍然是不錯的，貴人加上人緣運佳，在爭取財運之時自然便利了很多，且本月為偏財月，容易有意外之財，從商或自僱者可能接到客戶介紹來的訂單，讓你的生意自然而然地有所增長；而上班一族可做的仍然是多買些彩票，看看能否獲得些意外收穫。

財運 謀為順遂，動止安詳。本月是貴人舒服得財月，不需要太過努力，財運便可自然而然地有所增長，惟這只限於春夏天出生的平命、熱命人；而秋冬天出生的寒命人在這冬季來臨的月份，財運不下降已算是幸運了。

事業 動止皆如意，求謀百事通。本月是貴人舒服得財月，又是人緣要好的一個月，秋冬天出生的寒命人，即使不能因財運月而收入有所進賬，惟在這貴人及人緣要好的一個月，多些外出打好各方關係，靜待二〇二二年來臨也是適宜的。

感情 本月仍然是肖兔的相合月，感情運仍然是穩固的；惟本月並非桃花月，對單身的你並無幫助，但也不要急在一時，因下個月便是你的重桃花月，就留待下月才積極一點好了。

身體 本月為肖兔的相合月，突然遇上意外損傷的機會不大；惟立冬以後氣候乍寒還暖，天氣變幻莫測，故外出時宜多帶點衣物以免夜寒而着了涼。

是非 本月是肖兔的相合月，人緣運仍然是要好的，在順運中的平命、熱命人要好好把握這個冬季；在逆運中的寒命人本月宜多些相約朋友、客戶外出，打好關係及吸收多一些資訊，讓順運來時路向能較為清晰。

農曆十一月

本月為權力地位提升月，又是肖兔的重桃花月，是上班一族到了努力爭取的時候，如果知道公司正在有內部提升，主動自薦一下也是無妨的；而升遷不論對寒熱平命人機會是均等的，這與運程順逆不一定有直接關係。加上本月是肖兔的重桃花月，給人感覺都容易是良好的，這在競爭之時必能把你的贏面提升。

財運 求名易得，求利未成。經過上兩個財運月之後，本月宜先以名為先，上班一族在升遷月可以爭取升遷；而從商或自僱者則可趁這人緣良好的月份，多些出席行內聚會或慈善活動，讓名氣先提升起來，利自然會相繼而至。

事業 月令有情，求之即成。本月是名氣權力地位提升月，不論是上班一族爭取升遷，又或者從商或自僱的你在爭取行內人認同，在這個重桃花月都特別容易事半而功倍；故本月事業雖然不一定有直接增長，但長遠而言，這個月能起的作用其實不少。

感情 本月是肖兔的重桃花月，如果去年紅鸞桃花年你仍然未能擺脫單身，那首先要自我檢討，到底是因為自己常宅在家裏，還是心目中要求過高；檢討過後，本月便要積極一些，看看能否因月令桃花而為你帶來一段新感情。

身體　本月是肖兔的桃花月，人緣運佳，連帶心情都好起來，故身心是健康的；惟本月是肖兔的相刑月，皮膚及氣管容易出現不適，故生冷及燥熱之物宜少沾為上，方能免身體受苦。

是非　本月是重桃花月，又是肖兔的相刑月，桃花人緣與是非同時而至；惟本月人緣的力量比小人是非大得多，故外出應酬時也不會刻意去迴避甚麼，而小人在背後說三道四更是無需理會。

農曆十二月

本月仍然是權力地位提升月，上班一族如能爭取成功，明年便可以更上一層樓了；又本月為暗財月，從商或自僱者在農曆年前仍可努力，因下半月財運會較為明顯，生意提升了也好，收到應收而未收的賬也好，都能在農曆年前給你帶來一些意外驚喜。而上班一族可能因公司今年業績不錯，因而老闆分發一些賞錢。

財運　本月為權力地位提升加暗財月，上班一族仍然可以努力爭取；而從商或自僱者則可以在財運上下工夫，惟本月財運不一定跟生意有關，可能是一些舊客戶突然找了一些舊賬，讓你在農曆年前多了用度的花費。

事業　雖然本月在人緣運沒有上月佳，讓你在年底的應酬上沒有甚麼優勢，惟本月亦非是非小人當道的月份，也沒有甚麼特別要小心的；況且，已經來到這個月份，今年的成績都應該已經定下來，事業就留待過了農曆年後再行努力好了。

感情 單身的你，如果在上月聖誕新年時仍未能把握機會，這個農曆年假又要隻身而過了；如果不想過一個孤單的假期，那便要早些相約家人、朋友共渡，以免被各人遺棄。

身體 本月並無刑沖，亦非相合桃花月，身體健康就如往常一樣，好的繼續好下去，差的這個月唯有小心一點，望能過一個健康快樂的農曆年假期。

是非 本月仍然是權力地位提升月，惟因這個競爭而招惹是非的機會也不大，因本午至此，一切都已應該成了定局，各人就只好接受結果好了，再加上農曆新年在即，各人都忙於清理掉手頭工作放假去也，誰都無暇去惹是招非。

- 一九四〇
- 一九五二
- 一九六四
- 一九七六
- 一九八八
- 二〇〇〇
- 二〇一二

寒命人——出生於西曆八月八日後、三月六日前（即立秋後、驚蟄前）。

熱命人——出生於西曆五月六日後、八月八日前（即立夏後、立秋前）。

平命人——出生於西曆三月六日後、五月六日前（即驚蟄後、立夏前）。

肖龍的你又要開始注意腸胃問題，尤其是生於農曆三、六、九、十二這四個月及時辰一至三、七至九時，不論早上或晚上，如兩者都是，腸胃問題則更要好好處理；除了在飲食上要多加節制外，亦要爭取充足睡眠，盡量把壓力減輕。雖然肖龍的你來到牛年，腸胃問題沒有龍、狗這兩個年份那麼嚴重，但小心注意飲食也是平常必須的，只是本年更要注意而已。

今年為肖龍的財運年，各個生肖之中，你算是不錯的，只要好好注意身體，便可以專心投入工作以獲得最大收益。收入不穩的從商或自僱者在生意上不難有不錯的進展；而收入穩定的上班一族亦可嘗試多買些彩票，看看能否因財運年為你帶來些意外之財。感情方面，今年並無刑沖，亦非桃花年，看不到有任何變化，如果在過去兩年已經有穩定感情，今年看不到有甚麼風波；單身者如果想在今年脫離單身行列，唯有好好把握農曆四、八及十月這三個桃花月。

今年吉星只有「太陰」，代表女性貴人；如果上司剛好是女性的話，不難會扶你一把，工作夥伴或下屬亦會有幫助的。

凶星有「羊刃」，有時會忍耐不下，容易突然間脾氣爆發，唯有多提醒自己盡量平心靜氣。

其他凶星有「天煞」、「歲煞」、「貫索」、「勾神」、「卒暴」等無甚影響，無需理會。

寒命人 今年為水旺運之最後一年，忍耐完今年以後，明年便是木火進氣的時候，二〇二二至二〇二四年進步可能慢一點，直到二〇二五年往後三年進步會明顯加快。

熱命人 今年為水旺運之最後一年，故今年要努力一點，加上今年為財運年，希望在旺運的最後一年能爭取到要好的成績；因今年過後運程會開始慢下來，幸運者旺運餘氣也會在二〇二四年底止。

平命人 今年為水旺運的最後一年，對平穩的你還是有幫助的，加上今年又是你的財運年，如果從事收入不穩定的專業人士，今年在業績上不難是良好的；即使收入固定的工作者，今年工作運仍然是不錯的。

一九四〇年出生的龍—今年是思想學習投資年，學習方面，任何年齡也都是適宜的，多些接觸社會也能保持自己的觸覺。投資方面，除非是仍然未退休的從商者，否則會在這年紀去作新投資的機會始終不大。

一九五二年出生的龍—今年是辛苦個人力量得財年，仍然未退休的從商或自僱者仍可以憑努力去爭取好成績；如果是已經退休的上班一族，今年仍然是活躍的，由於現代人壽命比較長，故在這年紀的你仍是動力十足，那就多些參與社會活動好了。

一九六四年出生的龍—今年是貴人舒服懶年，一般上班一族可能已經退休又或者考慮退休了；而從商或自僱者在今年亦適宜放慢腳步，檢視一下目前狀況，待今年過後，看看明年是否仍然繼續努力。

一九七六年出生的龍—今年為權力地位提升年，上班一族固然可以努力爭取升遷；而從商或自僱者亦可藉此年把自己在行內的名聲提升，這長遠而言對事業必然能起到正面作用。

一九八八年出生的龍—今年為財運年，各個肖龍者以你財運最佳，正在行眉運的你，如果發現眉毛是順貼着眉骨去生長，今年應該有不錯的進展；但如果發現眉毛粗豎、逆亂則要保守為上。

二〇〇〇年出生的龍—今年為思想學習投資年，如果仍在求學，今年吸收能力是良好的，如果想在今年作新嘗試的話，不管是寒熱平命人都可以牛刀小試的，先不論成功與否，算是吸收些經驗而已。

二〇一二年出生的龍—今年為活躍跳脱年，今年踏進九歲的你，活躍一點也算是正常的；現代人營養充足，最怕的就是懶在家裏不動，故今年活躍應該算是良好徵兆。

財運 今年是肖龍的財運年，各生肖中以你的財運算是中上位置，平命、熱命人固然可在旺運最後一年努力去爭取，望能獲得更大收益；即使在逆運中的寒命人，也或多或少因這財運年獲得一點好處。

事業 今年是肖龍的財運年，這間接代表事業運是不錯的，上班一族財運增加，除了加薪以外，亦可能是升遷而工資多了；從商或自僱者必然是生意有所增長，財運才會相應增加，故本年事業運不難有不錯的進展。

感情 本年並無刑沖，亦非桃花或相合生肖，感情運看不到有任何變化，不是要好的也不是爭吵年，就如平靜無波的湖面，看不見一些漣漪；其實感情在這平靜的狀態是佔人生的大多數，激情只會是初相識時所引發的，久後必然歸於平靜或平淡。

身體 雖然今年在腸胃方面要多加注意，但比起在龍、狗，其次是羊這些年份，今年最多也只是排第四的，只要在飲食上稍為注意一下，健康狀況應該是問題不大的；而要特別注意的月份是農曆的三、六、九、十二這四個月，其他月份可以放心一點，即使偶爾放縱一下胃口，問題也是不大的。

是非 本年並無刑沖，亦非桃花相合年，人緣運不是很好，然是非小人也不明顯，但比起上兩年算是較差了；如果想在本年增加人緣運，最簡單的方法是在今年正南桃花位放一杯水去旺人緣，這可以在自己的房間及工作地點同時擺放。

農曆一月

本月為思想學習投資月，正所謂一年之計在於春，如打算在今年學習一些新知識，在這時籌劃安排是正確的。投資方面，春夏天出生的平命、熱命人，如果想在旺運最後一年起步作出新投資，又或者想在本年轉換公司或職業，都是要早作準備的，故要好好把握這個思想學習投資月，早一點定下今年想要走的路向。

財運 農曆年過後，不管在投資學習方面會否有額外花費，本月亦容易因應酬較多而有些額外支出，加上很多公司仍然未完全投入運作，故從商或自僱者本月財運就先不要去想好了。

事業 本月為思想學習投資月，而肖龍的你今年又是財運年，如春夏天出生的你想作新嘗試的話，本年是一個最後機會了；如果在春季仍未起步，夏季以後就應該留在原地，不要再去胡思亂想好了。而秋冬天出生的寒命人也無需細想，一切就順其自然地等待明年木火運來臨好了。

感情 去年因相合的關係，感情運是穩定的，雖然來到今年，肖龍的你並非桃花相合生肖，感情運是一般的，但也非沖犯太歲年，平平淡淡就是了；來到本年正月，也並無刑沖，感情運本月也是平穩的。

身體 農曆一月可能應酬會較多，惟本月並無刑沖，腸胃方面仍然是要好的，即使偶爾放縱一下口腹，也不會因此而吃出病來。

是非 農曆年才剛過去，各人仍懷着愉快心情，都無心去惹是招非；加上本月工作壓力不大，即使應酬多了，也不會因此而惹上是非。

農曆二月

本月仍然是肖龍的思想學習投資月，如果決定已經在上月定下來，那本月便要着手進行了；如果仍然在猶疑的話，本月要給自己一個答案，不管是投資又或者報讀一些新學科，也都是要有個決定的；如果不想猶猶疑疑地整年便過去，是否想作出改變也是要決斷一些。人一生總有三數次轉折機會，有些人選擇不去改變，有些人則屢敗屢試，你到底是一個安於安穩生活的人，又或者能承受失敗，夠膽去冒險的人，在這時候真的要想清楚了。

財運 本月仍然是思想學習投資月，開支仍然會比平常多，如果決定今年不去作新改變又不去學習進修，但復活節假期也會給你帶來些意想不到的開銷；故本月在財政上要穩陣一些，以免因開支過度而壞了穩固的財政。

事業 欲左欲右，心中不定。其實來到水旺的最後一年，平命、熱命人還未開始起步的話，我想你是一個不想作出改變的人，既然已經來到旺運尾聲，就留在原地不動好了；而秋冬天出生的寒命人在事業上亦適宜今年以後才去想改變否，所以本月事業運不難是穩定的。

感情 本月為肖龍的相穿月，一點點的小是非是不會影響到你的感情的；雖然感情運在今年只是一般而已，但也不會因一個小小的相穿月而引致牽連大波。

身體 本月為木土交戰的月份，腸胃及皮膚也

要注意，生冷燥熱之物以少沾為妙；惟本月相穿對身體的影響不是很大，下個月是肖龍的犯太歲月才要特別小心。

是非 本月是肖龍的相穿月，是非會較平常多，惟這相穿之影響非常輕微，再加上肖龍的你本身並非是非特別多的生肖，故本月亦無需刻意提防。

農曆三月

本月為肖龍的財運月，惟本月又是肖龍的犯太歲月，容易出現情緒不穩的情況，故容易因狀態不佳而影響到工作表現。收入穩定的上班一族還好，不會因一時的表現影響到公司對你整體的觀感；惟從商或自僱的你，如不能全力投入工作，則恐防影響到業績，繼而影響到這個財運月，財運不止不能上升，恐怕還會下降；故在本月要好好控制情緒，望能在這個財運月爭取到最佳成績。

財運 復活節假期回來，身心應該都回復到最佳狀態，這本來對這個財運月能有直接幫助，惟本月是肖龍的犯太歲月，容易出現莫名的情緒問題，事事容易往壞處去想，故不難因此而影響到本月的表現而令財運難以增長。

事業 本月為肖龍的犯太歲月，只要能好好處理情緒，本月事業運仍然是有進展的；即使真的出現情緒問題，也只是一個月的事，全年下來，還是要看自己的運氣，平命、熱命人整年下來仍然是不錯的。故本月真的情緒不穩，就先放鬆自己不要去着急好了。

感情 本月為肖龍的犯太歲月，自身容易出現情緒不穩，尤幸復活節假期才剛過去，心中仍懷着愉快的記憶，故一時的情緒不穩對整體感情影響不大。

身體 本月為肖龍的犯太歲月，容易因情緒壓力而導致腸胃不適；故本月除了要小心飲食外，亦要好好處理情緒壓力，因為很多時候腸胃毛病是因為壓力所致。

是非 本月是肖龍的犯太歲月，是非恐防會比平常多，本月就盡量減少外出應酬，以減免是非；而這只是一個月的小影響，就先忍耐一下好了。

農曆四月

本月為肖龍的桃花月，又是財運月。如上月因犯太歲月的影響下，成績沒有甚麼突破，則要好好利用這個桃花財運月，相信不難把上月的業績追回來。收入穩定的上班一族雖然不會因一個財運月而令收入有所上升，但在這個人緣要好的月份，最少也能夠有更突出的表現而去充分顯現自己的工作能力。

財運 人不逐利而利隨之。本月既是桃花月，人緣好，易得貴人扶助；加上又是財運月，收入不穩的從商或自僱者，必能因貴人之助而令到收入有所增加，故本月財運應該會比上月為佳。

事業 動止順利，自納禎祥。本月為肖龍的桃花月，人緣運必然比上月為佳，讓你的工作能順暢不少；無論收入穩定的上班一族，又或者收入不穩的從商或自僱的你，事業都不難地順利進行，故本月的桃花能為事業帶來正面作用。

感情 桃花月，感情人緣佳，上月的不安情緒已經消散，讓已有穩定感情的你感覺良好；單身者還可藉此桃花月多些外出，看看能否在這桃花月讓你脫離單身行列。

身體 雲開日現，波靜風平。本月情緒來個大翻身，上月因犯太歲月之負面情緒已被本月的重桃花月替代了；本月情緒是正面的，加上並無刑沖，故本月的健康運都回復了正面狀態。

是非 除當塗之瓦礫，剪礙道之荊榛。上月之浮雲已經散盡，代之而來是人緣要好的一個月；即使多些外出與朋友、客戶聯絡，結果也是正面的居多，就好好利用這個桃花人緣月好了。

農曆五月

本月為權力地位提升月，又到上班一族該努力的時候了，如果知道公司想作內部提升，不妨努力爭取。雖然肖龍的你今年並非桃花生肖，人緣運一般，惟經過努力後，即使爭取不了但是也無損失，但最少已經盡力，對自己已有交代；況且，今年有女貴人星，如果老闆、上司是女性的話，也能增加你的成功機會。

財運 兩個好的財運月才剛過去，本月應該會稍慢下來，惟上班一族如果能夠爭取到升遷，財運自然會相應增加；而從商或自僱的你，應藉此權力地位提升月，多些出席行內的活動，把自己的名聲提升，這樣對長遠的財運必然是有幫助的。

事業 名高而利不至。本月為表面風光，地位提升月，上班一族可能只是工作壓力大了，責任多了，地位可能沒變；而從商或自僱者即使能爭取到行內人認同，事業也不是立竿見影地前進，故本月不難是只有虛名的月份。

感情 本月是本年的桃花月，但與肖龍的你並無直接關係，除非另一半剛好是桃花生肖，才會在感情上帶來正面作用；而單身者在參與群體活動時，最多也只能成為別人的桃花，但這還要看別人看不看上你。

身體 本月並無刑沖，亦非桃花相合月。身體健康狀況是正常的，平常腸胃不佳者本月依然一樣；一向健康良好的你，本月仍然是健康的。

是非 無是又無非，光陰日影移。雖然桃花月已經過去，但本月並無相沖，人緣運仍然是正常的，外出交際時人緣運不是特別好，而是非亦無特別明顯。

農曆六月

本月仍然是權力地位提升月，惟到了農曆六月，你的腸胃特別容易出現不適，加上下半月工作量突然增多，這也會為你帶來壓力；故本月在爭取升遷時要把心態調好，得故然佳，失也不要記掛在心頭而給自己無形壓力，而讓腸胃不適更加嚴重。

財運 本月仍然是權力地位提升月，如上班一族在這兩個升遷月已經落實升遷，財運自然相應增加；而從商或自僱者上半月亦如上月一樣求名為先，利則在下半月工作量提升時再行努力好了，尤其是自僱一族，下半月財運必然能因工作量上升而有所增加。

事業 上山多費力，有樹可扳枝。本月仍然是肖龍的地位提升月，雖然並無貴人，亦非桃花月，惟人緣運仍然比本年沖犯太歲的生肖為佳；因本月是本年的沖太歲月，整體社會氣氛不太和諧，惟這對肖龍的你並無直接影響，正所謂人退我進，故本月事業運對比其他生肖仍然不難是仍有進展的。

感情 本月是本年的相沖月，惟這與肖龍的你並無直接影響，除非另一半剛好是本年沖犯太歲的生肖才要特別注意；如果真的是這樣，那惟有對對方多作體諒，做一個好好的聆聽者。

身體 雖然每年農曆六月，你的腸胃都特別容易出現不適，惟本年及本月都並非直接與你相刑相沖，故並無直接影響；只要在工餘之時盡量爭取時間休息，放鬆心情，本月之腸胃仍然是健康的。

是非 本月是本年的重是非月，雖然與肖龍的你並無直接關係，惟你今年也不是人緣特別要好的生肖，故為免給是非無故沾上身，本月還是盡量減少外出應酬方為上策。

農曆七月

本月為貴人舒服懶月，經過上季之努力後，本月可以放慢一點腳步了。本月是本年的桃花月，又是肖龍的遙合月，易有遠方貴人扶助，這對從事常接觸外地工作最有幫助；否則，也能因本年的桃花月而不用太過努力，事事都比較容易順利完成，故雖然肖龍的你本月容易有一顆慵懶的心，惟事業與財運不一定因此而下降。

財運 雖然是貴人舒服懶月，人可能沒有先前那麼積極，惟本月是本年的重桃花月，整體社會氣氛比上月好得多；加上又是肖龍的遙合月，容易有貴人暗中扶助，讓你本月不需要太過着緊工作，但也容易達到一定成績。

事業 插柳成蔭，非關人力。本月人雖然慢了下來，但事業運不一定會停步而止，因本月是本年的重桃花月，整體社會氣氛是良好的，這對肖龍的你亦能帶來好處，社會氣氛和諧了，做事不難是事半功倍，故本月即使不太用力，但事業可能仍然在進展中。

感情 本月是肖龍的遙合月，單身者最多可能在旅遊公幹時碰上心儀對象而已，能走在一起的機會不大，惟本月是本年的重桃花月，多一些外出還是有機會的，惟本月是別人的桃花月，即使遇上心儀的也要看看別人是否選上了你。

身體 本月是本年的桃花月，又是肖龍的遙合月，一切的無形壓力都應該消除殆盡，代之而來的是較輕鬆的心情；加上工作量不大，故不難是身心健康的一個月份。

是非 座中客常滿，杯中酒不空。本月不論是整體社會氣氛又或者是肖龍的你的人緣運都是良好的，讓你外出應酬時沒甚麼顧忌，即使有時過於貪杯，本月也是無風無浪的。

農曆八月

本月仍然是肖龍的貴人舒服懶月，人仍然是懶懶閒閒似的，惟本月是肖龍的桃花月，人緣運比上月更佳，故即使放慢了腳步，但收入卻不一定因此而下跌。上班一族亦能因桃花月之助而讓工作變得更輕鬆，且本月工作量不大，讓你在工餘之時可多些相約朋友共聚，聯絡一下感情，順道享受一下生活。

財運 本月為貴人舒服懶月，雖然看不見財運的影子，惟本月人緣好了，亦容易得貴人扶助，故即使放慢了腳步，財運可不一定相應減少；從商或自僱者更可以因有貴人之助而平白無端地接到不錯的訂單，令收入也有不錯的進賬。

事業 既獲操縱裕如之利，更乏往來負累之憂。本月是肖龍的相合月，人緣運本已不錯，又加上是桃花月，令到人緣運加倍地好起來；這不論對從商、自僱或上班一族，都必然能帶來正面影響，不論業績好壞，最少也能在平和的氣氛下工作，即使不一定有大進展，但心情依舊是要好的。

感情　雖然本月是桃花月，單身者又可以努力了。惟本月是霧水桃花，容易跟舊相識的人走在一起；惟這霧水桃花易聚易散，可能只是一個短暫的霧水情緣而已。

身體　本月並無刑沖，突然遇上意外損傷的機會不大，加上又是肖龍的桃花月，心情也是輕鬆愉快的，這連帶健康都好起來；本月即使因桃花月而多了外出，但健康狀況仍然是良好的。

是非　桃花月，人緣佳，是非自然遠離，加上本月易得貴人扶助，即使有小人在背後說三道四，也只會是吃力不討好；故本月因桃花月而應酬多了，也無需去顧忌是非。

農曆九月

本月為辛苦個人力量得財月，經過慵懶的兩個月後，本月要好好準備投入忙碌的工作了，平常勤力的你，一會兒便適應了忙碌的步伐，尤其是收入隨工作量上升的自僱一族，更加愈忙愈起勁；收入穩定的上班一族，雖然不會因工作量上升而收入有所增加，但有時忙一點也是好的，最少代表在公司仍然有不錯的價值。惟本月是肖龍的相沖月，腸胃容易出現不適，故在忙碌工作之餘，記着要爭取充足睡眠及盡量放鬆心情，望能把腸胃不適減至最輕。

財運　求之以規矩，自可成方圓。本月為辛苦個人力量得財月，事事都要靠自己親力親為才能達到理想效果；尤其是收入不穩的從商者，事事要跟貼一點，才可避免財星過門而不入。

事業 辛辛雖嘗苦，勞勞終得甜。本月工作量雖然突然上升，惟財運也隨之而增加，故這忙碌是有回報的；惟收入穩定的上班一族，則不會因一時之工作表現而令收入有所上升，但長遠而言，老闆、上司是看得到的，這對日後升遷也能帶來正面作用。

感情 本月是肖龍的相沖月，感情容易不穩，既然本月工作忙碌，倒不如減少見面次數，以免因多見面而鬧意見，破壞了雙方關係。

身體 本月是肖龍的相沖月，腸胃疾病容易無聲而至；且本月亦是本年的腸胃疾病高危月，肖龍的你也是其中容易受影響的生肖，故本月在飲食上也要多加注意，生冷煎炸之物要少沾為上。

是非 閉口藏舌是非多。既然本月是肖龍的是非月，那就盡量減少外出應酬好了，況且；本月工作量又突然增多，根本就沒太多時間外出應酬，是非欲埋身也無門。

農曆十月

本月為辛苦個人力量得財月，財運明顯比上月為佳，加上三冬水旺進氣，對在春夏天出生的平命、熱命人最為有利，望能在這個冬季的水旺運完結時能爭取到最佳成績；又本月為肖龍的桃花月，人緣運與上月不可同日而語，這不只對平命、熱命人有利，即使秋冬天出生的寒命人也能因桃花之助而讓人緣運好起來，間接對事業亦起到正面作用。

財運 本月為辛苦個人力量得財月，財運與人緣運都比上月好得多。即使收入穩定的上班一族，也能因桃花月而令工作順利得多；即使財運不會因一時而上升，但本月仍然感覺是不錯的。

事業 有梯有板，高樓直上不難。水旺運來到最後一個冬季，平命、熱命人是要全力進攻了，尤其是收入不穩的從商或自僱者，更要在二〇二二年木火運來臨前打下更好基礎，讓木火運來臨時運氣能延續更久；而秋冬天出生的寒命人，亦應藉此桃花人緣月，多與各方聯絡，望能在木火運來臨前打下更佳的人際網絡，望能在二〇二二年春夏時讓運氣能馬上提升。

感情 本月為肖龍的桃花月，正好讓你可以修補因上月相沖而帶來的破壞。而單身者亦可以好好把握今年這個最後的桃花月，看看能否為你帶來一段新感情，讓你脫離單身行列。

身體 腸胃之病來到本月已消失無形，本月是肖龍的重桃花月，人緣好，連帶心情都好起來；加上本月亦非腸胃疾病的高危月，故不論整體社會及肖龍的健康運都是良好的。

是非 上月之烏雲已一一散盡，代之而來的是人緣要好的桃花月，故本月在忙碌工作之餘，最好也能夠多些與朋友、客戶聯絡，建立更好的人際網絡。

農曆十一月

本月為思想學習投資月，惟年之將盡，如在此時投資真的要三思三思，除非是開一間小小的零售店，能夠趕及聖誕假期旺季時，才可能可以稍作考慮；否則，一切就留待農曆新年後再作決定好了。學習方面，聖誕新年假期後，轉瞬又到農曆年假，恐防影響到學習情緒，我想也不是太適宜。故本月事事宜以穩定為先，以不變為上。

財運 雖然不宜投資，學習也不是時機，但本月之額外開銷仍然是無可避免的，即使聖誕留在本地不作外遊，但假期時外出花費總也是少不了的，故本月這個思想學習投資月，那些投資可能都用在吃喝玩樂上了。

事業 無求可自得，萬事皆從容。既然不去學習，也不投資，本月就安在原位好好努力好了，雖然本月容易因聖誕新年假期少不免多了些額外開銷，惟本月事業及財運進展是不差的，尤其在下半月，財運會更為明顯。

感情 本月為肖龍的相合月，也是本年的相合月，無論整體社會及肖龍的感情運都是穩定的，這對上月才開展新感情的你是良好的，能讓你倆的感情穩固下來；而早已有另一半的你，承着假期外出遊玩，也能令你的感情更進一步。

身體 本月是肖龍的相合月，身體及情緒都是良好的，也不是意外損傷的月份；讓你在假期外遊時能好好享受，而不至於擔心身體有甚麼意外狀況。

是非 本月是肖龍的相合月，人緣運雖然不及上月的好，但也是不差的；加上本月也是本年的相合月，整體社會氣氛也是平和的，讓你能專心籌劃假期去向，而不用分心提防是非。

農曆十二月

本月仍然是思想學習投資月，惟農曆新年在即，無論是學習或是作新投資的可能性皆不大，加上本月為本年的犯太歲月，整體社會氣氛恐怕不太平和。肖龍的你本月雖無刑沖，惟亦非桃花或相合月，人緣運只一般而已；故本月以自保為上，盡力完成手頭工作去籌備農曆新年去向好了，一切工作以外的事都宜先放下，這必有利讓是非不會無故沾上身上。

財運 本月仍然為思想學習投資月，惟在這時學習或新投資都不大可能，故這些花費仍以花在農曆新年應用上為多；不論外遊度歲又或者留港與親人共聚，花費也必然會比平常多。

事業 投鼠忌器，欲行又止。即使在順運中的平命、熱命人，本月也要先宜放慢腳步；因本月是本年的犯太歲月，外間恐怕風雨較多，故肖龍的你最好也要保守為上。即使眼前景觀不差，但也要提防突如其來意想不到之變故。

感情 本月是本年的犯太歲月，雖然這與肖龍的你並無直接影響；惟另一半如果是今年沖犯太歲的生肖，在這月恐防易生事端，尤其是在安排農曆新年去向時，恐各執一詞，互不忍讓；惟既然知道犯太歲生肖容易引致情緒不穩，故你應該要向對方多作忍讓才是。

身體 本月為腸胃疾病的高危月，肖龍的你雖然無直接影響，惟每年農曆十二月你也都是要小心的，尤其飲食方面，不要因年底應酬多了而吃出病來。

是非 閉口藏舌，閒事莫理。本月是本年的犯太歲月，外間必多風雨，故肖龍的你可以的話盡量獨善其身，減少外出應酬，方能免給是非沾上身上而影響到假期心情。

肖蛇運程

- 一九二九
- 一九四一
- 一九五三
- 一九六五
- 一九七七
- 一九八九
- 二〇〇一
- 二〇一三

寒命人——出生於西曆八月八日後、三月六日前（即立秋後、驚蟄前）。

熱命人——出生於西曆五月六日後、八月八日前（即立夏後、立秋前）。

平命人——出生於西曆三月六日後、五月六日前（即驚蟄後、立夏前）。

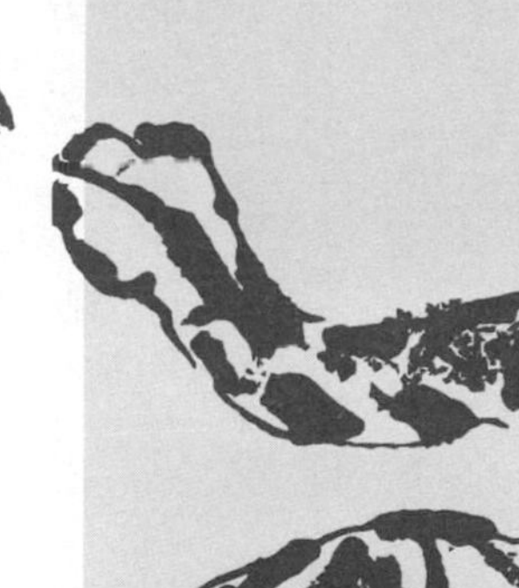

肖蛇的你去年是暗合年，容易出現貴人暗中扶助；而今年則是遙合年，容易出現遠方貴人，這對從事常接觸外地工作的你最有幫助，這必能助你把生意促成。肖蛇今年為權力地位提升年，這對從商、自僱及上班一族都能帶來正面作用，上班一族固然可以努力爭取升遷，其作用是直接的；而從商或自僱者亦可藉此年多些參與慈善活動，又或者行內舉行的活動，令自己在行內讓更多人認識，這對從商或自僱的你而言，必能起着積極的正面作用，因名聲好了，生意能隨之而增長的機會自然大增。除此之外，當然也要不斷強化自己的實力，讓自己能名實俱全。

今年吉星有「金輿」、「三台」，有利地位提升，配上今年為權力地位提升年，這兩星必然能加強升遷的動力。

凶星方面，十二生肖中以肖蛇的你最多，故在爭取名氣地位提升時，不妨多些幫助別人，多作善舉；亦可在今年正南桃花位放一杯水、西南爭鬥位放粉紅色物件來旺人緣、化是非，這樣必能讓今年的小人是非減至最輕。

凶星有「飛符」、「官符」、「年符」，突如其來的官非是非，人事不和，惟這官非不一定是刑事方面的，可能亂過馬路、隨便抛垃圾等給當場逮捕罰錢而已，惟今年切記勿酒後駕駛，事事也要正規而行，避免是非不會變為官事。

「五鬼」，小人星，我常常說小人之物一定是能力比你差，職位財富不及你的人，背後眼紅你而說三道四，而這種人既可悲，又可笑；如不傷及自己的，就原諒他們好了。

「天哭」，心眼不佳，易哭，尤其是平常眼淺的你，可能看一場悲情戲可以大哭一場，惟有時這樣能發洩一下自己的情緒，說不定能給你帶來心境平和呢。

「指背」，背後是非多；正所謂明槍易擋，

暗箭難防，既然是背後是非，也不一定知道是誰在搬弄，唯一可做的就是自己公正行事，做好自己就是了。

還有「地煞」，無甚影響，無需理會。

寒命人 今年為水旺運的最後一年，今年過後又是你的機會來了，由二〇二二年開始至二〇二七年止，有六年木火運，當中尤其二〇二五年至二〇二七年進步必然加速，今年就先守着好了。

熱命人 今年為水旺運的最後一年，雖然是非星較多，但也無阻你努力爭取；加上今年為地位提升年，且有升遷之吉星相助，相信不難讓你獲得不錯的成績，望能在水旺運的最後一年，讓自己能升上更佳位置。

平命人 今年為水旺運的最後一年，平穩的你也是可以慢步前進的；雖然明年是木火運的開始，但一生較為平穩的你也沒有甚麼是要特別注意的，一切可能只是慢下來一點而已。

一九二九年出生的蛇——今年是財運年，惟在這年紀，除非仍是在從商者，否則能因財運年有大收穫的機會不是很大；可能是有些投資收益好了，又或者是晚輩多給一些零用錢罷了。

一九四一年出生的蛇——今年是思想學習投資年，雖然已步入八旬，惟與社會保持聯繫是重要的，如心力許可，多參與些興趣班或群體活動，對身心都是有益的。

一九五三年出生的蛇——今年為辛苦個人力量得財年，從商或自僱者無退休限制，仍可藉本年辛苦得財年去爭取好成績，尤其是自僱者，收入必能因工作量上升而相應增加。

一九六五年出生的蛇——今年是貴人舒服懶年，五十五歲要退休，又或者是面臨退休的你，在這時放慢腳步也是合適的；不論從商、自僱又或者是上班一族，檢視一下目前狀況，然後再想想日後自己所想選擇的路向，不要待真正退休以後才去選擇，那時間上可能太遲了。

一九七七年出生的蛇——本年是權力地位提升年，各個肖蛇者以你升遷的機會最大；上班一族要好好努力爭取升遷，而從商或自僱者也能讓自己在行內的名聲提升。

一九八九年出生的蛇——今年是財運年，各個肖蛇者以你財運較佳，順運中的平命、熱命人固然可以努力爭取，即使在逆運中的寒命人相信也能因財運年而獲得一定好處。

二〇〇一年出生的蛇——今年為思想學習投資年，無論是已踏足社會又或者正在求學，在這年齡不斷去吸收新知識相信也是必須的；在這時候裝備好自己，必能讓日後的路走得更容易。

二〇一三年出生的蛇——今年是百厭活躍年，在這年紀活躍一點總比靜靜躲着去死讀書好；所以記着，努力學習以後，盡量抽多些時間參與些課外活動，必能提升學習情緒。

財運 今年雖然不是財運年，亦無財星相助，惟上班一族財運仍然是有望增加的，因本年是地位提升年，如爭取到升遷，財運自然會相應而來；相反，從商或自僱者今年以求名為先，出席公眾或慈善活動時，不難有一定開支，故本年可能開支會比平常為多。

事業 用心鑿石才成玉，着意淘沙始見金。今年為權力地位提升年，上班一族如果想要爭取升遷，必然要加倍努力；因肖蛇的你今年並非桃花生肖，人緣運可能不及桃花生肖的好，加上小人是非星特別多，故不論從商、自僱又或者是上班一族在爭取成績時必然要加倍努力。

感情 本年並非桃花相合年，但亦無相沖，故感情運是平穩的；惟單身者能在此年脫離單身的機會不大，或者嘗試多些外遊，看看能否因此遙合年能為你帶來一段異地情緣。

身體 本年只是小人是非多而已，身體方面並無相沖，亦無疾病星，故健康運是正常的；只要不是暴飲暴食，懶於運動而把自己的身體弄壞，今年無故沾上細菌疾病的機會不大。

是非 本年是遙合年，易有遠方貴人扶助，惟遠水不能救近火，這對日常生活減少小人是非並無幫助。今年小人是非星最多的你，唯一可做的可能是在風水方面，嘗試在家居及工作的地方，正南桃花位放一杯水，西南爭鬥位放粉紅色物件去旺人緣化是非，望能將工作上及私人上的是非同樣化掉。

農曆一月

本月為肖蛇的財運月，惟農曆年假才剛完結，這月財運能提升者十無一二，希望你是其中之一好了，又本月為肖蛇的相刑月，是非在本月已經開始顯現，故即使是新春，也不宜太多交際應酬、公眾場合，可以避的話就盡量少出席好了，收入不穩的從商或自僱者，雖然能在新春假期後能獲得好成績着實不易，故抱着我且盡力，毋問收穫好了。

財運 我且盡其力，厚薄隨其緣。雖然本月是你的財運月，惟農曆年後很多公司不會那麼快開始運作，有時你想努力爭取也無處着力，加上本月又是你的是非月，一切就順其自然好了；得固然佳，失就當作正常好了。

事業 名利來不來，眉頭鎖不開。本月其實首要做的就是放開心情，勿因一時的得失而影響到自己的情緒；又本年是非星特別多，本月又是是非月，故對事業不要太過着緊，就放鬆心情讓它自然而過便好了。

感情 本月雖然是肖蛇的相刑月，惟農曆年假才剛回來，雙方仍懷着愉快的心情，不會因一個相刑月而引致感情不定，即使有時意見不合，但這樣反而能夠加深相互了解。

身體 平常皮膚不佳的你本月要好好注意，尤其是夏秋天出生的你，本月皮膚特別容易出現不適，生冷燥濕之物本月以少沾為佳，以免讓問題惡化。

是非 小是小非，無需掛懷。本月一個小小的相刑月，不會引起軒然大波；其他年的一月本來是無需特別注意，只是今年肖蛇的你為十二生肖是非星最多的一個，才要提防一下，本月盡量少些外出應酬，必能把是非減至最低。

農曆二月

本月也是肖蛇的財運月，本月終於可以全力去爭取財運了，且本月為貴人得財月，易有貴人暗中扶助，讓你付出的努力不會白費。收入穩定的上班一族，本月財運雖然不會增加，惟工作量不大，且有貴人之助，工作起來心情也是開朗的，算是一個不錯的月份；且月底又是復活節假期，想到假期外遊，心情更是加倍輕鬆。

財運 上班收入穩定的你，本月即使賺不了錢，但最少能賺到舒暢的心情；而從商或自僱的你，稍稍努力，收入不難有不錯的收益，讓你安排復活節假期時可以豪花一點，好好享受努力後所得的成果。

事業 指臂相應，轉折從心。本月為貴人舒服得財月，雖然不是桃花人緣月，但事業運仍然是得心應手的，這當然指春夏天出生的平命、熱命人而言；因秋冬天出生的寒命人始終仍然在逆運中，即使有貴人暗中扶助，相信也不會有太大收益與進展。

感情 本月並非肖蛇的桃花月，惟本月並無刑沖，感情運是平穩的，也不會因商討復活節假期時出現不合而影響到雙方關係；惟單身者本月應該會繼續單身下去，故宜早些相約家人、朋友去共度假期。

身體 本月並無刑沖，身體狀況回復平常，惟農曆二月仍陰濃濕重，皮膚容易出現不適，故本月宜多吃些去濕的食物，以免因天氣影響而引致皮膚敏感。

是非 事機宜謹慎，無是亦無非。雖然本月並非桃花月，人緣運只一般而已，惟本月並無刑沖，是非小人也並非太多，事事謹慎而行，相信本月是非是不會沾上身上的。

農曆三月

本月為權力地位提升月，上班一族可以努力了，尤其知道公司準備作內部提升，而自己亦有意思的話，即使主動一點也是可以的，因本月是你的桃花月，人緣運比別的生肖為佳，這必能有助你爭取升遷，因為如果才能相約，別人對你的觀感便變得很重要，而桃花的作用就是能增加別人對你的良好印象。

財運 上班一族如果能落實升遷的話，財運必然隨之而來，而從商或自僱者，本月可能是名高而利不至的月份，惟把自己在行內的名聲提升，長遠而言，利必然會隨之而靠近，就藉此桃花月多些出席些行內與慈善活動，讓自己給更多人認識好了；而這些先花費的金錢，日後必然能獲得相應的回報。

事業 昆鵬插翅，扶搖直上。本月是桃花加權力地位提升月，即使爭取不到升遷，但也能增加別人對你的正面觀感；雖然今年是非星特別多，但桃花月還是能起到一定的作用的。

感情 本月為肖蛇的桃花月，如果單身的你想盡快脫離單身的話，本月便要好好把握了，因本年你始終是是非星最多的生肖，這會影響到別人對你的觀感，故只能藉桃花的月份多些外出，望能得月份之助而讓你脫離單身行列。

身體 本月並無刑沖，加上又是肖蛇的桃花月，故身心健康都是良好的；惟農曆三月仍然是濕氣較重的一個月份，故在飲食上也是要多加節制的，濕、燥的食物仍要少沾，以免因氣候而影響到氣管及皮膚出現不適。

是非 桃花月，人緣必然比上兩個月為佳，故本月宜多些相約客戶、朋友及多些出席公眾活動，這必能增加別人對你良好的觀感，讓下月是非月來臨時也不至於被是非纏上。

農曆四月

本月雖然仍是肖蛇的地位提升月，惟本月又是你的犯太歲月，故本月在人緣運與上月不可同日而語；本月宜低調一點，亦要減少外出，盡量少接觸些陌生人，這必能有助減免是非。上班一族在爭取升遷時亦不宜太過積極，以免爭取不到升遷卻惹來一堆是非，從商或自僱者本月亦要以守舊為佳，以免在爭取名聲時反而得了罵名。總之，本月就放慢手腳由它慢慢過去好了。

財運 雖然肖蛇的你今年並非犯太歲生肖，惟本年是非星較多，唯恐在這犯太歲月而招惹更多是非；故不論是從商或自僱，又或者是上班一族，本月就先不要去想財運好了，就放慢一點腳步，得失由天好了。

事業 一江風雨暗，平地起波濤。每年農曆四月都是你的犯太歲月，本來沒甚麼可怕的，惟本年你的是非星一大群，故本月為免易生變故，事事還是低調一點為佳，且本月是名氣地位提升月，得了好名還好，惟怕反效果而獲得了壞名聲，故本月宜先放慢一點腳為佳。

感情 本月雖然是你的犯太歲月，惟只要控制好自己情緒，感情運是沒有甚麼要特別小心的，惟在上月剛開展的新感情不太穩固，望能其過渡這個月，五月後感情便會穩固下來。

身體 犯太歲月，心情容易出現鬱悶不安，而這亦會影響到身體的；平常皮膚已經不好的你，如處理不當，本月難免會受其困擾，惟這只是月令之爭，下月便可以回復正常。

是非 閉口藏舌，閒事莫理。本月是肖蛇的你自己的是非月，除了不要捲入別人是非當中，也要盡量減少外出應酬；本月過後，下個月到了你的桃花月才補回本月慢下來的腳步好了。

農曆五月

本月為貴人加桃花月，工作量不大，惟因桃花之助，人緣運是良好的；而本月桃花為霧水咸池桃花，能改變別人對你的觀感，惟這霧水桃花於男女關係上是不太真實的，故即使本月突然間與原本相識的同事、朋友走在一起，惟本月過後，又回復到平常的機會很大。故單身者如不急於脫離單身，就好好利用這個桃花月盡量開拓人際網絡好了。

財運 本月是貴人舒服懶月，除了工作量不大以外，人也顯得懶懶閒閒似的，不是太過積極；惟這有時與財運不一定成正比例的，勤力時收入不一定必然增多，放慢了腳步也不一定收入因而減少，故在這個貴人舒服懶月，有機會得力於貴人及桃花之助而令你有意外收益。

事業 青青草色，又得一番風雨滋。本月為貴人加桃花月，事業必因貴人之助而有所提升，將上月因犯太歲月而慢了下來的腳步加速前進；且本月是你的桃花月，即使自己再積極一些，也不怕因惹上是非而影響到前進的步伐。

感情 本月是肖蛇的霧水桃花月，對已經有固定感情的你必能起到正面作用；惟對單身者而言，本月碰上的感情是霧水的機會較大，至於接受與否那就自己考慮好了。

身體 本月是肖蛇的桃花月，人緣佳，心情亦回復正常狀態；惟三夏火旺之時，煎炸燥熱之物仍然是要少沾為上，以免火氣上升而令到喉嚨不適。

是非 上月之浮雲已經散盡，代之而來是人緣要好的桃花月；故本月宜多些外出與朋友、客戶聯絡，把上月放慢了的腳步一一追回。

農曆六月

本月仍然是肖蛇的貴人舒服懶月，惟本月是本年的相沖月，社會情況相對不穩，剛好碰上是你的舒服懶月，就放慢一點腳步好了，財運就先不要太過着緊。感情方面，除非另一半剛好是本年沖犯太歲的生肖才會出現風波；否則，本月自身的感情及人緣運並不是太差的。

財運 本月是貴人舒服懶月，易有遠方貴人扶助，這對從事常接觸外地客戶工作的你是有幫助的，因為不需要太過努力便能獲得不錯的成績；亦讓你在本年的這個是非月，不用太過積極努力，也能獲得不錯的成績，這也必能讓你避免捲入別人的是非當中。

事業 前途有推呼，驚防一點無。本月外間即使風雨飄搖，但這與肖蛇的你並無直接關係的，因肖蛇的你今年並非沖犯太歲的生肖，故本月的是非沾上你身的機會不大；惟本月在事業上亦不宜太過積極，事事要低調一點，方為上策。

感情 本月是肖蛇的遙合月，最多是外出旅遊或公幹時碰上心儀對象而已，惟本月並非你的桃花月，能建立一段新感情的機會不大，惟本月並無刑沖，自身的感情運是穩定的。

身體 本月為本年的腸胃疾病高危月，雖然與肖蛇的你並無直接影響，惟外出吃飯時，不難會遇上今年沖犯太歲的生肖；故在飲食上也要小心一點為佳，生冷不潔的食物要少沾為上。

是非 本月自身的人緣運是不錯的，惟本月是本年是非較多的月份，而肖蛇的你今年是非星又特別多；故本月還是減少外出應酬為上，以免給別人的是非牽連到自己身上。

農曆七月

本月為辛苦個人力量得財月，收入不穩的自僱一族最能直接受惠，收入必能因工作量上升而相應增加；其次是從商的你，本月工作量大了，又見的客戶多了，必能促進做成生意的機率，財運亦隨之而上升；惟收入穩定的上班一族，卻不會因一個月的工作量上升而收入有所改變，惟本月社會氣氛回復正常，這亦有助你能專心完成手頭工作，盡量抽些時間來享受私人空間。

財運 辛辛雖嘗苦，勞勞終得甜。本月工作量雖然上升，但也不是白費的；因收入不穩的從商或自僱者必然能因上升的工作量而找到商機，讓財運也能隨之而上升。

事業 量力而為大路走。從商或自僱者雖然本月能因工作量上升而收入有所增加，惟本月亦要量力而為，安守本份；因生意財帛是賺不完的，這次機會過後下次也必能再遇，故本月要公正而行，讓事業在正軌上。

感情 本月是肖蛇的刑合月，感情時好時壞，好時糖黐豆、壞時水溝油，惟別人覺得稀奇，你們卻是樂在其中，管他呢！反正感情就是你們兩個人的事。

身體 本月火金相遇，皮膚及筋骨容易出現不適，除了要多做些伸展運動外，在忙碌工作之餘亦要爭取充足睡眠，讓自己不會因壓力而導致身體不適。

是非 喜雀烏鴉，同堂而叫。本月貴人與小人同時而至，惟兩者力量都不是很大，故無需刻意去遠小人、近貴人，就專注於自己忙碌的工作，盡量減少外出應酬，自然能退避是非。

農曆八月

本月亦為辛苦個人力量得財月，又是肖蛇的相合月及本年的相合月，各個生肖中肖蛇的你本月貴人與人緣運在前列位置，這對忙碌的工作量必然能帶來正面作用。收入不穩的從商或自僱者，必然能更容易達到目標；即使收入穩定的上班一族，也能因本月人緣及貴人之助而能輕鬆地去完成手頭工作，雖然工作量明顯增加，但一點也不感覺到辛苦。

財運 苦無錦上添花，也去門前霜雪。上月的小瑕疵已不復存在，代之而來是要好的人緣運；即使收入穩定的上班一族，也能感受到人緣運所帶來的好處，這讓你在工作上遇到困難時，都不難獲得旁人之助，故即使收入沒有上升，但心情卻是不錯的。

事業 應如疾風勁草，再接再勵，從商或自僱的你，本月可以加大力量，因本月是人緣要好的一個月，即使用力爭取，也不會因此而得罪人而招惹是非，反而容易得貴人扶助，讓你能更易達成目標。

感情 本月雖然並非肖蛇的桃花月，但感情運卻是良好的；惟單身者在本月難以獲得好處，只能待至下月桃花月來臨時，才有希望開展到一段新感情。

身體 本月是肖蛇的相合月，雖然工作量依然不輕，惟身心都能處於不錯的狀態，可能是人緣運好的關係；工作即使忙碌，但也並沒有感到壓力，健康運自然也是良好的。

是非 四時有情人意好，一天無得日光輝。本月肖蛇的你是人緣運要好的一個月，忙碌工作之餘亦宜盡量抽多點時間外出應酬，說不定會給你碰上對你事業有幫助的貴人，讓你事業能加速前進。

農曆九月

本月為肖蛇的桃花月，自身人緣運是良好的。雖然本月是本年的相刑月，社會氣氛不太平和，惟即使外間多風多雨，但你卻能獨善其身。雖然本年你的是非星特別多，但本月桃花之力必能助你退卻是非，又本月為思想學習投資月，學習進修不論是寒、熱或平命人都是合適的，尤其是上班一族，不時要為自己增值，才能免被社會淘汰。投資方面，即使在行運中的平命、熱命人也要三思，因為你的旺運最快到二〇二二年夏天便會慢下來。

財運 本月為思想學習投資月，不論是學習或投資，或多或少都有些額外花費的，故本月開支不難比平常多，惟本月是肖蛇的桃花月，人緣運是良好的，而這必能間接讓你的財運更為順利。

事業 前舟自有漁郎引，不必猶豫自在行。本月肖蛇的你人緣運比別的生肖為佳，也不怕給外間的風雨沾上身，故在事業上除了想創業者要稍加留意外，本月算是順利的；行運中的平命、熱命人固然佳，即使在逆運中的寒命人亦能得桃花月之助而得到點好處。

感情 桃花月，想盡快脫離單身的你本月要好好把握了；因本月是本年的最後一個桃花月，如仍未能找到另一半的話，今年餘下的假期可能要與家人、朋友共聚了。

身體 本月為腸胃疾病的高危月，雖然肖蛇的你並非腸胃疾病高危生肖，而本月又是桃花月，身心方面都是不錯的；惟本月在飲食方面也是小心些好，生冷及煎炸之物以少沾為上。

是非 雖然本月整體社會氣氛不太良好，是非也較多；惟本月是你的桃花月，自身人緣卻是良好的，應好好利用這桃花月盡量多些外出建立更好的人際網絡，因下月是你的相沖月便要轉為低調了。

農曆十月

本月為肖蛇的相沖月，與上月的桃花人緣月剛好相反，本月在人緣交往時要步步為營，可以的話，就盡量減少外出應酬好了；雖然本月依然是思想學習投資月，但因相沖的關係，非但投資不太適宜，因恐防阻力較多，就連學習也是可免則免，因怕思想不集中影響到學習吸收。最好的是藉此相沖月去外遊散心，既可以花錢，也應掉了相沖。

財運 本月為肖蛇的驛馬月，每年到此月你都比較容易出現些少變動，我想今年也不例外；

既然本月是思想學習投資月，容易有些額外花費，倒不如將這些花費用在旅遊上，這樣既可一開眼界，又可以把錢花費在自己身上。

事業 欲左欲右，心中不定。本月雖然是思想學習投資月，惟本月是肖蛇的相沖月，恐防是非會較平常多，再加上平命、熱命人運程快將下降，寒命人則仍在逆運中，事業上在這個時間都不太適宜作出變動，故本月如果可以的話就以不變應萬變好了。

感情 本月為肖蛇的相沖月，如剛開展的新感情來到此月唯恐不太穩定；可以的話，本月盡量減少一下見面，以免因相沖月自己心情不定，因而開罪了對方而不自知。

身體 本月水火相沖，易見足、腹、面、齒之傷；惟本年肖蛇的你並非沖犯太歲生肖，一個月份的相沖，不會遇到嚴重意外損傷。只要走路及駕駛時小心一點便可以了。

是非 莫道青天無雨下，須防白日有雷鳴。經過上月桃花月人緣要好的月份後，本月突然間逆轉來到是非特別多的相沖月，唯有盡可能少些外出談公事，有時如果覺得在家沉悶，就相約一兩知己傾訴一下心事好了。

農曆十一月

本月為肖蛇的財運月，收入不穩的從商或自僱的你又可以加倍努力了；又本月是本年的相合月及肖蛇的你的暗合月，故無論社會氣氛又或者是你的人緣運也都是平和的，這樣你在爭取好成績時少了很多掛慮，讓你能全心投入工作去爭取好成績，然後去過一個較豐裕的聖誕新年假期。

財運 本月是肖蛇的財運月，又是暗中相合月，易有貴人暗中扶助；再加上整體社會氣氛亦較為平和，讓你的事業得以順利進行，繼而獲得大大提升，這對健康運必然是有幫助的。不錯的收益。

事業 脫去一切不良事，踏上萬里路太平。上月因相沖帶來的壞影響，來到本月已經消散，隨之而來是人緣較佳及易得貴人扶助的一個月；即使收入穩定的上班一族，不會因一時的工作得失而收入有所改變，而在無需顧慮是非的工作環境下工作，心情也是舒暢的。

感情 本月並非肖蛇的桃花月，單身者能夠在聖誕新年假期前脫離單身的機會不大，惟本月是肖蛇的暗合月，對有固定感情的你，本月感情運是良好的，即使有時因假期安排各自有不同意見，但最終雙方意見也是能夠融合的。

身體 本月為肖蛇的暗合月，易有貴人暗中扶助，即使假期前工作可能密集些，但身體仍是可以應付裕如；加上假期在即，連腎上腺素都大大提升，這對健康運必然是有幫助的。

是非 上月之是非已煙消雲散，代之而來是有貴人暗中扶助的一個月，即使可能因假期前要忙於完成手頭工作，抽不出太多時間外出應酬，但也無需擔心因此而惹上是非。

農曆十二月

本月仍然是思想學習投資月，已經在進行的學習投資本月繼續可以延續，惟新的投資也好、學習進修也好，來到此時才開始的機會始終不大；又本月為本年的犯太歲月，整體社會氣氛唯恐不太平和。雖然肖蛇的你本月為遙合月，容易有遠方貴人扶助，惟外間氣氛必然會對你構成影響；加上本年你又是是非星特別多的生肖，一不小心便給是非惹上了身，故本月宜埋首於自己工作，然後去安排農曆新年假期好了。

財運 本月為思想投資得財月，舊有的投資本月仍然是有進展的，財運不難隨之而有所增加；又下半月有暗財，收入穩定的上班一族亦有可能收到公司的獎勵，而多了些餘錢去度過一個愉快的假期。

事業 本月事業仍然是有進展的，因肖蛇的你本月自身的人緣運及貴人運仍然是不錯的，尤其是從事經常與外地接洽生意的你，這助力更為明顯，本月只要能盡量減少外出應酬，專注於自己的工作，事業運仍然是可以的。

感情 本月是本年的犯太歲月，但與肖蛇的你並無直接影響，除非另一半剛好是沖犯太歲的生肖才需要特別注意；如果真是這樣，唯有向對方多作體諒，望能免假期前出現爭執而影響到雙方的假期心情。

身體 本月除了社會氣氛一般外，也是腸胃疾病高危月；雖然肖蛇的你先天有着腸胃問題的機會不大，但年終之時飯局可能會比平常多，如無可避免一定要出席的話，在飲食上便要小心一點，盡量吃些簡單的食物，以免給疾病沾上你身。

是非 本月是本年是非最多的一個月，雖與你無關，但還是要獨善其身為上，即使今年沖犯太歲者對你傾訴，但也只宜做聆聽者，盡量不要參與意見，方能免給是非纏身。

- 一九三〇
- 一九四二
- 一九五四
- 一九六六
- 一九七八
- 一九九〇
- 二〇〇二
- 二〇一四

寒命人——出生於西曆八月八日後、三月六日前（即立秋後、驚蟄前）。

熱命人——出生於西曆五月六日後、八月八日前（即立夏後、立秋前）。

平命人——出生於西曆三月六日後、五月六日前（即驚蟄後、立夏前）。

肖馬 去年沖太歲的你，來到今年春季，仍容易受相沖的餘氣影響，可能還有一點不穩定因素；如果因去年沖太歲而引致感情出現變化，來到現在應該塵埃落定，是分是合，又或者正在懷孕，相信一切已成定局。事業變化方面，寒命人宜維持穩定，春季以後，今年便會穩定下來，平命、熱命人如果想作新改變而又未實行的話，這個春季仍然是有機會的。

肖馬的你來到今年，一切都應該較為穩定，因今年並無刑沖，一切不穩定的因素都已經消除，又肖馬的你今年為咸池桃花年，雖說是霧水桃花，如去年因相沖的關係而回復單身者，今年仍有望開展到一段新感情的；否則，這咸池桃花亦能提升你的人緣運及別人對你的觀感。

今年肖馬的你為權力地位提升年，上班一族可以努力爭取升遷，加上有咸池桃花之助，這將有助你把願望達成，從商或自僱者亦可把握這個桃花及升遷年份，多些出席行內或慈善活動，把你的名聲提升，這長遠而言對事業必定能起到正面作用。

吉星有「月德」，逢凶化吉。此星代表心慈，少報復心，這樣必能間接地逢凶化吉；因仇敵少了，是非及恩怨必能大大減少。

凶星有「咸池」，這只是古代給予凶星的意義而已，因咸池屬於霧水桃花，感情一瞬即逝；惟現代愛情，這算是平常的，且咸池桃花亦代表人緣運，容易增加別人對你的好感，這樣辦起事來，必然多了不少助力。

「死符」，小疾病星，惟肖馬的你今年並非疾病年，故無需過分擔心。

「小耗」，小破財。如不想白白破財，倒不如買一些心頭所好，這樣既應掉了破財，也得到自己喜愛的東西，甚至乎花錢去豪遊一番也無不可。

「年煞」、「六害」，無甚影響，可無需理會。

寒命人 今年為水旺運的最後一年，忍耐完今年以後，明年便是木火年的開始；惟有些人會在二〇二二年馬上轉順，有些則要待至二〇二五年才轉好。總的來說，這六年木火運都是你的佳運，如果延遲了開始，其結果也會順延的。

熱命人 今年為水旺運的最後一年，仍然可以努力爭取，有新機會亦可嘗試。雖然水旺運到二〇二二年止，惟有些熱命人在二〇一九年後才開始好轉，如是這樣的話，旺運有機會延至二〇二四年底；所以你首先要察看自己到底是踏進二〇一六年馬上開始好轉；還是到了二〇一九年旺運才開始。

平命人 今年為水旺運的最後一年，一生平穩的你仍然可以努力爭取，看看能否在水旺運最後

一年爭取到更佳成績。

一九三〇年出生的馬——今年為思想學習投資年，惟在這年紀無論投資或學習新知識的機會也不大；可能只是人還很精靈，思緒仍然很清晰而已。

一九四二年出生的馬——今年為辛苦個人力量得財年，惟年近八旬的你，即使體力仍可，應該也不會太過着緊在金錢上了；故本年為辛苦活躍年，這代表人仍很活躍而已。

一九五四年出生的馬——今年為貴人舒服懶年，即使仍未想退休，但來到這年紀放慢一下腳步，感受一下慢活也是應該的，故這年就由它慵慵懶懶地度過好了。

一九六六年出生的馬——本年為權力地位提升年，上班一族看看能否在退休之前更進一步；從

商或自僱的你亦可藉此年多些外出應酬，出席行內或慈善活動，把自己在行內的名聲提升。

一九七八年出生的馬—今年為財運年，各個肖馬者以你的財運最佳；人到中年，都是時候盡努力去爭取了，即使秋冬天出生的寒命人，也能因這財運而得到一些好處。

一九九〇年出生的馬—今年為思想學習投資年，人到這年紀，思想漸趨成熟，路向相信都已經定下來，決定做上班一族的你本年可以再作進修，以保持自己的競爭力。如果想嘗試從商又或者已經在從商者，平命、熱命人運程仍然是可以進取的；惟秋冬天出生的寒命人只能小小一試，又或者等待至二〇二二年才起步會更為適宜。

二〇〇二年出生的馬—今年為辛苦個人力量得財年，如果仍在求學的話，今年會較為活躍；如果開始踏足社會，本年可一嘗自己搵錢自己花，自己自立的體驗。

二〇一四年出生的馬—今年為貴人舒服懶年。雖然踏進七歲的你應該沒有特別的試要考，但如果不想成績太過落後於人，也是要自我努力一點為上。

財運 今年為權力地位提升年，這對上班一族的財運是最直接的，如果能順利爭取到升遷，財運自然會相應增加，惟從商或自僱者，可能是名惠而利不至，那唯有先建立好自己在行內的名聲，日後再行賺取盈利好了。

事業 本年為權力地位提升年，事業運是不難有進展的，上班一族升遷的機會自然大大提升；從商或自僱者亦能把自己在行內的名聲先行提升，商譽好了，還怕日後財運不來嗎？

感情 去年為肖馬的相沖年，感情相信已經成定局了，如果是結婚、懷孕了，今年沒有甚麼要注意。但如果因相沖而分了手，單身的你今年可以把握這霧水桃花，雖然這桃花不一定有結果，但最少也能一解寂寥；又這霧水桃花如果能跨過此年，便有機會可以維持下去。

身體 去年的相沖雖然已經過去，但春季恐防仍受其餘氣影響，故駕駛者仍然是要小心一點為上；而今年肖馬並無刑沖，亦無損傷星，加上有咸池桃花之助，人緣運也都是好的，身心健康一定比去年為佳。

是非 去年因相沖的關係，是非可能會比平常多，尤其是秋冬天出生的寒命人更甚；來到今年為咸池桃花年，人緣運剛好與去年相反，因咸池桃花為霧水桃花，能增加別人對你的正面觀感，這間接對事業、財運也能起到作用，且更能減免是非；加上本年並無是非星，故整體人緣運應該是不錯的。

農曆一月

本月為思想學習投資月，春夏天出生的平命、熱命人，如果在去年沖太歲年想作出改變而又未能行動的話，本年這個春季仍然是可以的。相反，秋冬天出生的寒命人仍要穩住陣腳，萬事皆以不變為佳；倒是藉着本月這個學習投資月要學習一些新知識去裝備自己，待明年旺運來時，說不定可以用得着呢！

財運 本月為思想學習投資月，除了在學習或投資容易有意外花費外，加上本年農曆年來得較遲，早已過了立春，故農曆年假期的花費也算在農曆一月裏，雙重開支之下，本月在財政上要好好處理，方能避免過度開支。

事業 無舵舟，循則遊。雖然平命、熱命人在這個春季仍然可以作新嘗試，惟你的旺運只餘下今年，故不要強求自己，如真的不想作新嘗

試，亦可以安安穩穩地做一個上班一族，靜待至下個旺運來臨也是可以的，並不會因為不作新嘗試而令運程變差。

感情 本月是肖馬的相合月，又是本年的重桃花，感情運是穩固的；單身者還可藉本年的這個桃花月多些外出接觸陌生人，看看自己會否成為別人的桃花。

身體 農曆年假期才剛過去，身心都回復正常狀態，加上本月是你的相合月，突然遇到意外損傷的機會也不大；惟本月是流感高峰季節，接觸陌生人時還是要注意的。

是非 本月是本年的桃花月，亦是肖馬的相合月，不論是整體社會氣氛還是肖馬的人緣運都是良好的；即使新春時期應酬可能較多，但迴響都是正面的。

農曆二月

本月依然是你的思想學習投資月，也是你的桃花人緣月，人緣運比上月還佳，即使不去作新投資，也不學習進修，本月工作運仍然是順利的。從商或自僱者雖然本月財運見不到有明顯上升，但先建立各方人緣運，長遠而言，對事業及財運的收益始終是有幫助的；收入穩定的上班一族，本月能在平和的環境中工作，心情都是較輕鬆的。

財運 本月依然是思想學習投資月，開支會比平常為多，惟本月是肖馬的桃花月，正好藉此月多點相約朋友、客戶，打好各方關係，而金錢花在這些應酬上，日後不難得到倍增的回報。

事業 平地過江江無浪，渡水行舟舟安然。本月為肖馬的桃花月，事業雖然看不見有明顯進展，惟人緣運都是不錯的，如不想在這月作出新投資，那倒不如多些外出見客戶，這除了鞏固各方關係以外，亦能得知多些市場形勢，在此月是合適的。

感情 本月是肖馬的桃花月，如因去年沖太歲已經回復單身的你，本月要好好努力了，因本月是本年肖馬的重桃花月，如這月未能如願，下次要待至農曆八月才有另一個好機會。

身體 本月並無相沖，又是你的桃花月，身心仍然在健康狀態，惟初春陰濃濕重，如果平常有着皮膚問題，本月在飲食上便要小心一點，空閒時可以煲些去濕的茶或湯水，這也有助身體平衡的。

是非 桃花月，是非欲起也無從。桃花是能夠增加別人對你的好印象，所以除了在男女間起到作用外，其實在同性間也是有用的，故本月即使多些外出應酬，人緣運仍然是不錯的。

農曆三月

本月為權力地位提升月，又是上班一族努力爭取的時候。如果自己有意升遷，而公司又準備作內部提升，這兩個月便要努力一點了，有時積極主動也是很重要的，最少要讓別人看見你有進取心；有時故作清高，聽天由命，可能只是一個給自己的藉口而已，又升遷與運氣好壞不一定有關係的，因主要看自己是否行到升遷運，故寒命、熱命、平命人的機會是均等的。

財運 本月為權力地位提升月，即使落實升遷，也不會馬上實行，故本月財運可能只一般而已；從商或自僱的你，經過上兩個月的努力後，本月可以把腳步放慢一點，先不要太過着緊財運，宜先把自己的名聲打好，日後遇上好時機才加倍努力好了。

事業 外表風光內裏愁，幾許不足在心頭。本月為表面風光、地位提升月，尤其是從商或自僱者，可能是名惠而利不至，惟生意是長遠計的，即使本月多了些意外花費在外出應酬上，但長遠而言必能為你帶來應有的回報。

感情 本月並無刑沖，亦非桃花月，如果上月才開展的感情，本月可能進展緩慢，可能雙方都心意未定，既然是這樣，就由它緩慢一點好了。

身體 本月肖馬的你並無刑沖，自身的狀況是良好的；惟本月是腸胃流行疾病月，肖馬的你在飲食上也是要小心一點為上，以免一不小心引致腸胃不適。

是非 本月雖然並非你的桃花月，但人緣運仍然是可以的，最少本月並無刑沖，即使外出應酬多了，也不會因此而惹上是非；惟本月始終不是你的桃花月，別人對你的觀感無特別好也非特別差，故在外出應酬時便要靠自己的口才及交際手腕了。

農曆四月

本月仍然是權力地位提升月，上班一族如果想更進一步的話，本月可以積極一點；但如果不想升職帶來壓力，本月便要低調一些為妙。否則，如果老闆想升你職而你又不想的話，可能便會帶來不少麻煩。從商或自僱者本月仍然要以求名為先，求利為次；先把自己在行內的名聲打好，利必然會隨之而來，只是遲早而已。

財運 本月為權力地位提升月，除非上班一族已經落實升遷，財運才會有些突破；否則，本月仍然是開支較多的一個月，尤其是從商或自僱者，本月多些出席些行內或慈善活動，總是會有些額外花費的。

事業 有牽有掛有期望，不是逍遙自在身。在事業上仍想更進一步的你，本月在交際上難免要花多些私人時間了；即使是上班一族，良好的人際關係也是重要的，最少也能讓你工作起來會輕鬆一點，所以想提升工作運的話，本月便要多花心思在同事及人際關係上了。

感情 本月為月份的霧水桃花月，其作用是很輕微的，力量不足以為你帶來一段新感情；惟對固有的感情則能起到正面作用，讓你本月能開心地度過。

身體 三夏火旺之時，夏秋天出生的你容易出現皮膚及氣管毛病，故本月煎炸燥熱之物少沾為上，以免問題加重；且宜多吃些清潤的食物，這必然對喉嚨及皮膚帶來幫助。

是非 本月是月份的霧水桃花月，雖然其力輕微，但在人際交往時也能起到一定作用的，即使加強人際關係的力量不強，但最少也能減免是非，故本月無需為是非費神。

農曆五月

本月為貴人舒服得財月，工作量不大，讓你能騰出多一點時間去享受生活；即使看一齣好電影、郊外行山，甚至在市中心漫步，也都是可以體驗一下人生的。有時生活與金錢不一定是掛鈎的，有錢也不一定快樂、不一定有生活目標，只要不是貧無立錐，生活仍然是可以過得很好的；加上本月是肖馬的犯太歲月，多一些外出也能避免個人產生負面情緒。

財運 本月為貴人舒服懶月，又是肖馬的犯太歲月，既然是這樣，倒不如放一個假期，放鬆一下自己；反正工作量不大，又怕靜下來出現悲觀負面情緒，所以本月財運就先不要去想，本月過後，再行努力爭取好了。

事業 雖然是貴人舒服得財月，但不宜太過努力爭取，惟本年是水旺運的最後一年，平命、熱命人先前所作的努力，本年應該到了收成期，惟本月不要太過着緊，得固然好；失，就當休息一個月好了。

感情 本月是肖馬的犯太歲月，每年到此月都要提防自己別因情緒問題而影響到感情；雖然本年不是沖犯太歲的生肖，一個月份的刑沖不會帶來甚麼傷害，惟也是小心一點為上。

身體 本月為肖馬的犯太歲月，除了要小心情緒問題外，皮膚方面也是要注意的；其實這有相連關係，因情緒差了容易影響睡眠，繼而影響到皮膚。

是非 淡然常守拙，得失莫縈心。既然本月是自己的犯太歲月，腳步就放慢一點好了，交際應酬更是可免則免，這必然有助減免是非，待本月過後再行積極好了。

農曆六月

本月為貴人舒服得財月，又是肖馬的相合月，人緣運明顯比別的生肖為佳。因本月為本年的相沖月，整體社會氣氛平平，雖然肖馬的你人緣運沒有其他桃花生肖佳，但就比今年沖犯太歲的生肖好得多；故本月宜放下慵懶的心，用力一點去爭取，相信不難獲得滿意成績。

財運 財似霏霏雨，還需努力追。因本月並非肖馬的財運月，然得貴人及人緣之助，努力一點財運仍然是不難有進展的；故收入不穩的從商或自僱者在這個懶月如果想得到較好成績，自身仍然是可以努力一點的。

事業 無舵舟，循則遊。本月始終是貴人舒服懶月，即使積極一點，也是不會太辛苦的，只是因本月是貴人月，人緣運比很多生肖佳，故努力一點所得到的回報有機會仍然是不錯的；所以在這個懶月，肖馬的你仍然可以主動爭取。

感情 本月是肖馬的相合月，感情又回復至穩定狀況，除非另一半剛好是今年沖犯太歲的生肖，才會無故惹起波濤。否則，本月感情運是良好的，惟本月並非桃花月，單身者能在此月開展到一段新感情的機會亦不大。

身體 本月為本年的交通意外高危月，雖然肖馬的你並非交通意外高危生肖；惟駕駛者車在路上，總會碰上今年沖犯太歲的生肖，一不留神便會給牽連上，故本月肖馬的駕駛者仍然要打醒十二分精神。

是非 雲收電匿，風暖月高。本月雖然是本年的沖太歲月，整體社會氣氛不太平和；惟本月是肖馬的相合月，自身的人緣運是要好的，故要好好利用這個月多些外出與客戶聯繫，正所謂人退我進，這是理所當然的。

農曆七月

本月為辛苦個人力量得財月，經過慵懶的兩個月後，本月又要重新努力了，慢了下來兩個月，上班一族有些兒不適應；反之，多勞多得的自僱一族精神為之一振，因這意味着收入可以憑工作量上升而相應增加。而從商者亦能因工作量大了，接觸客戶的機會多了，能促成生意的機會率也隨之而上升，財運當然也相應而來。

財運 熙熙攘攘，日熾月昌。本月工作量突然上升，險些兒適應不來，但望着隨之而上升的收入，心情仍然是輕鬆的。收入穩定的上班一族，本月收入雖然並沒有隨工作量上升而有所改變，但經過慵懶的兩個月後，面對忙碌的工作，心情也是正面的，最少代表自己在公司仍有不錯的價值。

事業 康莊可步，安用徘徊。本月是本年的桃花月，整體社會氣氛明顯好轉，讓肖馬的你也能間接受惠；本月即使工作量上升，接觸的客戶也多，但事業進度仍然是理想的。

感情 本月為本年的桃花月，已有穩固感情者，本月感情運是不錯的，如果對方剛好是今年沖犯太歲的生肖，正好藉此桃花月修補一下雙方關係；單身者亦可藉此月多些外出，看看能否成為今年桃花生肖的桃花。

身體 本月為本年的桃花月，整體社會氣氛是良好的，連心情都較為輕鬆，而上月的腸胃流行疾病已經散掉；故本月工作量雖然上升，惟健康狀況卻是良好的。

是非 本月是本年的桃花月，連帶肖馬的你也能受惠；即使工作忙碌，又或者應酬較多，也不會因此而惹是招非，讓你本月可以全心投入工作而不用分神去提防是非。

農曆八月

本月是辛苦個人力量得財月，又是肖馬的桃花月，今年的相合月；故不論肖馬的人緣運及整體社會氣氛都是良好的，這對爭取好成績增添了不少助力；故從商或自僱的你，本月要加倍努力，相信不難獲得比上月要好的成績；而收入穩定的上班一族，本月得桃花之助，做起事來都特別得心應手，故即使收入沒有轉變，但心情仍然是不錯的。

財運　賺錢不難也不易，財入錢出付水流。本月雖然是辛苦得財月，收入不穩定的你財運應該有不錯的進展，惟本月也是你的花錢月，上半月開支可能會較平常多，惟下半月增長了的收入正好彌補這些額外開支。

事業　順水行舟又遇順風相送。本月是你的桃花月，自身的人緣運已經不錯，加上本月又是本年的相合月，整體社會氣氛仍然是平和的；這對你的工作必然起到正面作用，即使進取一點，也不會遇到甚麼阻礙。本月就努力投入工作，爭取好成績好了。

感情　本月是肖馬的桃花月，也是相破的月份。感情時好時壞，有時好像水乳交融，有時又突然間在冷戰，別人看得奇怪，你倆卻樂在其中；其實感情之事，根本無需理會旁人，自己過得開心便是了。

身體　本月為火金交戰月，肺、胃、喉嚨氣管呼吸系統等容易出現毛病，三秋燥熱之時，要多吃些清潤的食物方能免喉嚨及皮膚出現不適。

是非　本月桃花星的力量遠比是非的力量為大，即使積極進取一點也是無妨的，遇到的是非也只是無關痛癢，不會對你的工作構成壞影響；所以本月就多近貴人，遠離小人，別人在背後說三道四就由他好了。

農曆九月

本月為思想投資得財月，除非已經在從商，否則，在這時起步作新投資可能不是一個好時機。因春夏天出生的平命、熱命人運程快則今年過後便慢下來，如果在此時起步，恐怕二〇二二年後進展不是太理想；而秋冬天出生的寒命人則仍在逆運中，倒不如待至二〇二二年夏天後才計劃可能會更為適合。雖然本月是肖馬的相合月，自身的人緣運是不錯的，惟本月是本年的相刑月，整體社會氣氛不太平和，這也會對你的計劃構成阻礙。

財運 本月為思想學習投資月，故在財運方面可能多些額外花費，惟這些花費都是可以預計的，所以不會對你的財政構成壓力；而本月是你的相合月，自身的人緣運不錯，雖然受到外在影響，但本月財運仍然是有進展的。

事業 事如蜜內含砒，人防笑裏藏刀。本月雖然自身的人緣運不錯，這對你的事業仍然是有幫助的，惟本月是本年較多是非的月份，故要盡量減少外出應酬，以免給別人的是非牽連到自己身上而影響到事業進展。

感情 本月是你的相合月，感情運是穩定的，尤其是因今年桃花月才開展的新感情，本月更能讓你增加相互了解；惟本月是本年的是非月，如果對方是今年沖犯太歲的生肖，則感情便會容易出現波濤。

身體 本月是本年的腸胃流行疾病月，加上季秋仍然燥熱，故在飲食上仍然要小心為上，以免因貪吃而壞了身體而引致腸胃不適。

是非 本月雖然是肖馬的相合月，自身人緣運是不錯的；惟本月外間恐怕較多風雨，故本月宜盡量減少外出應酬，以免給別人的是非牽上了。

農曆十月

本月為思想投資得財月，新投資仍然是不太適宜，反而學習進修則無不可，尤其是在逆運中的寒命人，應趁着逆境之時裝備一下自己，待順運來時，說不定能夠一展所長；其次是上班一族，為保持自己的競爭力而免被社會淘汰，定時進修與社會距離緊接，這也是必須的，即使是退了休的你，不時進修一下及順道認識些新朋友也都是一個好的選擇。

財運 本月仍然是思想投資學習月，不論投資也好，學習進修也好，總會有些額外花費；惟本月並非破財月，且容易出現貴人暗中扶助，這些額外花費是能夠賺回來的。

事業 本月是肖馬的暗合月，容易出現貴人暗中扶你一把，加上本月社會氣氛亦回復正常，這亦有助你的事業運；且下半月為暗中權力提升月，惟這是代表暗中的權力大了，要兼顧的事情多了，職位卻是沒有改變的。

感情 本月是肖馬的暗合月，暗中感情是和諧的，雖然沒有宣諸於口，但心中感情卻是有增進的；即使對方是今年沖犯太歲的生肖，上月的裂痕也能在這月修補過來。

身體 腸胃流行疾病月已經過去，本月一切又回復正常，加上本月無刑沖，又是你的暗合月，身體都應該在正常狀態；即使你多些外出，夜歸一點，健康運也是良好的。

是非 雲開霧散，天朗氣清。上月之烏雲已經散掉，整體社會氣氛又回復正常；加上本月是你的暗合月，貴人運仍然是良好的，即使應酬多了，也不怕因此而惹上是非來。

農曆十一月

本月為肖馬的財運月，收入不穩的你又再充滿希望了，望能在聖誕新年假期前獲得不錯的收益，讓你能過一個豐裕的假期，惟收入穩定的上班一族不會因一個財運月而收入有所上升，唯有嘗試買一些彩票，看看能否獲得點意外之財；即使最後毫無收益，但也可以算是做了一點善事。

財運　勞而有功，我且盡力。從商或自僱的你，想在聖誕假期前獲得更大收益，這個月便要好好努力了，惟努力之餘，身體也是要小心的；因本月始終是你的相沖月，手、背容易受傷，故在爭取好成績時也勿忘要有適當的運動。

事業　本月是你的相沖月，走動變化可能比平常多，如果平常已經常要外出工幹，本月可能會更忙一點；猶幸本月在忙碌工作過後，換來的是一個豐裕的聖誕新年假期。

感情　本月雖然是肖馬的相沖月，但感情因此而出現問題的機會不大；加上本月又是本年的相合月，整體社會氣氛也是平和的，這間接對你的感情能提供一個良好的環境，讓你倆假期外出時能玩得更盡興。

身體　本月為肖馬的相沖月，工作之餘不忘要鍛煉一下身體，讓平衡力好一些；因本月容易於手指、背脊受傷，說不定是一不小心跌倒所致。

是非　本月為肖馬的相沖月，惟是非並不太多，故無需理會旁人，就專心埋首工作，讓工作早點完成，便可以去安排假期所需，故本月無需費神去提防是非。

農曆十二月

本月為本年的犯太歲月，對肖馬的你亦有間接影響，故本月宜盡量減少外出應酬，以防給是非沾上身上；又本月仍然是你的財運月，倒不如全心埋首工作，這樣必能退避是非。又本月是能夠儲積財帛的月份，雖然農曆年假期開支必然不少，惟本月財運可能更佳；收入穩定的上班一族除了仍然可以多買些彩票外，說不定公司給你意外驚喜，讓你在農曆年假期過得更開心。

財運 竹頭木屑，皆可利用。本月是肖馬的財運月，自身的財運是不錯，即使本月為本年的犯太歲月，整體社會氣氛可能較為沉重，但這對你影響不大；反而人退我進，能爭取到比別人要好的成績。

事業 求之以規矩，自可成方圓。本月就循着自己既有的路向走，莫理外間風波，相信自身的事業運仍然是可以按照原定計劃邁進，當中出現不測的機會不大；加上本月又是你的財運月，相信事業成績應該是不錯的。

感情 本月肖馬的你並無刑沖，感情運又回復正常，惟本月是本年的犯太歲月，如果另一半剛好是本年沖犯太歲生肖的話，恐防會有些風波；如果真是這樣，唯有對對方多作體諒，方能免假期時接觸多了而引起波濤。

身體 本月整體社會氣氛較為沉重，又是腸胃疾病流行月，特別容易出現腸胃不適、腹瀉等症；如肖馬的你不想受到牽連，除了飲食要小心些外，交際應酬等飯局更是可免則免。

是非 本月肖馬的你並無刑沖，自身的是非不多，惟本月是本年的犯太歲月，整體社會氣氛恐防不太和諧，除了減少外出以避是非外，亦要記着不要參與別人的爭執，要明哲保身。

- 一九三一
- 一九四三
- 一九五五
- 一九六七
- 一九七九
- 一九九一
- 二〇〇三
- 二〇一五

寒命人——出生於西曆八月八日後、三月六日前（即立秋後、驚蟄前）。

熱命人——出生於西曆五月六日後、八月八日前（即立夏後、立秋前）。

平命人——出生於西曆三月六日後、五月六日前（即驚蟄後、立夏前）。

肖羊的你今年為沖太歲年，沖代表動，代表變化，容易出現感情變化、住屋變化、事業變化。感情變化方面，結婚、分手、懷孕也是變化的一種，而單身者感情變化更是只有好，沒有差；因只會因沖太歲而沖來一段新感情。

住屋變化方面，小心選擇一個風水方位便可，二〇二四年前宜選定大門向東南及西北，兩者皆旺丁旺財運；其次正南、正西，旺財；正東、正北，旺丁。切記如果可以避免的話，不要選擇大門向東北及西南的房子好了，因這兩個方向丁財也不旺的；惟是現居在這兩個方位或真的搬進了這兩個方位的話，除了放特別旺身體局外，也可以待至二〇二四年西曆二月四日後把現在用的煮食爐重新更換，變成九運屋，那風水問題亦可解決。

事業變化方面就要小心一點了，因為這會出現兩極化現象，今年是大水運的最後一年，平命、熱命人最後一個好運年，有新機會仍可以大膽嘗試；相反，秋冬天出生的寒命人，今年是逆守的最後一年，千萬不要主動作出轉變，如無可避免一定要變的話，也要做足心理準備，變壞的機會必然很大。記着，可以的話就逆來順受好了，因本年過後，又到你的旺運來臨，到時便可以把握時機了。

吉星有「地解」，逢凶化吉，能減低凶星的影響力。

凶星有「大耗」，代表大破財，故每年沖太歲的生肖特別容易出現較多變動，因而多了些額外花費，買屋也好，搬遷也好，又或者作一個長途旅行，都會為你帶來金錢上的花費。

「歲破」，即沖太歲之意，各樣事情都不太穩定，駕駛者還要小心駕駛，尤其是農曆六、十二這兩個月。

其他凶星有「豹尾」、「闌干」、「月煞」

等無大影響，可無需理會。

寒命人 本年為逆運的最後一年，剛好又遇上沖太歲，事業方面，如果可以不變的話，就盡量留在原地好了；除非轉一份工資少些，壓力亦相應減少的工作，才可以作考慮。

熱命人 本年為大水運的最後一年，仍然是可進取一點的，加上本年沖太歲，這相沖容易為你帶來一個好的轉機；故今年可以積極一點去把握，因改變以後，結果是良好的機會較大。

平命人 今年為沖太歲年，各樣事情都容易出現轉變，唯有事業方面，轉好的機會明顯較大，一生較平穩的你，看看會不會因這個沖太歲年為你的平穩生活帶來一點衝擊。

一九三一年出生的羊—今年為思想學習投資年，惟到了這年紀，兩者的可能性都不是很大，可能只是仍有一顆活躍的心想去多些接觸外間的新事物而已。

一九四三年出生的羊—今年為辛苦個人力量得財年，年近八旬的你，如果仍然是有心有力的話，不妨外出多點活動；如果仍在從商或自僱者，今年事業運仍然是可以有進展的。

一九五五年出生的羊—今年為貴人舒服懶年，到了這年紀，即使是未退休的從商或自僱者，也應該是時候放慢一下腳步去享受一下人生，就趁這個舒服懶年，放慢腳步，多約朋友外出遊玩，慢活一下好了。

一九六七年出生的羊—今年為權力地位提升年，年近退休的上班一族，看看能否在退休之前更進一步；從商或自僱者更可把握這個地位提升年，提升自己在行內的名聲。

一九七九年出生的羊——今年是財運年，各個肖羊者以你財運最佳，收入不穩的從商或自僱者最能受惠，而收入穩定的上班一族唯有看看在工資以外，能否有些意外收穫。

一九九一年出生的羊——今年為思想學習投資年，剛踏入三十歲的你，思想仍然是活躍的，如果想在這年再開始進修，時機應該是對的。但投資方面，只有春夏天出生的平命、熱命人可以一試；秋冬天出生的寒命人最快也要待至明夏才可以牛刀小試。

二〇〇三年出生的羊——今年是辛苦個人力量得財年，正在求學也好，已經踏進社會工作也好，這年都能讓你積極起來，就好好利用這個辛苦年去裝備一下自己好了。

二〇一五年出生的羊——今年為貴人舒服懶年，而這個懶年是不利於考試的，故升上小一的你，今年要加倍努力，切莫給這個懶年影響到你的學習成績。

財運　今年為財運年，故沖太歲的你，財運並不會下降，只是今年變動可能會比平常多而已，尤其是春夏天出生的平命、熱命人，這個沖太歲年可能為你沖出一筆金錢來，惟今年容易財來財去，故財來後宜把錢換購成實物為佳；即使秋冬天出生的寒命人，也能因這個財運年而令收入可能比想像為佳。

事業　本年為財運年，這亦可以間接代表今年事業運是有增長的，上班一族可能因地位提升而令收入增多，從商或自僱者亦能因財運年而令事業有一定進展，惟本年始終是沖太歲年，是非阻力必然比平常多，所以今年要加倍努力，才能獲得理想成績。

感情　今年為沖太歲年，感情容易出現變化，尤其是三十歲的你，如果發現眉頭長得比較混亂，這個變化的機會更大，惟分手、結婚或懷孕產子也是變化的一種；但不一定是負面的，而單身者的變化更是只會變來，不容易變走，說不定因為這個相沖年而為你沖出 段感情來。

身體 本年沖太歲除了要小心意外損傷外，更加要小心的是腸胃消化系統，如果平常腸胃已經不佳，本年在飲食上更要小心，煎炸、燥熱及生冷不潔之物亦要少沾為上。此外，還要盡量放鬆自己，勿給壓力壓得喘不過氣來；因為有時腸胃不適是因壓力而起的，即使今年因沖太歲而要面對很多的意外狀況，但也要力保身心平衡。

是非 沖太歲年，是非一定比平常多，加上今年腸胃情況可能不太理想，讓你的忍耐力有機會相應下降，這樣必然會增加是非的嚴重性，故本年除了要減少外出應酬外，亦要時常提醒自己事事要正面一點，而這亦有助減少是非；還有，可以在公司及家裏正南位放一杯水、西南位放粉紅色物件去旺人緣，化是非。

農曆一月

本月為思想投資得財月，肖羊的平命、熱命人如果想作新改變，今年是最後一個機會了，因為如果今年不起步，明年開始的六年都是木火流年，對你的運程並無幫助，又加上今年沖太歲，容易出現轉變，正好順應這個時機，想變就去變吧！上班一族想在工作上作出轉變的話，今年亦是最後一個好機會，今年過後的往後六年，只有二〇二四年是適合轉變的。

財運 本月為思想學習投資月，正所謂一年之計在於春，正好利用這個春天作出籌劃，投資也好，學習進修也好，也都是要早作準備的；而在準備去找多些資訊時，可能會有些額外花費，即使相約朋友問一些資料，飲茶食飯也是少不了的。

事業　利害常勢辨別清，取捨定策在我心。即使是春夏天出生的平命、熱命人，因旺運已經去到最後一年，先前那麼多年都不去作新嘗試，是否因為自己性格問題呢，加上旺運只餘一年，故在攻守之時要好好籌劃，以免決定後才來後悔，倒是秋冬天出生的寒命人沒有這煩惱，因今年可以不動的話就留在原地好了，根本不用費神去想。

感情　雖然今年是沖太歲年，惟才剛踏進一月，其影響仍然不是太明顯的；倒是單身者可把握這個桃花月，看看能否在一年之始而為你帶來一段感情來。

身體　本年雖然是沖太歲生肖，腸胃疾病要格外小心，惟本月其壞影響仍未浮現，加上本月又是你的桃花月，人緣運佳，心情亦因剛從農曆年假回來，仍然是輕鬆愉快的，即使過年後多些飯局應酬，也不會因此而吃出病來。

是非　本月為肖羊的桃花月，人緣運是良好的，即使今年因沖太歲的關係，是非會比平常多，惟本月影響仍未開始，故無需為是非擔心。

農曆二月

本月亦是思想學習投資月，可是不論學習又或者作新投資，這個月應該要定下來了，因本年是沖太歲生肖，往後數月可能會較混亂，容易不能自主，故要趁現在仍然未受影響時先計劃下來，這樣即使到六月沖太歲月時也較為容易應付。如果今年完全沒有打算作新改變的話，本月先不要做任何轉變，待正式踏進今年之氣時，一切就順其自然好了。

財運 本月仍然是思想學習投資月。投資方面，只有春夏天出生的平命、熱命人才適宜，惟學習方面則何種命人都是適合的，尤其是上班一族，不時要增值一下自己，保持自己在市場上的競爭力。

事業 人心如此如此，天意未然未然。雖然春夏天出生的平命、熱命人今年是最後一個好時機，惟因今年沖太歲的關係，往後的月份出現變故的機會亦算是大的，所以沒有打算主動去轉變的你，本月宜先留守在原地，順其自然地去迎接本年下來的轉變好了。

感情 本月為肖羊的相合月，感情運仍然是穩定的，如果因上月桃花月才認識的異性，本月更有助把感情穩定下來，如打算在今年內結婚者，本月亦是一個商討的好時機。

身體 本月為肖羊的相合月，突然遇上意外損傷的機會不大，而腸胃問題仍未對你造成困擾，讓你在月底去慶祝復活節假期時也無需擔心貪吃而壞了肚皮。

是非 本月是肖羊的相合月，人緣運仍然是穩定的，雖然沒有上月桃花月的好，但也無需刻意去提防是非，且本月交際應酬不一定頻密，故遇上是非的機會也相對較少。

農曆三月

本月為肖羊的財運月，如果上兩個月已經起步，本月可以見到初步收成；否則，本月財運依然是容易有進展的。故從商或自僱者，本月可以積極一點，努力去爭取最大收益；收入穩定的上班一族當然不會因一個財運月而收入有所改變，唯有多買些彩票，看看能否因此而有點意外收穫，今年是財運生肖的你，說不定能為你帶來些驚喜。

財運　財帛有，細水流。雖然本月是你的財運月，惟在春季之時財運不可能太豐裕，因春夏天出生的平命、熱命人總是秋冬天財運會較佳，而秋冬天出生的寒命人雖然春夏天對你較為有利，惟本年始終是大水年，一兩個財運月不可能有甚麼大收穫。

事業　學而做兮做而學，還從教訓得經絡。如果才開始從商的你，從失敗中汲取經驗是必須的，即使起步時起得順利，也要有居安思危的準備，已經從商良久的平命、熱命人，也要做好明年可能要退守的準備；即使上班一族，也是要不斷從工作中的挫折去吸收經驗的。在本年水火運互換之時，不論是明年才起步的寒命人或是明年要開始退守的平命、熱命人，都要保持一顆學習的心。

感情　無刑無沖無特別。惟今年是沖太歲生肖，而本月開始慢慢受到影響，故本月開始要對感情多加灌溉，除非你想藉此沖太歲年分手就另當別論。

身體　本月雖無刑沖，惟本月是土旺的月份，特別容易引起腸胃問題，故本月除了要好好放鬆自己之外，在飲食上也是要多加注意的。

是非　平常月，是非不多，但也非人緣特別要好的月份，加上本月土旺，今年又是土旺年而你生肖屬羊也是屬土的，有時遇上些特別的土日便會四土齊全，突然會引發是非，如西曆的四月八日、四月二十日及五月二日這三天便要特別小心。

農曆四月

本月為肖羊的財運月，仍然可以努力爭取最好成績，又本月為肖羊的遙合月，易有遠方貴人扶助，這對從事常接觸外地工作的你最有幫助，必然能因貴人而提升自己的財運；即使是收入穩定的上班一族，也能因本月較為平和而令工作運順利起來，而上月的腸胃問題本月亦不復存在，即使多些外出與朋友共聚，也不怕因此而吃出病來。

財運 財似霏霏雨，還需努力追。春夏天出生的平命、熱命人本月要加倍努力了，本年是你的財運年，相信加上財運月之助，應該不難爭取到好成績；在逆運中的寒命人，也較容易藉此財運月而令收入有所改進。

事業 機會動態冷眼瞧，小財相生思毋急。本月為肖羊的財運月，惟秋冬天出生的寒命人仍然在逆運中，故本月即使財運有所上升，但也不必要太過歡喜；因本年下去的秋冬季節，運程與事業恐怕難於寸進，故本月及夏季之時，稍微努力爭取好了，且不要太過於計較得失。

感情 本月為遙合月，除非本月外遊公幹，在外地開展到一段異地戀的機會才較大；否則，本月只是一個暗戀的月份，即使出現心儀對象，但能夠成為桃花的機會不大。

身體 腸胃疾病月之影響已經散去，本月為肖羊的遙合月，人緣運及身體健康運是良好的，即使多些相約朋友外出，也不會因此而引致腸胃不適。

是非 本月為肖羊的遙合月，貴人的力量不是很大，惟始終是相合的，這最少能代表穩定的人際關係，外出應酬時也不用太刻意去提防是非。

農曆五月

本月為權力地位提升月，又是上班一族加倍努力的時候了，因為今年沖太歲，也是代表事業容易出現變化，而升遷也算是變化的一種，惟今年在逆運中的寒命人則不要那麼積極，因為今年即使得到升遷，結果也可能是工作壓力大了，工資只是上升一點點，會有點得不償失的感覺。

財運 本月為權力地位提升月，財運能即時增加的機會不大，而且可能在爭取升遷之時，少不免要與各方打好關係，開支可能會比平常為多，故本月財運有機會因開銷大了而有所下降。

事業 有梯有板，高樓直上不難。雖然本月是本年的沖太歲月，整體社會氣氛不太平穩，惟本月是肖羊的相合月，自身的人緣運是良好的，即使在爭取名氣地位提升時多一點外出應酬，也不會因此而多了是非，故本月肖羊的你仍然可以全力爭取。

感情 本月為肖羊的相合月，感情運仍然是穩定的，如打算在今年結婚，本月是一個籌備的好月份；惟本月並非桃花月，故單身者能夠在此月脫離單身的機會不大。

身體 本月為本年的相沖月，雖然對肖羊的你並無直接影響，惟駕駛者本月在駕駛時也是要分外小心的；因為車在路上一定會碰上今年沖犯太歲生肖的駕駛者，恐怕一不小心便被捲入其中。

是非 本月是本年的相沖月，整體社會氣氛不太平和，惟肖羊的你本月人緣運都比很多生肖為佳，故本月宜主動一點，多些與客戶聯繫打好關係，正所謂人退我進，故藉此月別人的是非月，自己積極一點好了。

農曆六月

本月為權力地位提升月，惟本月又是肖羊的犯太歲月，今年是沖太歲生肖的你，本月唯恐不太穩定，故不宜太過進取，事事就順其自然好了；本月為本年變化最大且最不穩定的月份，除了感情容易出現變故外，腸胃、腹部方面亦要小心，故本月宜順其自然，讓命運帶動你去轉變好了。

財運 本月仍然是權力地位提升月，惟本月是你的犯太歲月，又是本年的沖太歲月，故不論肖羊自身的情緒，抑或整體社會氣氛都不太平和，故不宜積極進取；財運，本月就先不要去想好了。

事業 逆水行舟，且進且退。雖然本月是你的地位提升月，惟又是本年是非最多的月份，故即使真的名氣地位提升了，但隨之而來的是非也必然比平常為多，故本月在事業方面，可以的話就先行放慢一點好了，如果時間許可，最好能作一個短暫假期去退避是非。

感情 本月是你的犯太歲月，又是本年的相沖月，是分是合，這個月應該開始明瞭了。如打算在今年結婚，但也不太適宜在這個月商討，以免因這個月而各持己見，破壞已鋪排好的準備；如這個月已大吵叫分手，也是要過了這個月才決定為佳。

身體 本月為肖羊的犯太歲月，又是本年的相沖月，無論身體或是情緒方面都不是太良好的；駕駛者在這個月如可避免的話就少一點駕駛。情緒方面亦要時刻提醒自己，盡量要放鬆一點。

是非 閉口藏舌，閒事勿理。本月為本年是非最多的一個月，而肖羊的你算是特別容易受影響的生肖，故本月盡量減少外出應酬，即使有時覺得沉悶，亦只能約三數知己談天共聚或訴一訴苦，望本月不致於牽上太多是非。

農曆七月

雲開日現，波靜風平。上月之烏雲已經散盡，隨之而來是你的桃花月及貴人舒服懶月，惟本年始終是沖太歲生肖，整體變化容易比平常多，故藉此舒服懶月，放慢一下腳步也是適宜的。桃花方面，如果打算在今年結婚，這是一個商討的好月份；如果已經分手又或者仍然是單身的你，可趁這個桃花月，多些去接觸陌生人，看看能否從中碰上心儀對象，讓這個沖太歲年為你沖出一段新感情來。

財運 不如閒中尋樂，何需為錢重肩。本月既然是貴人舒服懶月，就放慢一點腳步好了，今年沖太歲的你，變故恐防不少，就在這個舒服懶月，審視一下目前形勢再另行決定今年下半年的攻守狀況；故本月先不要為財運着急，因春夏天出生的你，收成一般在秋冬天會較為理想；相反，秋冬天出生的寒命人，對秋冬這半年不要心存厚望。

事業 有求更覺人情淡，無欲方知天地寬。本月既然是貴人舒服懶月，又是肖羊的桃花月，倒不如藉此月多些相約朋友或客戶外出，修復上月因沖太歲而疏離了的關係，且運至此時，一切該已成定局；春夏天出生的平命、熱命人應該預計到餘下的月份成果，而秋冬天出生的寒命人在這月反正要開始退守，故在事業上也無需着急。

感情 本月是本年的桃花月，又是肖羊的桃花月，感情運是穩固的，單身的你在這月能開展一段新感情是全年最有希望的月份，故本月宜給自己多些機會，旅遊也好，外出晚膳也好，就盡量接觸多些陌生人好了。

身體 上月之烏雲已經散盡，本月身心都已回復了正常狀態，加上又是桃花月，人緣運也是良好的；即使多些外出晚膳，也不會因貪吃變成疾病，本月就放心飲食好了。

是非 春回寒合暖，萬物自生輝。犯太歲月已經過去，代之而來的是貴人加桃花月，即使本年處於沖太歲中，但本月的桃花月對人緣運的幫助仍然是大的，故本月宜多些與各方打好關係，好好地利用這個人緣要好的月份。

農曆八月

本月為貴人加思想投資得財月，惟投資在此時起步可能有一些冒險，因時間上不太適合，惟這秋冬季是平命、熱命人的最後機會，因為如果今年不作嘗試，下一個好機會要待至二〇二八年以後，所以春夏天出生的你，自己主動作出投資也好，朋友叫夾一些股份也好，小小是可以嘗試的，雖然時機上有點遲，但這半年內不實行的話，便要有心理準備這數年都最好留在原地了。

財運 本月為貴人加暗投資月，財運方面看不到有突破，反而有可能因暗投資月而多花了些金錢；而這暗投資可能是放一點錢讓朋友做些小生意，又或者自己嘗試在網上賣一點東西，故本月是花費開支較多的一個月份。

事業 先懶後勤，數該如此。上半月為貴人舒服懶月，整個人慵慵懶懶似的，加上工作量不是很大，讓你可以舒舒服服度過上半月，惟下一個月自己有顆驛動的心，突然間想作些轉變，惟這轉變只適宜於春夏天出生的平命、熱命人，秋冬天出生的你還是去找些科目進修好了。

感情 本月並無刑沖，亦非桃花月，感情處於不動的狀態，惟今年沖太歲的你，餘下來的九及十二月感情運仍然是不穩定的，故沒有打算在本年內結婚的你，本月要好好維繫感情。

身體 無刑無沖無病星，亦非桃花相合月，身體運就如往常一樣，差的繼續差，好的仍然是好的，所以說沒甚麼轉變就是了；但今年始終是不利腸胃的一年，故飲食仍然是要小心的。

是非 平常月份，是非不生。本月人緣雖然不及上月佳，但也不是一個是非多的月份，故無需刻意去打好關係，也無需特別去提防小人是非。

農曆九月

本月為辛苦個人力量得財月，慵懶了兩個月的你，本月要重新振作，以免被突如其來的工作量壓得喘不過氣來；惟本月是肖羊及本年的相刑月，不論是肖羊自身的人緣運及整體社會氣氛都不太平和，故從商或自僱的你也不宜太過積極，以免因此而招惹是非致令得不償失，故本月只有上班一族要無可避免地面對忙碌的工作。

財運 本月為辛苦個人力量得財月，收入不穩的從商或自僱者可以因工作量上升而收入有所增加；惟本月為肖羊的是非月，自身的人緣運不太平和，故不宜太過努力爭取。財運方面，下個月才追回所失好了。

事業 大舟行淺水，多費力推移。本月是肖羊的太歲相刑月，自身是非已經比平常多，加上又是本年的相刑月，整體社會氣氛亦不太平和，故可以的話，本月盡量把腳步放輕，以免爭取不到事業進展，反而惹來一屁股是非。

感情 本月為肖羊的相刑月，感情運恐怕不太穩定，如在本月商討婚嫁之事，恐防要事倍功半，難以達成一致性；已有穩定感情而又沒有打算在今年內結婚者，本月也要好好維繫雙方關係，以免因一個相刑月而令雙方關係惡化。

身體 本月是腸胃流行疾病月，肖羊的你要特別小心，因你本年也是腸胃不佳的生肖，一不小心便會吃出病來。此外，本月工作量增多了，也添加了不少壓力，這也是腸胃不適的另一個來源，故本月除了飲食上要小心外，亦要懂得紓緩壓力，方能免受腸胃之苦。

是非 閉口藏舌是非多。本月是本年是非較多的月份，而肖羊的你亦是本月是非生肖之一，故本月要盡量減少應酬，方能免被是非纏身。

農曆十月

本月為辛苦個人力量得財月，又是肖羊的暗合月，人緣運明顯比上月佳，且容易有貴人暗中扶助，故收入不穩的從商或自僱者，本月可以加倍努力，看看能否在這個辛苦得財月爭取到更佳成績；收入穩定的上班一族，本月雖然工作量仍然不輕，惟本月無論是肖羊的人緣運，還是整體社會氣氛都比上月好得多，故本月工作雖然忙碌，惟壓力是不大的。

財運 辛辛雖嘗苦，勞勞終得甜。本月是收入不穩的自僱者投入努力的時候了，收入隨工作量上升而有所增加的你，本月必能爭取到好成績；其次是從商者，本月工作量大了，代表接觸客戶多了，做得成生意的機率自然會上升，財運當然隨之而至。

事業 盡可放馬揚鞭，自能頭頭是道。本月宜加倍努力，把上月所失的賺回來；而本月是肖羊人緣要好的月份，故在全力爭取之時也不會因此而招惹是非，從而減慢事業進展，本月就全力投入工作好了。

感情 本月為肖羊的暗合月，正好讓你有時間去修補上月因相刑而產生的磨擦；不管有沒有打算在今年內結婚的你，本月感情運是穩固的，惟單身者則要待至下月桃花月來臨，才有另一個脱離單身的機會。

身體 腸胃疾病月已經過去，代之而來是和諧及人緣運要好的月份，雖然本月工作量依然不輕，惟健康狀況是良好的，讓你更可以全心投入工作中。

是非 雲開日現，波靜風平。上月的浮雲已經散盡，代之而來是人緣運要好的月份；本月可能因工作較為忙碌，騰不出太多時間外出應酬，惟本月最少不用為是非去費神，所以也算是一個不錯的月份。

農曆十一月

本月為思想學習投資月，惟年已將盡，在這時作出新投資恐怕不太適合，除非已經在從商，要把握聖誕新年旺季，才可以加大投資。學習方面也不是一個好時機，因聖誕新年過後，轉瞬又到農曆新年，恐怕難以專心投入；這個思想學習月最適宜做的就是多上網搜尋多些旅遊知識，讓你能好好安排假期去向，望能過上一個特別的聖誕新年假期。

財運 本月為思想學習投資月，少不免有些意外花費，其實這些意外花費也算是意料之中的，聖誕新年假期即使不去外遊，留港度假，這些花費亦必然以倍計的，故本月開支較平常多也是正常現象。

事業 雖然是思想學習投資月，惟只有從商者可以好好把握，看看能否在旺季前作出部署，其他如自僱或上班一族，本月不宜輕言改變，因水旺年才餘下兩個月，而木火運要明年才開始，故本月不論對春夏秋冬天出生的你，都不是一個轉變的好時機，本月就靜靜地待在原地去迎接聖誕新年假期好了。

感情 本月為肖羊的霧水桃花月，雖然霧水桃花一般是假桃花，易聚易散，惟單身的你，管他霧水不霧水呢，反正也不是每一段感情也都能長久維持的，故本月真的出現了就嘗試一下吧！最少也能與你共度這個假期。

身體 本月腎、膀胱、泌尿系統稍為要注意，尤其是女性的肖羊者，生冷不潔之物少沾為妙，以免苦了身體又誤了假期；雖然不會是嚴重問題，但忍一忍口便可以無恙，何苦呢？

是非 本月是肖羊的桃花月，也是相穿相害月，桃花人緣與小人同時而至；因為肖羊的你今年始終是沖太歲生肖，是非一定比別的生肖為多，故本月宜盡量減少外出應酬，就全力投入工作，完成後放假去也。

農曆十二月

本月為肖羊的沖太歲月，為最不穩定的月份，故本月不宜主動去決定任何事，包括事業與感情。感情方面，本月為最容易出現改變的一個月，如果今年是結婚或是懷孕算是正常的；惟已經有穩定感情而又沒有打算在今年內結婚的話，本月便要好好維繫了，因本月是最容易出現轉變的月份，加上面對農曆年假，雙方更容易因如何共度假期的話題上容易出現不合。

財運 本月為肖羊的沖太歲月，容易有財來財去之象；猶幸本月是先來財，後破財的月份，而這個月出現破財也算是好的，因年底時無論辦年貨又或者安排新年外遊，都是有些比平常為多的額外花費。

事業 本月為肖羊的沖太歲月，為本年最不穩定的月份，故自身在事業上不要去作任何改變，一切就順其自然好了；加上本月為水運的最後一個月，明年便是木火年之開始，寒熱平命人運程將會出現逆轉，故本月在事業上不宜太過積極，就多放一點時間去安排農曆年假期好了。

感情 本月為本年的相沖月，為感情最不穩定的月份，唯一有利者是單身的你，因感情變化代表容易來一段感情或走一段感情；但走無可走的你，這個沖太歲月只會是有機會為你沖出一段感情來。

身體 本月為本年腸胃疾病流行月，而肖羊的你更是高危生肖，加上年底時應酬或會較多，故外出用膳時盡量要挑一些簡單的食物為佳，生冷不潔的食物，本月切記不要沾口。

是非 本月為肖羊最容易惹上是非的月份，故本月不宜太過多外出應酬，年夜飯也是可以推便推掉；這樣必然能減免是非，讓你能安心地去度過農曆年假期。

- 一九三二
- 一九四四
- 一九五六
- 一九六八
- 一九八〇
- 一九九二
- 二〇〇四
- 二〇一六

寒命人——出生於西曆八月八日後、三月六日前（即立秋後、驚蟄前）。

熱命人——出生於西曆五月六日後、八月八日前（即立夏後、立秋前）。

平命人——出生於西曆三月六日後、五月六日前（即驚蟄後、立夏前）。

肖猴的你去年是太歲相合年，人緣運已經不差，來到此年更是桃花生肖，人緣運更進一步提升，且已有穩定感情者本年有婚嫁機會，單身者更有機會開展一段能夠持久的感情，即使已婚者，也能因桃花之助而令到人緣運有所提升。

肖猴今年為思想學習投資年。學習方面，不論春夏秋冬出生的平命、熱命、寒命人都是適宜的，尤其是上班一族，不時都要為自己增值，方能免被社會淘汰或落後於人，惟生意上的投資則只有春夏天出生的平命、熱命人是適合的，起步學習的新手又或者已經從商的你今年打算加大投資，又或者想嘗試新範疇，今年都可以一試；因為今年是大水運的最後一年，如果今年不作新嘗試，明年以後一段時間都是以守靜為佳的。

今年吉星有「天喜」，桃花星，這顆是真桃花星，代表單身者容易開展到一段能夠發展下去的新感情；已婚者人緣運有所提升；已有穩定感情者本年更有婚嫁機會。

「龍德」、「紫微」、「貴人」三顆都是貴人星，容易得到有力之貴人幫助，再結合桃花星，相信今年的外在助力明顯比去年更為有力。

凶星有「紅艷」，桃花星，故今年為雙重桃花之生肖，單身者還好；已有另一半的你今年切勿心多，方能免被桃花纏繞而影響到今年的事業與感情。

「亡神」，代表失物，雖然此星是顆細星，不會因此而招致嚴重損失，惟遺失身邊一些重要或者具紀念價值的物件也會讓人心痛的，故今年要將身邊的物件放穩妥一點，讓亡神不致發揮很大作用。

「天官符」，普通是非星，惟肖猴的你今年是桃花生肖，而桃花之力遠比小人是非之力為大，故這天官符發揮不了大作用的。其他有「天厄」、「暴販」，無甚影響，無需理會。

寒命人 今年為水旺運的最後一年，整體上仍然是要以守為佳，惟今年是桃花生肖，人緣運比去年更佳，既然自身運氣一般，那就多接觸貴人好了；如果是從商者，即使在逆境中也能因桃花之助而令事業稍為順利一些；上班一族更能因桃花之助而令工作順利起來。

熱命人 今年為水旺運的最後一年，一般是到了收成的時候，如先幾年已經作出努力，今年不難會見到了成果；即使是收入穩定的上班一族，也能因桃花之助而令事業有所進展。

平命人 一生比較平穩的你，也能因今年大水年及桃花人緣之助而令事業有所進展；收入不穩定者更能因運程之助而令收入有所增長；上班一族雖然今年無明顯的地位提升運，但整體事業仍然是不錯的。

一九三二年出生的猴——今年為辛苦個人力量得財年，惟因年事已高，今年可能仍保持活躍而已，能在事業上爭取到財運的機會始終不大。

一九四四年出生的猴——今年為貴人舒服懶年，到了這年紀，放慢腳步也是正常的，但慵懶之餘也要保持一定活動，方能避免加速身體退化。

一九五六年出生的猴——今年為權力地位提升年，除非是從商者，否則在這早已退休的年紀能更上一步的機會不大；惟現代人一般較為長壽，六十五歲仍未退休的，我也見過不少，如閣下仍在職場內，本年是爭取名氣、權力、地位提升的好年份。

一九六八年出生的猴——今年為財運年，各個肖猴者以你財運較佳，春夏天出生的平命、熱命人固然受惠；即使在逆運中的寒命人也能因桃花之助，而有機會令財運有所得益。

一九八〇年出生的猴—今年為思想學習投資年，剛踏進不惑之年，是時候決定日後去向了，因此時不作出改變，日後恐怕機會更微；故八〇年出生的你如果想向新方向而行，今年是一個決定年了。

一九九二年出生的猴—今年為辛苦個人力量得財年，快到三十歲的你是時候要積極努力，認清目標了；明年便正式踏進三十歲沖太歲之年，不管事業、感情及住屋都容易出現轉變，如果能在本年立定方向，明年便可以減少很多不穩定因素。

二〇〇四年出生的猴—今年為貴人舒服懶年，正在求學的你如果不想成績落後於人，便要加倍努力了；如已經踏足社會工作的你，也要積極一點地去摸索自己想走的路，不要讓自己慵懶地呆在家裏。

二〇一六年出生的猴—今年為權力地位提升年，才踏進五歲的你，可能只是自顧能力強了，又或者在學校裏較受注意而已，這對你也算是權力地位提升的一種。

財運

本年為思想學習投資年。不管學習進修也好，去作新嘗試也好，或多或少都有些意外花費；尤其是想起步作新嘗試的平命、熱命人，很多時候是起步以後才知道原來很多事情都不會跟計劃去走，而且很多開支是意想不到的，故本年在財政上要特別小心謹慎。

事業

本年為思想學習投資年。學習方面，不管春夏秋冬出生的平命、熱命、寒命人都是可以的，但投資方面則只有春夏天出生的平命、熱命人可以一試，即使是舊有投資，寒命人也是以守為佳，靜待至二〇二二年後才可行動。

上班一族本年看不見有突破，且還怕公司出

現變故而影響到自己的事業，惟本年是桃花生肖，人緣運還算是好的，望能因此而對事業帶來正面影響。

感情　桃花年，感情人緣佳，但單身者固然有開展新感情的機會，已婚或是有穩定感情者也能因桃花之助而令雙方邁進一步；如打算在今年內提出婚事，這個天喜桃花年也能助你更容易達成願望。

身體　本年並無刑沖，亦無損傷星，健康狀況是正常的，加上有桃花星之助，人緣運比去年更佳，連心情都容易時刻保持着樂觀狀態；心情好了，連抵抗病毒的能力也相應提升，故肖猴的你今年健康運是不錯的。

是非　去年是相合年，人緣運已經不錯，今年更是桃花生肖，人緣運相信能夠更進一步，這必能令春夏天出生的平命、熱命人更如虎添翼地加速事業進展；即使在逆運中的寒命人，亦能因桃花人緣之助而讓你能緊靠着貴人而減慢下降的軌跡。

農曆一月

本月為辛苦個人力量得財月，惟農曆新年才剛過去，很多公司仍未完全投入運作，想努力一點可能也無處着力；倒不如趁農曆新年後多些拜訪客戶，去打好關係，待下月再行努力好了。每年農曆一月都是你的沖太歲月，容易碰到意外損傷；雖然肖猴的你今年是桃花生肖，人緣運是好的，但可惜這與身體無關，故本月仍要謹舟慎車，且走路也要穩固一點。

財運　本月是肖猴的相沖月，有財來財去之象。惟農曆年才剛過去，即使在行運中，本月也不太可能會突然間來一筆財，但去財便有可能了；故本月在開支上要控制得宜，莫給突如其

來的花費導致財政出現問題。

事業 投鼠忌器，欲行又止。雖然本月是你的思想學習投資月，惟又是你的相沖月，唯恐各樣事情都不太平穩；如果在此時去作新嘗試，唯恐遇到的阻力不會太少。既然這樣，一切轉變都待下月才去想好了。

感情 雖然肖猴的你本年是桃花生肖，惟本月是你的相沖月，感情容易出現不穩，故假期回來後也不要忽略對方，以免因一個小小的相沖月影響到雙方關係。

身體 每年農曆一月都是你的相沖月，惟本年肖猴的你並無刑沖，亦見不到有損傷星的壞影響，只要走路及駕駛之時小心一點便可以了。

是非 小是小非，無需掛懷。即使本月是你的相沖月，自身是非比別人多，惟本月是本年的桃花月，整體社會氣氛是平和的，本月相沖的你也能受惠於此；即使新春假期後可能應酬較多，也不會惹來一身是非。

農曆二月

本月為辛苦個人力量得財月，又是肖猴的暗合月，易有貴人暗中扶助，加上本年又是桃花生肖，配合有力的貴人星，相信能為你的事業帶來不少便利，從商或自僱者固然能夠在收益上有所進展；收入穩定的上班一族也能得貴人、長輩、上司之助而令工作順暢不少；惟本月並非桃花月，故單身者仍未能藉此月脫離單身行列。

財運 動止皆如意，求謀事事通。雖然本月未到桃花月，但人緣運應該比上月好得多，這樣收入不穩定的自僱一族，比平常稍為努力些便能夠獲得不錯的成績；其次是從商者，因為客戶就是你的貴人，故本月之暗合與今年的貴人星，必能令客戶對你的產品與服務的觀感大大提升，讓生意來得更容易些。

事業 本月為辛苦個人力量得財月，只要付出努力，事業運便可以相應地前進；即使收入穩定的上班一族，不會因本月工作量上升而收入有所增加，但能夠順利完成手頭的工作，內心的滿足感仍然是良好的。

感情 本月仍未到本年的重桃花月，單身者能在此月脫離單身的機會不是很大；即使出現心儀的暗戀對象，惟只可以將此好感先藏在心裏，待至農曆六月桃花月來臨時再嘗試邁進一步，這樣的成功機會會大很多。

身體 本月並無刑沖，而且是暗合月，突然遇上意外損傷的機會不大，工作量雖然大增，惟健康狀況仍然是良好的，只要在忙碌工作後，爭取充足睡眠便可以了。

是非 上月因相沖所帶來的小是小非，本月不復再見，且本月為肖猴的暗合月，容易有貴人暗中助你一把，且本年你又是桃花生肖，全年下來人緣運都是可以加分的，故小人想在背後搞小動作也不會有甚麼效果。

農曆三月

本月為思想學習投資月，本年是學習投資生肖的你，在這兩個月是起步的好機會。當然投資或擴展，只有春夏天出生的平命、熱命人在這時是適合的，秋冬天出生的寒命人則以學習為佳，即使眼前遇到覺得很好的機會，也是可以牛刀小試，而失敗是自己承受得起的才可以去考慮一下；否則，不如待至明年夏天才開始好了。

財運 本月是思想學習投資月，不論學習或投資都是有些額外花費的，故本月不難是一個用錢較多的月份。學習進修還好，因開支是可以計算的；投資則不然，因起步以後總會有很多意想不到的額外開支。

事業 立定腳跟，認清方向。秋冬天出生的寒命人事事以不變為佳，即使目前工作環境不太理想，也不要輕言轉變，因轉變後面對陌生環境又加上運途不佳可能會更難適應。相反，平命、熱命人如果想在此時起步，便要立定決心；否則，一想再想，今年的最後機會便會過去。

感情 本月是肖猴的遙合月，感情運是穩定的，如果有打算在今年內婚嫁，本月也是一個提出的好月份，但如果覺得時機未成熟，待至農曆六月及八月也是可以的。

身體 身心舒暢，行止安祥。本月是肖猴的遙合月，身體健康狀況仍然是良好的，雖然三春陰濃濕重，特別容易引致皮膚不適，如果你生於秋冬天的話，本月更要多點注意個人衛生，這樣皮膚問題是不會對你構成困擾的。

是非 康莊可步，安用徘徊。本月是肖猴的遙合月，人緣運仍然是良好的，即使多些外出應酬，又或者想找些新路向時，求助於旁人，樂意幫忙的比例必然較多，故本月外出應酬時無需顧慮太多，一切就順心而行好了。

農曆四月

本月為思想學習投資加暗中權力提升月，從商或自僱者仍然可以盡努力把事業擴展；想開始作新嘗試的平命、熱命人仍然可以考慮，即使只是想作出工作環境的改變，仍然是可以的；惟秋冬天出生的你仍然是要以不變應萬變，事事以守舊為佳。上班一族本月為暗中權力提升月，可能只是要管的事情多了，責任大了，工資及職位卻可能沒有相應提升。

財運 本月仍然是容易開支比收入多的月份。投資也好，學習進修也好，甚至乎去作一個深度旅遊，都容易會有些意想不到的開銷，又或者可以買一些想買很久而又不捨得花錢去買的心頭好，亦可趁這個花錢月去買回來，而這樣的花費有時是值得的。

事業 學而做兮做而學，還從教訓得經絡。本月仍然是思想學習投資月，各個肖猴者以八〇年出生的你最想去作出新改變，剛過四十歲的你，應該已經嘗試過失敗或者事業停滯不前，故有着逆境前行的經驗，如果今年再起步作新嘗試，那些經驗可以給你作為借鑑，這必有助你爭取成功。

感情 本月為肖猴的刑合月，感情時而好，時而壞；惟本年肖猴的你始終是重桃花的生肖，感情上即使好壞互見，但整體也都是偏向好的一方面為多的。

身體 本月為火金交戰月，火為皮膚，金為肺、骨。故本月宜盡量吃些滋陰及清潤的食物，這樣必能減低對氣管及皮膚的壞影響，如再多沾些煎炸、燥熱之物，恐情況會嚴重一些。

是非 本月頻頻有小疵，本月為刑合月，貴人運雖然不錯，但小是小非卻常縈繞着你；雖然對整體事業及人緣運影響不大，但有時也會感覺有些煩厭。

農曆五月

本月為肖猴的財運月，如果上兩個月開始了新發展，本月不難見到初步收成，而上班一族本月仍然是暗中權力提升月，在工作上的責任可能添加，惟配合上這個財運月，即使工資沒有上升，也可能得到一些獎賞；收入不穩的從商或自僱者，亦能因這個財運月而令收入有所上升，故本月財運月可算是一個不錯的月份。

財運 本月為財運加暗中權力提升月，從商或自僱的你固然可以努力爭取更佳成績；收入穩定的上班一族也能因暗中權力提升而令事業運有所進展，連帶財運都有機會隨之而上升，即使是加一點點工資，心情都是愉快的。

事業 本月為肖猴的財運月，又是本年的桃花月，不論肖猴的運程或是整體社會氣氛都是良好的；這讓你在爭取財運時都順暢了不少，財運好了，亦可代表事業進展不錯，故本月對從商、自僱又或者上班一族都應該是有幫助的。

感情 本月為本年的桃花月，今年是桃花生肖的你，如果準備在今年婚嫁，本月是提出的一個好時機；單身的你雖然本月並非你的桃花月，但本月仍可以多些外出，看看能否成為別人的桃花，加上下月又到了你的重桃花月，說不定本月給你碰上心儀對象，到下月便可以展開行動了。

身體 本月並無刑沖，亦非桃花或相合月，身體狀況與往常一樣，身體是要好的繼續好下去；平常多小毛病者，本月也不見到會有幫助，就是一個普通的平常月。

是非 無刑無沖無是非。雖然本月並非你的桃花月，惟仍然可以藉本年這個桃花月之助而多出外去應酬，打好關係，然後待下個月是自己的桃花月，人緣運更可再進一步。

農曆六月

本月為肖猴的財運月，又是重桃花月，運程比上月還佳，平命、熱命人在此年固然可以積極進取；秋冬天出生的寒命人亦可藉夏季火旺之時進取一些，望能在這個桃花年月令事業運在逆境中仍能推前；單身者更可藉此桃花月多些外出，接觸多些陌生人，看看能否因此桃花月而令你脫離單身行列。

財運 財帛有，細水流。本月仍然是肖猴的財運月，加上又是你的桃花月，相信運程比上月為佳，但當然最得利的是收入不穩的從商或自僱者，因上班一族本月回復往常一樣，且工作量明顯下降，故本月在財運上有額外收益的機會不大。

事業 貴人點頭，謀望無憂。本月為肖猴的桃花月，自身的人緣運是良好的，雖然本月是本年的沖太歲月，外間恐怕風雨飄搖，惟這對肖猴的你影響不大，反而因桃花之助而比別人跑得快些；故本月要好好把握，正所謂人退我進，這也是正常策略。

感情 本月是肖猴的重桃花月，不論單身、已婚又或者打算在今年結婚者，本月都是一個感情的好月份，除非另一半剛好是本年沖犯太歲的生肖，才會容易惹起波濤；否則，本月是肖猴要好的桃花感情月。

身體 本月為肖猴的重桃花月，自身人緣運良好，加上工作壓力不大，健康運是正常的，惟本月是本年的沖太歲月，駕駛者仍要小心駕駛；且本月又是腸胃流行疾病的高危月，即使對你沒有直接影響，但仍要小心飲食為佳。

是非 本月為本年的沖太歲月，外間是非風雨較多，惟本月是肖猴的重桃花月，人緣運是今

年最好的，即使多些外出應酬，也是正面的多，負面的少。

農曆七月

本月為權力地位提升月，又到了上班一族要努力爭取的時候，雖然本月是你的犯太歲月，惟今年是桃花生肖的你，一個月份的影響不大，故本月可以全力爭取，也不怕因此而招惹是非，而從商或自僱者亦可藉此月把自己在行內的名聲提升，在過程中可能會多花些金錢去交際應酬或者出席多些慈善活動，惟做生意是看長線的，故這小小花費一定是值得的。

財運 即使上班一族能落實升遷，惟也不是可以馬上實行，故本月財運未必有突破；從商或自僱者在追求名氣、地位時，少不免會多些出席行內活動讓多些人認識，過程中必有些額外花費，故本月會是開支較多的一個月份。

事業 外表風光內裏愁，仍有不足在心頭。本月工作運其實是不差的，工作量不輕，也容易受到公司重視，從商或自僱者名氣也能因此月而提升；可能始終是犯太歲月的關係吧，心情總是覺得有些忐忑。

感情 本月雖然是你的犯太歲月，但今年是桃花生肖的你，桃花人緣的力量比犯太歲為大，故本月在感情上是不會出現甚麼狀況的；惟有意在本年內婚嫁者，在此月提出來恐怕不是好時機，而這些也不必急在一時，倒不如等下個月是你的桃花月再進行好了。

身體 即使是犯太歲月，其影響也只是情緒，身體上沒有甚麼特別要注意的地方，即使本月外出應酬多了，體力仍然可以應付自如，也不會因此而影響到腸胃健康。

是非　雖然本月是肖猴的犯太歲月，平常是要減少應酬為佳，惟本年肖猴的你始終是重桃花生肖，人緣運足以壓住這個犯太歲月，故本月即使多些出席公眾場合，也不用怕因此而招惹是非來。

農曆八月

本月為權力名氣地位提升月，更是肖猴的桃花月，各種因素都比上月佳，這令上班一族在爭取升遷時勝數加了不少，如果知道公司想作內部提升，可以積極一點，甚至乎自薦一下亦無妨，反正爭取不到亦沒有甚麼損失，就留在原地等下一次機會好了；因肖猴的你只有一九五六年出生的升遷機會最大，惟大部分人已經過了退休年齡，故也無用，本月就好好盡人事，聽天命吧。

財運　上班一族如果可以落實升遷的話，財運自然會隨之而增加，否則本月財運是看不到有突破的；從商或自僱者在此月仍然要多些出席公眾活動，讓自己的名聲在行內能夠提升，故仍然是開支比較大的一個月。

事業　本月是權力地位提升月，上班的你如果不想因升遷而帶來工作壓力，本月宜低調一點，從商或自僱者亦然；惟本月始終是你的桃花月，多些與人交往總是有利的，即使不在求名；惟各方關係好了，總是對事業能夠起到積極的正面作用。

感情　本月是肖猴的桃花月，單身者固然可以多外出、多接觸些陌生人，製造多一點機會給自己；如打算在今年內婚嫁，本月也是一個籌備的好月份，即使結婚了良久，這亦是一個能增進感情的月份，就多些與另一半外出晚膳吧！

身體 本月並無刑沖，又是肖猴的桃花月，身心都在最高狀態，即使因桃花月而外出應酬多了，身體也不會因此而吃出病來，就好好享受一下這個健康的月份好了。

是非 大車既載，無往不利。本月是名氣地位提升月，加上桃花之助，容易提升別人對你的觀感，即使多些出席些公眾場合，結果也是正面的多、負面的少，就藉此桃花月打好各方關係吧！

農曆九月

本月為貴人舒服懶月，終於可以放慢一下腳步，享受一下生活了，其實運到此時，一切大局都差不多已經定下來。春夏天出生的平命、熱命人在這六年的成果可以是蓋棺定論了，仍是留在原地的，此時一定不會改變，努力爭取者，成績表應該都已定下來；秋冬天出生的寒命人，既然已經忍耐到此時，也不怕等多一季，如正在遭遇逆境的，亦已快將看見黎明，故本月就放慢腳步，做一下總結好了。

財運 眼下無冗長，不必費思量。既然是貴人舒服懶月，且不管是否出現貴人，本月就先放慢一下腳步好了，在這水火即將交替的年份，又已經到了秋末，是失是得都已經定下來，餘下幾個月就由它自由自在地過好了。財運方面，應該已經看到成績表，着急也無用。

事業 人有福澤前生定，不必猶疑自在行。本月既然是貴人舒服懶月，在事業上就不要太過着急好了，因平命、熱命人旺運只餘一季，即使有餘氣也只是延續先前之發展；寒命人在冬季一般運程都不會有突破，故在事業上也不用太過積極。

感情 本月是本年的相刑月，雖與肖猴的你並無影響，惟對方是本年沖犯太歲生肖的話，仍然會容易起波濤的，如真是這樣，唯有多體諒對方好了。

身體 本月是腸胃疾病流行月，肖猴的你在飲食上也是要小心的，因外出用膳時，總會遇到今年沖犯太歲的生肖，故本月生冷不潔的食物切記少沾。

是非 本月為肖猴的遙合月，易有遠方貴人扶助，本身的是非並不多，惟本月是本年的相刑月，整體社會氣氛不太平和，為免無故惹上是非，本月仍是要減少應酬為佳。

農曆十月

本月為肖猴的相穿月，是非會稍為多一點。身體方面亦容易有小恙，尤其是女性方面，生

冷、冰凍之物要少沾為上；又本月仍然是貴人舒服懶月，仍然不需要太過積極，一切事情就跟着眼前路向去走好了，也不用去想太多。

財運 本月仍然是貴人舒服懶月，工作量不大，財運也沒有甚麼突破；倒是收入穩定的上班一族較好，因收入不會隨工作量下降而有所減少，反而可以輕輕鬆鬆地度過這個舒服懶月。

事業 水淺能容月，山高不礙雲。雖然本月為貴人舒服懶月，事業上看不見有甚麼突破，加上又是月令相穿的月份，是非比平常稍多一點，惟這些枝節之事，對整體事業影響是不大的；故即使放慢腳步，也不怕事業會因此而倒退。

感情 本月是肖猴的相穿月，如果上月感情出現波濤，本月則更要小心；否則，本月月令相穿，即使是意見不合，也不會有甚麼大衝擊；

可能只是商討下月聖誕假期去向以致互不相讓而已，但相信在下月仍然能夠融洽地度過一個聖誕新年假期。

身體

本月為肖猴的相穿月，不利腎、膀胱、泌尿系統，尤其是女性的猴更要小心，生冷、冰凍之物切記少沾，以免因貪嘴而壞了身體。

是非

小是小非，無需掛懷。這個相穿月帶來的壞影響是非常輕微的，加上肖猴的你今年又是桃花生肖，今年的影響力比月份為大，故不必為此月的小是小非去掛懷。

農曆十一月

本月為辛苦個人力量得財月，工作量突然上升，其實這是正常的，因月底為聖誕新年假期，相對工作的日數少了，同樣的工作量要用較少的時間完成，工作便要壓縮一下，自然感覺到好像忙碌了一些；惟本月工作量其實是有所上升的，故本月要好好收拾心情，投入忙碌的工作。

財運

聖誕新年假期臨近，收入不穩的從商或自僱者本月要加倍努力，望能在假期前收入有所上升，讓你可以過一個豐裕的聖誕假期；收入穩定的上班一族雖然收入不會因工作量上升而有所增加，但對於臨近的聖誕新年假期，心情仍然是愉快的。

事業

本月為辛苦個人力量得財月，工作量明顯上升，又因假期關係，工作日數相對少了，必然令你加倍忙碌；惟本月是肖猴的相合月，又是本年的相合月，不論是肖猴的人緣運又或者是整體社會氣氛都是良好的，這必然讓你在工作上有所得益。

感情

本月是肖猴的相合月，感情運是穩定的，如果是因今年桃花年才開展的感情，本月必然能因相合的關係而令感情穩固下來，讓你度過一個甜蜜假期。

身體 本月為肖猴的相合月，突然遇上意外損傷的機會不大，即使工作忙碌，但身體也能應付自如，必能讓你盡快完成手頭工作，放假去也。

是非 本月為肖猴的相合月，人緣好是非自然遠離，加上本月又是本年的相合月，整體社會氣氛也是平和的；惟本月工作較為忙碌，即使人緣運要好也沒法抽出太多時間去交際應酬。

農曆十二月

本月依然是辛苦個人力量得財月，收入不穩的從商或自僱者仍然可以盡最大努力去爭取好成績；雖然本月是本年的犯太歲月，整體社會氣氛恐怕不太和諧，惟這與肖猴的你並無影響，因本月是你的重桃花月，人緣運比別的生肖都好。單身者即使工作忙碌，也切記要抽些時間與朋友共聚，盡量接觸多些陌生人，看看能否在本年的最後這個重桃花月脫離單身行列。

財運 辛辛雖嘗苦，勞勞終得甜。收入不穩的從商或自僱者必然能因工作量上升而收入相應增加；即使是收入穩定的上班一族，也因桃花人緣運而令工作順利了不少，又年底在即，說不定也會因公司今年業績理想而發一些獎金，讓你的財運也能相應增加。

事業 本月是本年的犯太歲月，社會氣氛唯恐不太和諧，即使是桃花生肖的你，也是要減少應酬為佳；反正農曆新年假期在即，就專心完成自己的工作，放假去也，外間的各種風雨就由它好了。

感情 本月是肖猴的桃花月，如打算在本月婚嫁或提出婚嫁，是一個理想的月份；有穩固感情者也能因桃花月而令大家相處愉快。單身者更要把握這個桃花月多些外出，接觸多些陌生人，看看能否在農曆年前給你碰上心儀對象。

身體 本月為本年的腸胃流行疾病高危月，也是交通意外較為頻繁的月份，故除了飲食要多加注意外，駕駛者在駕駛時也要格外留神。

是非 雖然本月是本年較為沉重的月份，惟本月是你的重桃花月，自身人緣運是要好的；即使在年底時可能要多出席些公眾場合，但對肖猴的你並無影響，也不會因此而惹是非來。

・一九三三
・一九四五
・一九五七
・一九六九
・一九八一
・一九九三
・二〇〇五
・二〇一七

寒命人——出生於西曆八月八日後、三月六日前（即立秋後、驚蟄前）。

熱命人——出生於西曆五月六日後、八月八日前（即立夏後、立秋前）。

平命人——出生於西曆三月六日後、五月六日前（即驚蟄後、立夏前）。

肖雞

去年是桃花生肖，人緣運是要好的；而今年又是相合年，人緣運雖然沒有桃花年那麼好，但仍然是不錯的。而合亦代表穩定，變化少，且易得貴人扶助；平命、熱命人固然有利，寒命人亦能得貴人之助而令事業可以順暢些。

今年肖雞為思想學習投資年，投資方面，當然只有春夏天出生的平命、熱命人是適宜的；惟學習方面，不管是平命、熱命及寒命人都是適合的，尤其是上班一族，不時都要為自己增值，保持自己的競爭能力。

吉星有「八座」、「將星」，有助權力地位提升；雖然肖雞的你不是地位提升年，但這兩顆星亦能增加別人對你的尊重。

「天解」、「解神」，能逢凶化吉，減弱凶星所帶來的壞影響。

「金匱」，財帛有利，此星有助儲蓄財富；平常財來財去的你，今年儲蓄有望。

凶星有「浮沉」，浮浮沉沉，此星代表今年進步可能較慢，較容易浮沉不定。

「血刃」，易受損傷、見血，惟今年並無刑沖，遇到意外損傷的機會不是很大，可能是切菜時割傷了手，又或者走路時跌倒的一點小傷罷了。其他凶星有「天雄」、「飛廉」、「大煞」、「白虎」，無甚影響，無需理會。

寒命人　今年為水旺運的最後一年，明年開始又到你的機會來臨了；且今年為你的相合年，仍可藉貴人之力而讓你在逆境中容易過渡，就忍讓着這水旺運的最後一年好了。

熱命人　夏天出生的你，這三年是運氣最強盛的時候；雖然有時會受到社會的經濟影響，惟夏天出生的你這幾年運氣指標應該都是向上的，相信你能衝破社會的影響，讓自己的軌跡一直向上移。

平命人 去年是桃花生肖，今年又是相合年，人緣運及自身運氣都是不錯的，讓一生較為平穩的你也可以感覺到這幾年運氣也是不錯的。

一九三三年出生的雞—今年為辛苦個人力量得財年，惟年近九旬的你，可能仍然較為活躍而已，而這也是好現象；因不論任何年紀，都應該活躍、主動一點，與社會保持一定聯繫。

一九四五年出生的雞—今年為貴人舒服懶年，到了這年紀，放慢一下腳步，享受一下生活是應該的，閒時相約三兩朋友享受一個悠閒的下午，這樣才是真正的生活。

一九五七年出生的雞—今年為權力提升年，從商或自僱者仍然可以努力爭取，把自己在行內的名聲提升；上班一族方面，除非公司沒有退休年齡限制，否則，早在此時晉升的機會恐怕不大，可能是退休生活更能自主而已。

一九六九年出生的雞—今年為財運年，各個肖雞者以你財運最好。從商或自僱者可以盡努力去爭取好成績；而收入穩定的上班一族則只能嘗試買多些彩票，看看能否給你帶來一些意外之財。

一九八一年出生的雞—今年為思想學習投資年，踏入四十歲的你，如果想作新發展的話，都應該是時候了，惟今年只有春夏天出生的平命、熱命人適宜行動；秋冬天出生的你今年可以先行策劃，待至明年夏天才去實行較為合適。

一九九三年出生的雞—今年為辛苦個人力量得財年，快到三十而立的年齡了，在這時發力起步，望能在三十歲時打下一定的基礎。所以，今年就好好努力吧！

二〇〇五年出生的雞—今年為貴人舒服懶年，踏入十六歲的你，如果沒有重要的試要考還好，否則，要好好收拾慵懶的心，方能免落後於人。

二〇一七年出生的雞——今年為權力地位提升年，踏入四歲的你，可能開始上學，學習一下自己的自理能力；這對你來説，也可以算是地位提升。

財運 今年為思想學習投資年，不論學習或者投資，都會有些額外花費，故今年不難是一個花費較多的年份；又或者作一個長遠或豪華的旅遊，這樣花錢破財都是可以的。所以今年開支較多，但也都是一些可以控制的開支，不會因此而影響到財政健康。

事業 重新邁步履，生計覓前程。今年為思想學習投資年，不論學習、投資，或者作新嘗試也好，都會讓你的生活有些改變或衝擊；有時這樣也是好的，不論改變後之順逆，但至少也能令你在舒服的生活圈外接觸一下新事物。

感情 去年是桃花生肖的你，如果已經讓感情邁進一步，這也是正常的；如果去年因桃花年而開展了一段新感情，本年必然能因相合的關係而讓感情更進一步；但整年過後你仍然是單身的話，今年春季就要加倍努力了，看看能否因桃花年的餘氣，讓你開展到一段感情。

身體 本年並無刑沖，突然遇上意外損傷的機會不大，故即使有「血刃」損傷星也無需過分擔心；且本年為肖雞的相合年，人緣運依然是良好的，故生活或工作壓力也不是太大，讓你能有健康的體魄去面對工作與生活。

是非 本年是肖雞的相合年，人緣運即使沒有去年桃花年那麼好，但仍然是不錯的，加上有貴人扶助，即使遇到小人在背後説三道四，也容易得到別人信任而不致被中傷；所以本年仍然可以多些外出應酬打好各方關係，無需擔心因此而惹事招非。

農曆一月

本月為辛苦個人力量得財月，農曆年假才剛回來，便要面對工作壓力，使得優閒了一段時間的你，差點兒應接不暇。尤幸，人緣要好的你，投入工作時得到不少助力，工作沒多久就已經適應下來，且愈忙愈起勁；尤其是收入不穩的從商或自僱者，看見財運也因此而相應增加，一丁點兒辛苦都不覺得。

財運 春回大地，陽光報暖。本月是辛苦個人力量得財月，收入不穩的從商或自僱者又可以努力爭取，快些把假期時的開支盡快賺回來；收入穩定的上班一族，你的收入雖然不會因此而改變，但經過假期以後，狀態已回復到頂峰，一點點的工作壓力可以輕鬆應付下來。

事業 經過農曆年假期後，又要回到工作崗位了，加上工作不久便開始忙碌起來，尤幸這忙碌是有回報的；即使上班一族不會因此而多了工資，但最少也能知道自己在公司還有不錯的價值。

感情 本月並無刑沖，亦非桃花月，惟桃花年才剛過去，其餘氣猶在；故單身者本月仍然是可以積極些，尤其是心態上想盡早脫離單身，那便要記着不管工作怎樣忙碌，也要盡量留多點私人時間給自己，多些外出去接觸陌生人。

身體 農曆年假才剛完結，身心都回復到正常狀態，加上本月並無刑沖，健康運是不錯的，即使工作量較大，但體力仍然是應付裕如的。

是非 本月並無刑沖，加上去年桃花餘氣猶在，本月人緣運是要好的，即使在忙碌工作之餘可能在春節後會多點公事上的應酬，但反應仍然是正面的，故本月無需刻意去提防是非。

農曆二月

本月為辛苦個人力量得財月，又是肖雞的相沖月，有財來財去之象，可能是復活節假期的關係，財去是用於旅遊之上，並不一定會白白破財；又本月金木相沖，易見損傷，加上今年有血刃損傷星，雖然不是沖犯太歲流年，但還是要謹舟慎車，提防傾跌。

財運 本月為辛苦個人力量得財月，收入不穩的從商或自僱者仍然可以努力，盡力去爭取好成績；又本月為財來財去月，但卻是先來財，後破財的月份，故不是平白無端地破財，而且這筆錢亦有可能是下月復活節假期的旅費，故本月財運整體上仍然是良好的。

事業 上山多費力，有樹可扳枝。本月為辛苦個人力量得財月，工作量是較平常大的，而這亦可以代表事業在進展中，雖然本月為肖雞的沖太歲月，是非難免會多一些；惟本年是相合生肖的你，整年下來人緣運還是正面的，一個月的小是小非，對整體事業影響不大。

感情 本月為肖雞的相沖月，感情方面也是要小心注意的，勿因一時之情緒問題而引致雙方不快；又或者本月減少見面，這亦是解決磨擦的其中一個方法。

身體 金木相沖，易見損傷。除了駕駛者要小心駕駛外，走路也要比平常小心；因金木交戰代表筋骨、手腳易見損傷，故煮飯切菜時也要謹慎細心一點。

是非 本月為肖雞的相沖月，是比較容易招惹是非的月份；既然這樣，就盡量減少外出應酬好了，反正本月工作忙碌，也抽不出太多時間去應酬，這樣反而有助減免是非。

農曆三月

本月為思想學習投資月，本年是投資學習生肖的你，不論投資或學習，這兩個月是一個開始的時機。投資方面，只有春夏天出生的你是適合的，秋冬天出生的寒命人，不如靜待至二〇二二年才開始，這樣時機會好得多，成功機會亦相對為大；如果今年起步，恐怕阻力會大得多，爭取成績亦不會太理想。

財運 本月是思想學習投資月，正在從商的平命、熱命人本月如果考慮加大投資是可以的；如仍然在上班卻想作些新改變，本年是最後機會了。反之，秋冬天出生的你，此時應該裝備一下自己，說不定入運時會用得着；所以本月不論是平命、熱命、寒命人都可能有些額外開支。

事業 望月生算盤，心中自有數。到底自己是否適合做生意，其實很多人內心是清楚的，但有時不嘗試過又總覺得欠缺些甚麼。春夏天出生的你，這兩個月仍未決定作新嘗試，那就留在原地好了；相反，秋冬天出生的你，如果很想作新嘗試，明年開始往後數年，只有二〇二四年是不適合的。

感情 本月是肖雞的相合月，感情人緣運又回復正常，也不怕復活節假期接觸多了，因而產生矛盾；惟本月並非桃花月，單身者在這假期中能夠開展到一段新感情的機會則不是很大。

身體 本月為肖雞的相合月，一切又回復到正常，即使復活節假期偶爾夜歸夜眠，也不會因此而影響到健康；當然，這只可以偶一為之，如長期這樣，身體必然承受不來。

是非 雲開霧散，天朗氣清。上月之浮雲已經散盡，待之而來是人緣要好的相合月，本月不論在假期時與朋友共聚多了，又或者多些外出應酬，反應都是正面的多，負面的少，更不會因此而惹上是非。

農曆四月

本月為思想學習投資月，仍然是肖雞的相合月，人緣運仍然是要好的，如果上個月已經開始起步，本月當然繼續前進；如果上月仍然在猶疑中，本月正是要決定的時候了，想作出轉變又或者想留在原地不動，其實順自己心意而行便可，這沒有對與不對的；因每個人的要求不同，承受能力亦各異，想好後便不要再心大心細好了。

財運 本月仍然是思想學習投資月，不論學習又或者投資，或多或少都有些額外花費。本年是思想學習的生肖，而本月又是一個思想月，如果不作投資又沒有進修，有時思想會無所歸而胡思亂想；如果真的出現這個情況，去放一個短假旅行，看看不同世界也是可以的。

事業 動止順利，自納禎祥。本月雖然是思想學習投資月，惟有些人踏進社會以後便不喜歡再進修，只想在一個崗位上穩定地工作生活，其實這也是無不可的；但春夏天出生的你如果真的有點想改變的心，這個月走出去的話，應該也是順利的多，逆境的機會較少；但其實動與不動，無對錯之分，就憑自己心意行事好了。

感情 本月仍然是肖雞的相合月，感情運仍然是穩定的；惟本月是你的思想學習月，就怕會胡思亂想而影響到自己的情緒，因而影響到感情。

身體 欲左欲右，心中不定。因本月是思想學習月，容易思緒不定，這樣必然容易引致失眠，這樣必然影響到身體；唯有睡前看一些消閒的書又或者喝少量葡萄酒，這也都是有助入眠的。

是非 本月是肖雞的相合月，人緣運也是良好的，即使有新發展路向而多了相約朋友、客戶外出，別人樂意幫忙的比例必然很多，也不會因有時思緒不定而影響到自己的人緣運而招惹是非。

農曆五月

本月為肖雞的財運月，也是桃花月，所以財運與人緣運都是良好的，收入不穩定的你本月可以努力一點，盡量爭取好成績；即使收入穩定的上班一族，本月人緣好了，做起事來都順暢了不少，讓你能更快完成手頭工作，工作過後有充裕的時間去享受一下生活。單身者更可藉本年的這個重桃花月，多些外出，給自己製造多些機會，看看能否因這個桃花月而為你帶來一段新感情。

財運 財如春草，不見其生，日有所長。本月在財運上，其實不用去着力追求，因本月又是你的桃花月，人緣運也是良好的；收入不穩的你不難因舊客戶推薦而讓你平白無端地忙起來，財運當然亦自然而然地增長。

事業 桃花月，人緣佳，做起事來都順暢了不少；先不管財運有否增加，心情仍能因桃花月之助而好起來，有時這是金錢也買不到的，事業運當然亦能因桃花月之助而有不錯的進展。

感情 本月是桃花月，感情運是良好的。即使偶爾有些意見不合而冷戰起來，但整個月來說都是融洽的時間佔大多數，偶爾一些小磨擦只會為你帶來點生活情趣。

身體 本月為火金交戰月，而金為肺、骨及氣管，火是皮膚，故本月皮膚及氣管容易出現敏感；惟只要多吃些清潤的食物，煎炸、燥熱之物少沾，問題是不會嚴重的。

是非 喜鵲烏鴉，同堂而叫。本月貴人與小人同在，惟貴人的力量遠比小人力量為高，故本月要盡量迎貴人而遠小人，即使感到小人在製造是非，但也不必太過着意，因貴人在旁是會看清楚的，最後也是無損於你。

農曆六月

本月為肖雞的財運月，但可能沒有上月桃花月那麼容易，因本月是本年的沖太歲月，整體社會氣氛不太平和，對你亦自然會產生不少阻力；雖然肖雞的你並無刑沖，是非並不太多，但也不是桃花或相合月，人緣運亦看不到太好，故本月不宜太過積極，一切就順其自然好了。

財運 財似霏霏雨，無需用力追。雖然本月也是你的財運月，但情況卻不可與上月同日而語，因上月是肖雞的桃花月，又是本年的桃花月，無論肖雞的人緣運及社會氣氛都是良好的；而本月是本年的相沖月，社會氣氛顯得不太和諧，而你的人緣運又回復到一般而已，故本月財運也不能太過着急。

事業 逆水行舟，且前且後。本月你的事業運轉歸平淡，但卻遇到本年的相沖月，外間不免是非較多，這對肖雞的你間接也是有壞影響的；故本月在事業運上不宜急進，一切按部就班地跟着自己腳步而行好了。

感情 本月為本年的相沖月，除非另一半是本年沖犯太歲的生肖；否則，本月肖雞的你感情運是平穩的，如果對方剛好是本年沖犯太歲生肖的話，你能做的就是對對方多作體諒而已。

身體 本月是本年的腸胃流行疾病月，雖然對肖雞的你並無直接影響；惟外出用膳時總會遇上今年沖犯太歲的生肖，故在飲食上也是要稍為小心一點，可以的話，本月就少些外出用膳好了。

是非 本月為本年是非最多的一個月，雖然肖雞的你並非沖犯太歲的生肖，但如果可以的話，最好也是盡量減少外出應酬，以免給是非牽連上；如無可避免要外出應酬的話，也最好可以多聽少講為上。

農曆七月

本月為權力地位提升月，又到上班一族要努力爭取的時候了，如果知道公司打算作內部提升，而你又有意思的話，不妨爭取一下。雖然今年你並非地位提升年，機會率可能不及別的生肖高，惟試一試也無妨，爭取不到最多便是留在原位好了。從商或自僱者亦可藉此地位提升月，把自己在行內的名聲提升，故本月宜多些出席行內或其他慈善活動；加上本月是本年的桃花月，整體社會氣氛又回復平和，這必然有助於你交際應酬時的人緣運。

財運 經過兩個財運月後，本月財運應該轉歸平淡了，上班一族即使爭取到升遷，但也不可能是即月的，故工資也不會因此而上升；從商或自僱的你，反而因出席了些行內或慈善活動，開支必然因此而增加。

事業 上山多費力，有樹可扳枝。本月為權力地位提升月，事業有上升空間，惟本月求名易得，求利無成，故不要太過着緊於金錢；因名氣好了，日後財運依然會來得更容易。

感情 本月為本年的桃花月，整體社會氣氛較為平和，這對你的感情亦能起到正面作用；單身者亦可藉此桃花月多些外出，碰碰運氣，看看能否給人看上，成為別人的桃花。

身體 腸胃流行疾病月已經過去，本月一切又回復正常；即使在爭取名氣地位提升時多了些出席飯局，也不怕會吃出病來，就好好地享受一下這個健康平和月好了。

是非 本月是本年的桃花月，整體社會氣氛是良好的，連帶肖雞的你也能受惠，外出交際時也不用太多顧忌，怕有時高調會惹上是非來。

農曆八月

本月雖然是權力地位提升月，惟本月又是肖雞的犯太歲月，除了情緒容易出現不穩外，亦是較容易惹上是非的月份；故本月宜低調一點，盡量少些外出應酬，爭取升遷時也不宜太過積極，一切就順其自然好了。

財運 本月為肖雞的犯太歲月，財運就先不要想好了，為免迫得自己太急，反而令情緒問題趨於嚴重；如時間許可的話，倒不如放一個短假，外遊散一散心，花一點錢換來開心也是值得的。

事業 無喜又無樂，名曰寂寞。本月雖然是權力地位提升月，但因受犯太歲月的影響，有時情緒會趨向悲觀；如果真的有此問題，本月就先把工作放慢好了，反正這只是一個月的小影響，待本月過後，再努力追趕也未遲。

感情 本月是你的犯太歲月，每年到此月都要提醒你需要去注意情緒問題；但一個月的影響不會太嚴重的，有時甚至會無聲無息就過去了，故本月無需為感情太過擔心。但當然，單身的你在此月能夠脫離單身的機會不會太高。

身體 本月為肖雞的犯太歲月，身體上唯一要注意的是情緒問題，怕因受犯太歲月影響而胡思亂想，引致失眠；如果真的是這樣的話只有特別提醒自己要放鬆一點，又或者在睡前一、兩小時看些消閒書籍，又或者喝少量葡萄酒，這也是有助紓緩情緒的。

是非 閉口藏舌，閒事莫理。雖然肖雞的你今年並無刑沖，又有逢凶化吉之星；惟在此犯太歲月，也是放慢一下腳步好些，在爭取名氣地位提升時，也不宜太過高調，亦不宜人多出席公眾場合以趨避是非。

農曆九月

本月為貴人舒服懶月，適宜繼續放慢一下腳步，體驗一下生活好了；反正水旺運只剩下一個冬季，這時得失相信已經早已定下來。平命、熱

命人在這六年能否爭取到好成績、寒命人是否守得好，相信已經無機會出現改變；加上本月為本年的相刑月，整體社會氣氛亦不太平和，也不適宜太過積極。

財運 不如閒中尋樂，無需為錢重肩。本月財運也無需太過着緊，況且運程到了此時，着緊已經無甚作用，倒不如藉此月放慢腳步，檢視一下目前情況；平命、熱命人要預備在二〇二二年後開始退守；寒命人要準備大翻身，看看能否在往後六年大展拳腳。

事業 本月為貴人舒服懶月，故本月倒不如藉此放慢腳步好了。從商或自僱者，在事業財運的進展上不宜太過着急；上班一族亦能藉此舒服懶月，抽多些時間，處理一下私人事務，又或者靜思一下，檢視一下目前事業的狀況，因二〇二二年後之攻守順逆會來個大轉變。

感情 本月為肖雞的相穿相害月，雖然只會增加一點點小吵小鬧，惟本月又是本年的相刑月，整體社會亦不太平和；如果另一半剛好又是今年沖犯太歲的生肖，那在感情上更加要小心一點。

身體 本月為腸胃流行疾病月，又是肖雞的相穿月，自身的氣管亦容易出現小毛病；故本月在飲食上要小心注意，除了生冷、冰凍之物要少沾外，煎炸、燥熱之物亦要少沾為上。

是非 本月是本年較多是非的一個月，亦是肖雞的相穿相害月，故不論整體社會氣氛及肖雞的人緣運也都不是太過平穩；故不如藉此懶月，多些處理私人事務而少些外出應酬好了。

農曆十月

本月為貴人加思想學習投資月，惟本月開始投資，唯恐不論對平命、熱命、寒命人都並非一個好時機，因平命、熱命人的順運只餘下一季，而寒命人在這水旺運最後的一季，運程恐會進一步下降；又本月為肖雞的驛馬月，如沒有打算學習或者作新投資，倒不如藉此驛馬月外出走走，尤其是秋冬天出生的寒命人，說不定外遊時給你帶來新靈感，讓你在二〇二二年後，旺運來時路向更加清晰。

財運 本月為貴人舒服加暗投資月，本月在財運上仍然看不見有任何突破，反而因暗投資運而多花了錢；這暗投資運除了可能是朋友叫你夾一些錢去做點小生意外，亦可能用一些錢去買些實物投資，故本月不難是一個開支較多的一個月份。

事業 雖有貴人，但不宜急進。雖然卜半月有暗投資運，可能有朋友叫你拿一點小錢出來嘗試一下，惟也不要太過抱有希望，而拿出的金錢也要知道即使蝕光也不會影響生活才可以一試，否則本月以守舊為佳。

感情 本月並無刑沖，亦無桃花或相合月，感情運是一般不好不壞的；如果時間許可的話，藉此驛馬月與另一半外遊散心，花一點錢，應掉本月這個投資運亦可。

身體 本月並無刑沖，健康運已經回復正常，加上本月工作量不大，壓力也不重，這都是對健康運有幫助的，故本月健康運算是良好的一個月。

是非 雲開日現，波靜風平。上月之是非已經散掉，雖然本月不是人緣特別好的月份，但最少也無需特別提防是非；加上工作量不大，也無需出席太多關於業務上的應酬，這也都有助減免是非。

農曆十一月

本月為辛苦個人力量得財月，經過慵懶的兩個月後，身心都回復到正常狀態，讓你可在這個忙碌月能盡量爭取好成績。當中最能直接受惠的一定是工作以件工計算的自僱一族，因工資必然能隨着工作量上升而有所增加；其次是從商的你，本月工作忙碌，代表與客戶會面的時間多了，這亦能代表做成生意的機率上升。

財運 從商或自僱者固然能因工作量上升而收入亦有所提升，惟收入穩定的上班一族卻不會因一時的工作量上升而有所改變，故本月只會徒添忙碌罷了；唯有埋頭苦幹盡快把手頭工作完成，去輕鬆一下，放一個愉快的聖誕假期。

事業 按部就班，慢步前行。本月在事業上也不用太過着急，因忙碌月代表工作自然會來，着急也無用；最好能先安排好時間，不要讓工作量突然增加時讓自己措手不及。

感情 本月是肖雞的桃花月，已有穩定感情者，本月必然能度過一個愉快的假期，而單身者亦有希望在假期前或假期當中給你碰上另一半，讓你的假期增添姿彩。

身體 本月工作雖然忙碌，惟健康運卻是良好的；一來身體有了充分休息，二來本月又是你的桃花月，即使面對忙碌的工作，心情卻仍然是輕鬆愉快的，這必然能提升你抵抗病菌的能力。

是非 桃花月，人緣好，是非欲侵亦無從。加上本月工作忙碌，根本不能抽出太多時間去交際應酬，這亦能減免是非；況且，可能每個人都在忙於完成手頭工作又或放假去也，都無心去惹是生非。

農曆十二月

本月仍然是辛苦個人力量得財月，收入不穩的從商或自僱者仍可以努力，惟本月是本年的犯太歲月，可能是今年社會氣氛最差的月份。雖然肖雞的你本月為相合月，自身的人緣運是可以的，惟始終外間恐多風雨，故本月亦宜低調一點，埋首處理自己的事務為佳，工作之餘亦盡量減少外出應酬，藉這些時間去籌備農曆年假期好了，這樣既可好好安排假期，亦能減免是非。

財運 本月為辛苦得財月，收入不穩的從商或自僱者財運依然是不差的，惟農曆年假在即，即使不外出旅遊度假，農曆年間開支也一定會比平常多，故本月所增加的財運正好填補你在農曆年時的額外開銷。

我且盡其力，厚薄隨其緣。雖然本月是你的相合月，自身的人緣運仍然是良好的，惟本月始終是本年的犯太歲月，社會氣氛可能較為沉着；故肖雞的你本月亦只宜安守本份，專心處理好自己的事情好了。

感情 本月是肖雞的相合月，感情運仍然是良好的，如果因上月桃花月才開展的新感情，本月必能讓你跨進一步，惟對方如果是今年沖犯太歲生肖的話，本月仍然是會容易起風波的，故本月要清楚了解對方的生肖所屬。

身體 本月是本年的交通意外月，亦是腸胃疾病流行月，雖然肖雞的你並非高危生肖，惟駕駛及外出用膳時還是要小心；因車在路上及用膳進餐時都不難碰上今年沖犯太歲生肖的，怕一不小心的話會給牽連上。

是非 本月是肖雞的相合月，人緣運仍然是良好的，惟本月是本年的犯太歲月，外間恐怕風雨特多；既然如此，本月可以的話就少一點應酬好了，這樣必然能有助減免是非。

肖狗運程

- 一九三四
- 一九四六
- 一九五八
- 一九七〇
- 一九八二
- 一九九四
- 二〇〇六
- 二〇一八

寒命人——出生於西曆八月八日後、三月六日前（即立秋後、驚蟄前）。

熱命人——出生於西曆五月六日後、八月八日前（即立夏後、立秋前）。

平命人——出生於西曆三月六日後、五月六日前（即驚蟄後、立夏前）。

肖狗的你今年為太歲相刑年，如平常有着腸胃問題，今年在飲食上更要小心了。尤其是生於農曆三、六、九、十二這四個月，又加上生於一點至三點、七點至九點，不論上、下午，如二者皆是，今年唯恐腸胃問題會困擾着你，特別是在農曆三、六、九、十二這四個月，尤其要注意個人飲食，亦要提醒自己，盡量放鬆，因為有時腸胃疾病是由壓力所引致的。

今年肖狗為財運年，惟因今年太歲相刑，是非較多，這必然對事業及財運起着負面作用，平命、熱命人還可，因運途仍佳，可以在一片是非聲中逆流而上；惟在逆運中的寒命人，怕被是非及腸胃疾病影響，財運上恐難有突破，故今年要好好調整心態，得固然好，失就當是正常好了。

吉星有「天德」，逢凶化吉，其實此星是減弱個人的報復心，這樣必能減少怨恨，自能逢凶化吉。

「福星」，普通貴人星，其力不大，但總比有小人星為佳。

「扳鞍」，有助地位提升，雖然今年不是地位提升年，但上班一族財運之強弱必然與職位有關，故肖狗今年是財運年配上這顆地位提升之星，必能有助增加上班一族的升遷機會。

凶星有「卷舌」，本年已經是太歲相刑年，是非已恐防不斷，再加上這卷舌星，必然增加與別人當面爭執的機會；唯有在家中及公司，你的工作範圍內的南邊放一杯水，西南位放粉紅色物件去旺人緣，化是非。

其他凶星有「寡宿」、「絞煞」、「三刑」，無甚影響，可無需理會。

寒命人 今年為水旺運的最後一年，即逆運中最後一年，本來可以藉着這財運年把成績提升一點，但可惜本年是你的太歲相刑年，是非較多，身體方面亦恐多毛病，尤其是腸胃消化系統方面，這必然對你的財運產生負面影響；故本年宜抱着不求有功，但求無過的心態去處事，心情可能會平和一點。

熱命人 雖然今年為太歲相刑年，是非較多，腸胃亦容易出現毛病，惟本年是你的財運年，又是水旺運的最後一年，相信你仍能在困難當中爭取進步；尤其是收入不穩的從商或自僱者，財運仍然可以有所提升。

平命人 雖然今年為水旺運的最後一年，但因今年為太歲相刑年，是非較多，腸胃亦較差，一生運程較為平穩的你，特別容易受外來事件影響；故今年不要抱太大希望，能進當然是好，不能進就守在原地好了。

一九三四年出生的狗——今年為貴人舒服懶年，雖然年紀已不小，但人仍然是要保持一定活動的，不要因為這舒服懶年動也不動，因這只會加速退化。

一九四六年出生的狗——今年為地位提升年，除非仍然在商界內，否則在這年紀能再提升的機會不大，可能是家內添了小成員讓你的輩份提升，又或者更受晚輩尊重而已。

一九五八年出生的狗——今年為財運年，各個肖狗者以你財運最佳，雖然已年過六旬，惟從商或自僱者是沒有年齡限制的；故今年仍然可以努力，望能爭取更佳成績。

一九七〇年出生的狗——今年為思想學習投資年，惟已經過了五十歲，如果從上班轉到從商真的要三思而後行；但如果已經在商界的平命、熱命人，本年仍然是可以進取的。

一九八二年出生的狗——今年為辛苦個人力量得

財年，年近四十歲的你，是時候要好好努力爭取了；尤其是收入不穩的從商或自僱者，更要加倍努力。

一九九四年出生的狗—今年為貴人舒服懶年，踏入二十七歲的你，目標可能仍未明確，有時放慢一下自己，抽離一些，反而容易找到自己追求的路向；就藉此舒服懶年，沉澱一下自己好了。

二〇〇六年出生的狗—今年為權力地位提升年，正在求學的你，今年可多些參與運動或比賽，今年是比較容易從這方面得獎的，而且今年亦會因此而對學業有着正面影響。

二〇一八年出生的狗—今年為財運年，踏進三歲的你，財運可能是父母花在你身上的金錢多了而已，因為你這年紀應該仍未學懂運用金錢。

財運

今年為肖狗的財運年，本來或多或少對平命、熱命、寒命人都是有幫助的，惟本年是你的太歲相刑年，是非必多。身體方面亦可能比較多小毛病，這必然影響到你的財運，春夏天出生的平命、熱命人還好，始終在順運中，影響較大的必然是秋冬天出生的寒命人。

事業

本年是財運年，亦可間接代表事業有所增長，從商或自僱者財運好了，必然代表事業在前進的步伐中；如上班一族財運提升，即使沒有升職，但至少仍有加薪，故本年財運年必然間接令你的事業比較容易向前增長，尤其是春夏天出生的平命、熱命人。

感情

本年是肖狗的相刑年，在感情方面亦要多加注意，以免給小吵小鬧破壞了雙方關係；尤其在農曆三、六、九、十二這四個月，更要好好提醒自己，要心平氣和，盡量好好控制情緒。單身者在這太歲相刑年，能開展到一段新感情的機會不大，但如果真的很想盡快脫離單身的話，在農曆二、四、十這三個桃花月便要努力一點。

身體 本年為腸胃流行疾病年，肖狗的你也是高危生肖，故今年在飲食上務必要小心，生冷及煎炸、燥熱之物要盡量少沾；尤其在農曆三、六、九、十二這四個月，可以的話，盡量要食得清淡一點，方能免腸胃受苦。

是非 東邊沒了西邊出，引動諸般是非多。太歲相刑的你，是非可能比肖牛及羊這兩個沖犯太歲生肖還要多，而且刑代表易招惹是非，又不能馬上解決；故今年不論在文件或私人事件上切記要清楚及小心一點，以免因一時失誤而惹出是非來，且本年可以的話，宜盡量減少外出應酬以避是非。

農曆一月

本月為思想學習投資月。學習方面，不論是平命、熱命、寒命人都是可以的。投資方面，冬天出生的寒命人一定不太適宜；即使在順運中的平命、熱命人也要三思，因為本年是你的相刑年，是非必然較平常為多，腸胃方面亦要注意。故在今年起步，不論外來或內部阻力都會比平常為多；如果真的決定想在今年起步的話，真的要做足心理準備。

財運 本月為思想學習投資月，即使不去投資，也不學習，也容易因其他原因而要去花一點錢；買些心頭所好也好，新春期間飯局多了也好，本月都是一個較容易有些額外花費的一個月份。

事業 春夏天出生的平命、熱命人，今年到了水旺運的最後一年了，事業進展方面應該到了

尾聲或收成的時候了；故本年不是一個起步的好時機，所以上班一族今年想嘗試做生意的話，真的要三思。惟已經在從商者，今年仍可以在一片是非聲中保持着進展，而自僱一族也可以穩步前進。

感情 本月是本年的桃花月，又是肖狗的遙合月，感情運仍然是穩固的；加上農曆年假才剛完結，人仍懷着愉快的心情，這也是有助於感情的。

身體 雖然今年是腸胃疾病高危生肖，惟本月身體仍然是不錯的，即使農曆年後多了些應酬或飯局，但健康運仍然是良好的。

是非 本月是本年的桃花月，整體社會氣氛是平和的；又加上農曆年才剛過去，大家仍懷着愉快的心情，加上很多公司仍未正式完全投入工作的軌跡，是非欲生亦無從。

農曆二月

本月仍然是肖狗的思想學習投資月，平命、熱命人仍然可以考慮多一個月，到底想留在原地還是去作新改變，去或留，最好都能在本月決定為佳，因本月過後，機會便會逐漸遠離，想變的心亦會漸趨穩定；倒是秋冬天出生的寒命人來得較為輕鬆，不用去想變與不變，因為運程所限，最好的策略就是以不變應萬變。

財運 本月仍然是思想學習投資月，如果不考慮去作新投資，倒不如去進修學習，即使是工作以外的興趣都是可以的；因懂多一點永遠比懂少一點為佳，即使對工作沒有幫助，但最少也能開闊自己的眼界，反正本月為花錢月，就花些錢去交學費好了。

事業 大車既載，無往不利。本月平命、熱命人運程仍然是不錯的，即使不去作新投資，從商或自僱者仍然在上升軌跡之中；即使在逆運中的寒命人，只要不去作新改變，本月事業運仍可因月令相合的關係而得貴人扶助。

感情　本月是肖狗的相合月，感情運仍然是穩固的；加上又是霧水桃花月，單身者還有機會出現一剎那的霧水情緣，雖然會易聚易散，但也為你的生活帶來一點漣漪。

身體　本月並無刑沖，不管外間又或者是肖狗的你，健康運仍然是正常的，就藉此人緣與健康運都不錯的月份，多一點相約朋友外出晚膳，先享受一下口腹之慾；因本月過後，下月開始便要謹飲慎食了。

是非　謀為順逐，動止安詳。本月是你的相合月，自身的人緣運比上月更佳，倒不如趁太歲相刑的壞影響仍未開始，藉此人緣要好的月份多些聯絡客戶，打下更好的關係。否則，下月是非月來時便沒有此良機了。

農曆三月

本月為肖狗的財運月，又是你的相沖月，唯恐有財來財去之象；尤幸本月是先來財、後破財，故並非無端破財月，可能只是復活節假期時多些額外花費而已。本月反而要留意的是腸胃消化系統問題，本月不論外遊或是在家中，飲食上都要小心一點為上，方能避免因身體不適而影響假期心情。

財運　賺錢不難也不易，財入錢出付水流。本月為肖狗的財運月，從商或自僱的你可以努力把握，望財運提升得更高；收入穩定的上班一族唯有寄望公司業績良好，給你一些獎金去津貼你的假期。

事業　是非雖有財也有，可以一梯上高樓。本

月為財運月，亦可代表從商或自僱者的業績有不錯表現，至令財運因此而增加；惟上班一族，這個財運月與你並無關連，故在業績上可能是一般而已，因本月無特別明顯見到地位有所提升。

感情 本月為肖狗的相沖月，已有另一半的你，本月要好好維繫，以免因一時情緒不穩而影響到雙方感情；故本月要不時提醒自己，盡量心平氣和一點，這樣心情也會正面一點。

身體 本月為肖狗的腸胃疾病月份，故在飲食上要小心一點，生冷與煎炸、燥熱之物，可以的話最好盡量少沾；加上本年大病位在東南方，本月細病位也在東南方，五碰上一為五二疊臨，東南地區也容易產生流行疾病，而香港也是中國的東南地區，故肖狗的你真的要加倍小心。

是非 閉口藏舌，閒事莫理。本月既然是你的財運月，又是是非特別多的月份；那倒不如專注於自己的工作中，把自己的事情盡量做到最好，交際、應酬、打關係等事，就留待下個月桃花月來臨時再去做好了。

農曆四月

本月雖然也是肖狗的財運月，但情況卻好得多；上月是肖狗的相沖月，是非較多，人緣運亦平平，而本月卻是你的桃花月，讓今年太歲相刑的你可享受片刻平靜。本月人緣運佳，且易得貴人扶助，讓你在全力爭取財運時少了不少顧慮；而收入穩定的上班一族亦能得桃花之助，令工作環境能大大改善。

財運 財似霏霏雨，還需努力追。雖然本年及本月都是肖狗的財運月，但因為始終是太歲相刑生肖，故任何事情在今年都要加倍努力才能得到預期效果；即使本月是你的財運月也不例外，只是本月得桃花之助，讓你容易達到目標而已，但過程中就一點都不能鬆懈的。

事業 物換星移見頭緒，輾轉來去自由通。本月是肖狗的重桃花月，在太歲相刑年算是一個要好的月份。雖然仍要比平常努力，但在此桃花月人緣運始終算是本年最好的，這也能助你事業順利進行，也容易獲得較好成績。

感情 本月是肖狗的桃花月，今年刑太歲的你，也是有結婚可能的。雖然沒有沖犯太歲的機會，但可以說也是一喜擋三災，無喜爭吵防；如真的打算在今年內婚嫁，本月是一個提出的好時機。

身體 腸胃流行疾病月已經過去，身體又回復正常，加上本月又是你的桃花月，心情都比較輕鬆愉快，這樣自然能增加抵抗疾病的能力，故本月算是身心健康的一個月。

是非 雲開霧散，天朗氣清。上月的浮雲已經散盡，待之而來是人緣運要好的一個月；故可利用此桃花月多些外出與客戶聯繫，望能利用這個桃花月，讓雙方關係穩定下來。

農曆五月

本月為權力地位提升月，又到上班一族努力的時候了。雖然今年人緣運不佳，間接減弱了升遷的機會，惟本月是你的相合月，人緣運是不錯的；雖然下月也是權力地位提升月，但下月人緣運不佳，是非又恐防較多，故想爭取升遷的話，還是藉此月用力一點為佳，最少成功的機會會比下月為高。

財運 本月為權力地位提升月，這與財運不一定有幫助，尤其從商或自僱的你在爭取行內人

認同時，應酬多了也是正常，加上本月亦適宜多些出席行內的活動，以增加自己的知名度，故本月不難開支會比平常多。

事業 本月為權力地位提升月，這對上班一族的幫助最為直接，因地位提升了，財運一般或多或少都有增長；惟從商或自僱者，本月可能是名惠而利不至的月份，惟做生意是向前看的，受行內的人認同，長遠而言事業必能隨之而上升。

感情 本月是肖狗的相合月，如單身者因上月桃花之助而開展了新感情，本月必能因相合而令雙方關係更進一步；否則，本月也算是一個感情穩定的月份。

身體 本月為肖狗的相合月，健康運仍然是良好的；即使在爭取名氣地位提升及別人認同時，多了出席些公開場合，也不會因此而吃出病來，故本月腸胃健康仍然是可以的。

是非 本月為肖狗的相合月，人緣運雖然沒有上月桃花月那麼好，但仍然是不錯的，這足以讓你能在此月抵擋是非；故本月可放心出席多些公眾場合，無需太過去顧慮是非。

農曆六月

本月為權力地位提升月。上班一族仍然可以爭取升遷，惟本月是你的相刑月，自身是非必然比上兩個月為多，加上本月又是本年的相沖月，整體社會氣氛亦不太和諧，這必然增加了不少阻力；加上本月是非特別多，容易受腸胃問題困擾，故本月宜採取觀望態度，不宜太過着力去爭取，得固然好，失亦算是正常好了。至於從商或自僱者本月亦要低調一點為佳，以免得不到行內人認同，反而惹來一身是非。

財運 大舟行淺水，費力也難前。上班一族本月仍然可以因升遷而令收入有所提升，惟本月並非你的好月份，恐怕容易給是非伴隨，疾病也不會讓你閒着；故本月不宜着力爭取，財運就先不去想好了。

事業 上高樓而後顧，唯恐會失其足。雖然本月仍然是你的權力地位提升月，但因本年你是太歲相刑生肖，本月又是相刑月份，恐防容易惹上是非又不能馬上解決；故本月宜放慢腳步，低調一點，望能不要給是非看上。

感情 本月為肖狗的相刑月。感情方面真的要好好維繫，如果對方又是今年沖犯太歲的生肖，恐防風波更大；本月唯有盡量減少見面，總好過見面時因意見不合而損壞了雙方感情。

身體 本月為腸胃疾病流行月，而肖狗的你也是高危生肖之一，故本月最好盡量少些外出用膳；即使無可避免要外出應酬，也盡量挑些清淡的食物，方能免腸胃之苦。

是非 任守金人口，紛煩無意來。本月你即使不去惹事招非，是非也會上門找你，唯有盡量減少外出應酬，且別人說你壞話時，本月最好先不作回應，一切留待本月過後再行解決好了；亦可在本月西北桃花位放一杯水，東北爭鬥位放粉紅色物件去旺人緣，化是非。

農曆七月

本月為貴人舒服得財月，經過上月的是非風雨後，終於可以換來片刻寧靜，加上本月又是本年的桃花月，整體社會氣氛已經回復平和。且本月又是肖狗的驛馬月，反正工作不太忙碌，可以的話，就去外遊放一個暑假，紓緩一下本年的緊張情緒，因有時迫得自己太緊，反而會影響工作能力，就趁這個貴人舒服懶月放鬆一下好了。

財運 本月為貴人舒服得財月，工作量不大，但下半月財運仍然是不錯的，故上半月可以放鬆一點，享受一下生活；下半月稍為努力一點，投入工作，相信本月財運仍然是可以的。

事業 積德修身，克己利人。本月為貴人舒服得財月，易得貴人扶助，讓事業仍然能夠穩步前進，加上因上月的是非處理得宜，令本月在事業上的阻力亦得以消除，有時太過着緊眼前得失，反而容易得不償失；有時不去計較，反而會有些意外驚喜。

感情 本月為肖狗的遙合月，感情運是相對較穩定的。惟本月並非你的桃花月，單身者能開展到一段新感情的機會不大；但本月是本年的重桃花月，你仍然可以多些外出碰碰運氣，看看能否成為別人的桃花。

身體 浮雲散盡，依舊晴明。上月之腸胃流行疾病月已經過去，本月是你的遙合月，人緣運是較好的；加上並無刑沖，又是貴人舒服懶月，工作壓力也不大，正好給你一個好時機，讓身體回復到正常狀態。

是非 本月是肖狗的遙合月，易有貴人暗中扶助，加上本月又是本年的桃花月，整體社會氣氛亦已經回復平和。即使上月真的惹上是非，來到本月亦都容易迎刃而解；即使多些外出應酬，本月也是反應良好的多，負面的少。

農曆八月

本月為貴人加思想學習投資月，惟在這時作新投資好像不太適宜，然而本月工作量不大，閒時去學習一些興趣班亦無不可。本月是本年的相合月，整體社會氣氛仍然是較平和的，但本月是肖狗的相穿月，一點點小是非在所難免，故本月外出應酬時要謹慎一點，雖然即使惹上是非，本月也不會是嚴重的是非，但如果可以避免的當然避免好了。

財運 本月為貴人舒服懶月，工作量明顯下降，這對收入不穩的從商或自僱者必然產生負面影響，尤其是以件工計算收入者，財運必然隨着工作量下降而有所減少；最佳的是收入穩定的上班一族，收入不會因工作量多寡而有所增減。

事業 淡然常守拙，得失莫縈心。既然是貴人舒服懶月，本月就好好放慢腳步就是了，反正本月為肖狗的相穿月；如果想避免是非，在事業上亦不宜太過進取，故本月一切要守舊為佳，事業運本月就不去着急好了。

感情 本月為肖狗的相穿月，小是小非在所難免，但本年肖狗的你是太歲相刑生肖，感情本來已經容易起波濤，遇上這相穿月，一不小心唯恐事情由小變大就麻煩了；故本月如不能減少見面，唯有告訴自己，盡量要心平氣和。

身體 本月是肖狗的相穿月，身體狀況仍然是可以的；即使有些小恙，也不是腸胃方面的，本月在喉嚨、氣管方面反而要小心一點。

是非 若急若緩，徘徊不前。本月為肖狗的相穿月，自身容易招惹些小是小非，雖然不會有甚麼嚴重影響，但也足以影響情緒，既然這樣，本月就減少外出應酬好了。

農曆九月

本月為辛苦個人力量得財月，經過慵懶的兩個月後，本月要全心投入工作了。惟本月是肖狗的犯太歲月，自身情緒不穩，又是今年的相刑

月，是非特別多，整體社會氣氛亦不太平和，這必然令你更加吃力，甚至乎事倍功半；故本月不要着急爭取成績，只埋首完成手頭工作便可以了。

財運 車轍滿泥沙，轉動多費力。本月雖然是辛苦個人力量得財月，從商或自僱者的財運應該能與上升的工作量成正比，惟本月是肖狗的犯太歲月，恐防因自己情緒問題而影響到成績，加上本月又是本年是非特別多的月份；所以本月只能盡力而為，得失就不要太過上心好了。

事業 欲安未得安，是非幾多般。本午是太歲相刑生肖的你，是非已經比別的生肖為多，再碰上這個自己的犯太歲月，連心情都容易受到壞影響；故本月不要太過着緊事業，就放鬆一點心情，讓此月慢慢流走好了。

感情 本月是肖狗的犯太歲月，今年已經是太歲相刑的你，來到此月，不論公、私事情都恐怕不太順利，故本月在感情上，如果可以的話就盡量忍讓好了。另外，如果可以的話，減少一下見面也是一種方法。

身體 本月是腸胃疾病流行月，而肖狗的你也是高危生肖，加上本月工作忙碌，壓力大增，這也容易加重腸胃負擔；故本月除了要小心飲食外，工作之餘還要盡量放鬆自己。

是非 本月是肖狗的犯太歲月，特別容易因情緒不穩而得罪別人而不自知，加上本月又是本年的相刑月，整體社會氛氛亦不太平和，這必然會增加你招惹是非的機會，故本月可以的話，宜盡量減少外出以趨避是非。

農曆十月

本月是肖狗的辛苦得財月，但情況卻良好很多，因本月是肖狗的桃花月，人緣及貴人之力明顯上升，讓你能在忙碌工作之後，不難獲得應有的回報；即使收入穩定的上班一族，也不會因工作量上升而收入有所增加，但氣氛及工作環境平和了；即使忙碌但也是感覺輕鬆的，而這也算是工作的另一種得着。

財運 辛辛雖嘗苦，勞勞終得甜。本月工作量依然不輕，惟本月是你的桃花月，讓本年太歲相刑的你在本月之是非必能大大減輕，從而可以全心投入工作，爭取更佳成績。

事業 指臂相應，轉折從心。上月因犯太歲月所帶來的是非阻力，來到本月漸漸消散，代之而來的是肖狗的桃花月；雖然只是一個月的桃花，但也能增加你的人緣運，讓事業能夠順利進展，收回上月所失。

感情 犯太歲月終於過去，代之而來的是肖狗的桃花月，這必能讓你好好修復雙方關係。單身者如果想盡快脫離單身，本月亦可以好好把握，因本月是本年的最後一個桃花月；如果把握不利，又要待至明年二月的桃花月了；如果不把握桃花月，你下一個桃花年要待至二〇二三年，重桃花年更要等至二〇二五年蛇年了。

身體 枯苗得雨，勃然而興。犯太歲月終於過去，身體及情緒又回復正常；且本月是你的桃花月，人緣運比上月好得多，連帶心情都輕鬆了不少，這必然能提升你的疾病抵抗能力。

是非 雲開霧散，天朗氣清。上月的浮雲已經散盡，代之而來的是你的桃花月，今年太歲相刑是非特別多的你，也可以借助此桃花月，修補一下各方關係；所以如果這個月多些外出應

酬，結果也會是正面的多，負面的少。

農曆十一月

本月為思想學習投資月，惟年之將盡，加上又是水火互換之年，平命、熱命人的順運快則本年內結束，除非只做一個短期迎接聖誕新年及農曆年的小生意。否則，在此時起步，恐怕不是一個好時機。而寒命人的逆運已經去到接近尾聲，那麼多年都已經過去了，根本無需急在一時，即使有新念頭，也留待明年夏天才去想好了；學習方面，在時間上亦不是一個好時機，這個學習月可能只是在你策劃旅遊時，對世界的認識多了而已。

財運 本月為思想學習投資月，但以上兩者好像都不太適宜，故本月之投資花費，可能是用在聖誕及新年假期而已；即使不外出度假，留在香港也可以發掘一些新事物，這也可以算是學習的一種。

事業 如果已經在從商的你，本月進展是良好的，尤其是夏天出生的熱命人，因運程接近尾聲時一般是最好的時候，就像跑步接近終點的剎那；其次是春天出生的平命人，也應該是有些收穫的；至於秋冬天出生的你，還是準備二〇二二年後另一場比賽開始好了。

感情 本月並無刑沖，亦非桃花月，感情運就一般而已，如果因上月桃花月才開展的新感情，本月要主動努力一點，望能在聖誕新年假期時能加深雙方的了解，看看這段感情是否要走下去。

身體 本月並無刑沖，身體健康狀況回復正常，即使聖誕新年時多了些外出用膳，偶爾夜蒲一下，身體仍然是頂得住的；但當然不可以過量，因肖狗的你始終有着先天性的腸胃毛病。

是非 本月雖然不是你的桃花月，人緣運更一般而已，但本月並無刑沖，亦看不見有甚麼波浪；加上聖誕新年假期在即，每人都忙於清理手頭工作放假去也，都無閒心去興波作浪。

農曆十二月

本月仍然是肖狗的思想學習投資月，惟年之將盡，時機好像比上月還差，倒不如多花些時間去籌備怎樣去度過農曆新年假期好了，因為不管外遊又或者留港去度過你的假期，也都是要預早安排的；加上本月又是你的太歲相刑月，是非特別多，腸胃問題又要小心，故在事業上不宜有任何舉動或改變，就讓它靜寂無聲地過去好了。

財運 本月仍然是開支較多的一個月份，即使不去學習也不作新投資，但農曆年前總有些額外花費是必須的；故本月在財政運用上要謹慎一點，避免因假期過度開支而影響到穩健的財政。

事業 欲進未能進。聖誕新年假期才剛完結，前面又是農曆年假期，故在事業上也無需去籌備甚麼，即使有新計劃，一切也待農曆年假期後再去籌劃好了；加上本月是水氣終結，下個月是木火氣之開始，每個人的運程都在轉折之中，也不宜有甚麼新動作。

感情 本月是肖狗的相刑月，本年是太歲相刑的你，感情運已經不太穩定，來到這個相刑月更要小心，以免在農曆年前突起風波，因而影響到你籌備良久的農曆年假期。

身體 謹飲慎食，謹舟慎車。本年是太歲相刑的你，本月又是相刑月份，一切不穩定因素都會浮現；唯一可做的就是自己小心一點，不論在駕駛上或飲食上都是要注意的。

是非 口舌是非，小人必多。尤幸是假期接假期，每個人都埋首在自己的工作中，都無閒心去惹是生非，讓肖狗的你在本年的最後一個是非月能夠安穩度過；本月過後，牛年太歲相刑影響較大的月份就完全過去了，剩下來的餘氣也不會太嚴重了。

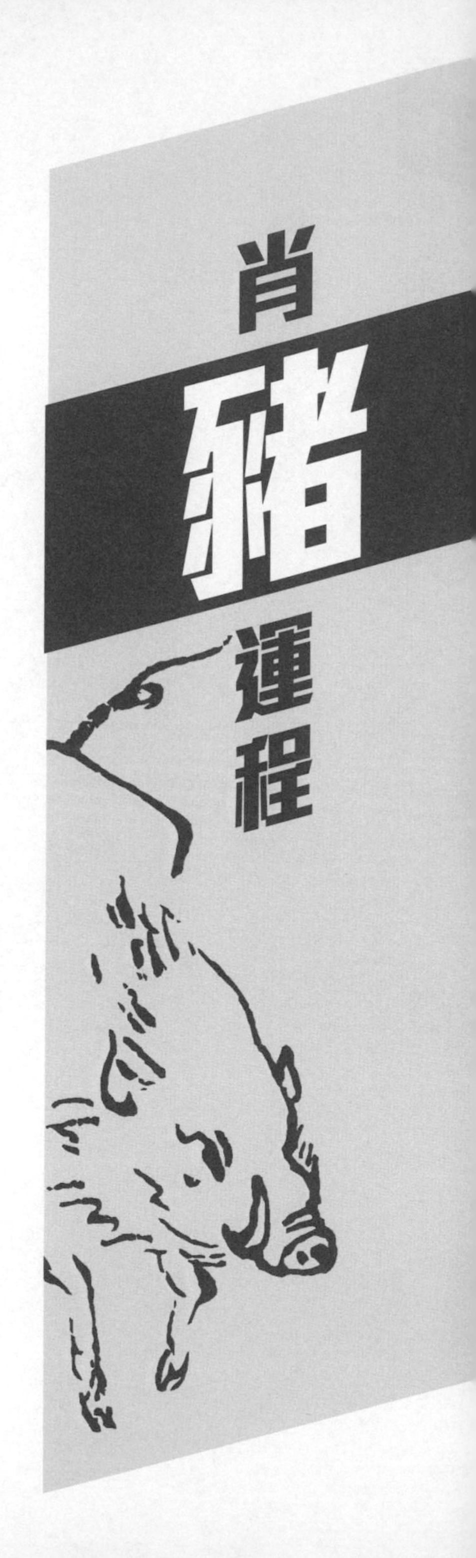

寒命人——出生於西曆八月八日後、三月六日前（即立秋後、驚蟄前）。

熱命人——出生於西曆五月六日後、八月八日前（即立夏後、立秋前）。

平命人——出生於西曆三月六日後、五月六日前（即驚蟄後、立夏前）。

- 一九三五
- 一九四七
- 一九五九
- 一九七一
- 一九八三
- 一九九五
- 二〇〇七
- 二〇一九

肖豬

今年是霧水桃花年，人緣運是不錯的，而今年是遙合年，容易有貴人暗中扶助，加上今年為驛馬生肖，對從事常要接觸外地或要經常出差工作者加倍有利；因驛馬本身無好壞之分，遇好則升遷順動，遇壞則奔波勞碌，故配上今年易得貴人暗中扶助，必然增加順動之利。

今年肖豬為辛苦個人力量得財年，對自僱者加倍有利，尤其是要常外出走動的職業，如設計師、地產代理、保險從業員等，必然能起到更佳作用。當然，其他自僱人士亦必然有利；其次是從商者，工作忙了代表能做得成生意的機率增加；只有收入穩定的上班一族，不能因一時的工作量上升而令收入有所改變。

吉星有「天馬」，即驛馬，故今年變動可能比平常多；即使不是搬屋、轉工，也可能會比平常走動多些，又或者去一個較長遠的深度遊。

凶星有「天狗」、「吊客」，無甚影響，無需理會；故肖豬的你今年吉凶星的影響相對不大，故事事就要靠自己親力親為了。

寒命人 今年為水旺運的最後一年，雖然本年容易得貴人暗中扶助，惟始終在逆運中，恐防貴人有心無力；故本年對事業不要太過寄予厚望，能進則進，不能進則退守好了。

熱命人 今年為水旺運的最後一年，要好好把握這個最後衝刺的機會了，望能在好運的最後一年趕上高峰，讓逆運來時也不至於下降得太快。

平命人 這幾年大水年對你的運程始終也是有幫助的，雖然進展得比別人慢，但也是在順運中，今年也不例外，故平穩的你今年也可以積極一些去盡力爭取。

一九三五年出生的豬——今年為貴人舒服懶年，到了此年紀，慵懶一些也是正常的；雖則這樣，但體力可以的話亦要保持一定的活動。

一九四七年出生的豬—本年為權力地位提升年，但年近八旬的你，即使仍在從商，但這年紀能再進一步的機會始終不大；可能只是家裏添了小成員令你的輩份提升了，又或者更受晚輩尊重而已。

一九五九年出生的豬—今年為財運年，各個肖豬者當中以你財運最佳，尤其是收入不穩的從商或自僱者更可努力爭取；在順運中的平命、熱命人必然能因此而得到好處，即使在逆運中的寒命人或多或少也能受惠。

一九七一年出生的豬—今年為思想學習投資年，踏入五旬的你，今年可能是最後一個轉變機會了。如果想作新投資發展，五十歲雖然好像有點太遲，但真的很想變的話，春夏天出世的平命、熱命人宜在今年開始；秋冬天出生的寒命人今年只宜籌劃，留待明年才開始實行。

一九八三年出生的豬—今年為辛苦個人力量得財年，這對收入不穩的自僱一族最能直接受惠，因收入必然跟隨工作量上升而相應增加；其次是從商的你，而收入穩定的上班一族，今年可能只是徒添忙碌而已。

一九九五年出生的豬—今年為貴人舒服懶年，踏進二十六歲的你，可以的話就放慢一下腳步，到國外遊歷，看看世界不同的狀況及民情、生活，這必能開啟你的眼界，對日後的工作與路向，說不定能給你帶來啟發。

二〇〇七年出生的豬—今年為權力地位提升年，才踏入十四歲的你可能在一些課外活動得獎，又或者去外國讀書，要學懂自己照顧自己而已。

二〇一九年出生的豬—今年為財運年，惟踏進兩歲的你，對錢財未有概念，可能只是父母花在你身上的金錢多了而已，而這些你是不會察覺到的。

財運 本年為辛苦個人力量得財年，對從事件工計算的自僱一族，這必然是正面的，因收入必然因工作量上升而有所增加；其次是從商的你，因工作忙了，接觸客戶的時間多了，間接能做成生意的機率必然增加；惟上班一族不會因一時的工作量上升而令收入有所增加，故本年在財運上難有突破。

事業 大舟行淺水，費力可行前。本年為辛苦個人力量得財年，這對從商或自僱者而言，事業應該是有進展的訊號，惟這對春夏大出生的平命、熱命人來說可能較為確切；因秋冬天出生的你，運程始終仍未能踏上上升軌跡，故本年不要對事業太過寄予厚望。

感情 本年是肖豬的遙合年，感情運仍然是穩定的，尤其是去年霧水桃花，如果能延續至今年，便有機會成為真桃花。否則，今年新桃花可能無望了，因今年並非肖豬的桃花年，故今年只有利於舊桃花的穩定感情。

身體 本年並無刑沖，亦無疾病損傷星，故身體狀況仍然是良好的，即使今年工作量大了，體力仍然是應付得來，讓收入不穩的你可以全心投入工作，也不必怕因此而病倒。但當然，即使身體怎樣良好，工作之餘也是要有適當休息的。

是非 本年雖然並非你的桃花年，人緣運不及去年的好，但今年你是遙合生肖，容易有貴人暗中扶助。或許，貴人的力量不是很大，但這也足夠讓你減免是非，即在忙碌工作後相約三數朋友外出或與客戶傾談，也不怕因此而惹上是非。

農曆一月

本月為貴人舒服懶月。農曆年假才剛完結，人仍未能回復十足狀態，加上新春期間必然會多些應酬，這也必然減慢了工作的進度，但今年忙碌的你，也無需急在一時，就藉此貴人舒服懶月，多些相約客戶傾談，打好關係，這必然有助你的全年佈局。

財運 本月為貴人舒服懶月。工作量不大，加上農曆年假才剛過去，很多公司仍未十足投入運作，即使想急也急不來；加上本月又是本年的桃花月、肖豬的相合月，不論整體社會氣氛又或者是肖豬的人緣運都是良好的，倒不如趁着這麼空閒多些相約客戶、朋友閒談好了，說不定閒談之間給你找到良好的商機。

事業 寧學子牙釣渭水，莫效相如過秦邦。本月既然是貴人舒服懶月，一切就以平靜為佳，一年才剛開始，也不用着急於一時，不如藉此空閒月份，籌備一下今年的攻守好了。春夏天出生的平命、熱命人，要好好計劃怎樣在水旺運的最後一年，如何能夠爭取最佳成績；而秋冬天出生的你，當然是要計劃怎樣可以力保不失。

感情 本月是本年的桃花月，又是肖豬的相合月，既然工作量不大，多些相約另一半外出也是一個好選擇；尤其是去年才開展的新感情，這樣必然有助將感情穩定下來。

身體 平地過江江無浪，渡水行舟舟安然。本月是肖豬的相合月，突然遇上意外損傷的機會不大，加上工作量不大，人又剛從假期回來，身心都回復正常狀態，本月健康運是良好的。

是非 本月是本年的桃花月，整體社會氣氛良好，加上又是肖豬的相合月，自身人緣運也不錯；本月即使花多了時間外出應酬，或接觸多些陌生人，都不難給予人良好的印象。

農曆二月

本月為貴人舒服懶月，工作量仍未回復正常，讓你仍有多一點時間去處理一下私人事務；加上月底是復活節假期，既然工作不是太過忙碌，不妨安排一下假期去外遊好了；又本月是肖豬的相合月，自身的人緣運仍然是不錯的，這必能有助你能夠度過一個愉快的假期。

財運 夢裏打拳空費力，水中撈月事皆空。本月既然是貴人舒服懶月，財運就先不去着緊好了，即使假期無打算外遊，亦可藉此空閒的月份多些相約客戶傾談，了解一下客戶所需；惟不論外遊又或者多些外出應酬，總會有些額外花費，故本月在財政開支上可能會多些。

事業 得意之中防有失，發財路上恐非時。本月仍然是貴人舒服懶月，這代表事業有機會停滯不前，其實無論在順運或者逆運中，事業都是會有些得失進退，不會在線上直上或直落；所以遇上事業慢下來時，首要是調整心態，不要為一、兩個月的得失太過着緊。

感情 本月仍然是肖豬的相合月，感情運仍然是穩固的，這必能讓你與另一半可以愉快地度過一個復活節假期；然而本月並非桃花月，對單身者幫助不大；惟下月是肖豬的桃花月，單身者又可以積極一點了。

身體 本月仍然是肖豬的相合月，遇上意外損傷的機會不大；加上工作並不忙碌，又遇上復活節假期，即使不去外遊，也容易感受到節日的熱鬧氣氛，故本月肖豬的你健康運是良好的。

是非 本月是貴人舒服懶月，工作量不大，人緣運亦佳；故在這個空閒的月份，多些相約朋友、客戶外出，聯絡一下感情，是非常合適的，更不會因此而惹上是非，就享受一下這個人緣要好的月份好了。

農曆三月

本月為辛苦個人力量得財月，經過慵懶的兩個月後，本月終於要全力投入工作了，尤其是收入不穩的從商或自僱者，這個月是好消息，因收入可以跟隨工作量上升而增加，這代表本月事業有不錯的進展。上班一族收入雖然不會因一時工作量改變而有所增加，惟本月是肖豬的暗中權力提升月，雖然職位無變，但能得到老闆、上司更為重用，也算是有所交代了。

財運 身勞心逸，忙不覺苦。本月工作量雖然突然增加，但平常辛勞的你不需一會兒便適應了；加上本月是肖豬的桃花月，人緣運比上兩個月都好；且財運又從上升的工作量而有所增加，本月雖然忙碌但心情卻是愉快的。

事業 策謀用心處，料得不徒然。本月為辛苦得財月，工作量雖然大增，付出的心力當然也隨之而上升，雖本月事業進展良好，但這忙碌是有回報的；加上本月又是肖豬的桃花月，人緣、貴人之助力亦能讓你更容易達到目標。

感情 本月為肖豬的桃花月，除了對已有穩定感情者有幫助外，單身者更可以好好把握這桃花月，多些外出，看看能否因一個月的桃花而令你能脫離單身行列。

身體 本月並無刑沖，加上又是肖豬的桃花月，工作量即使增多，但心情仍然是愉快的；心情好了，工作能力自然相應提升，且有愈忙愈起勁之象，而身體方面更看不到有任何問題。

是非 入山樵童引，得地又得時。本月為肖豬的桃花月，自身的人緣運比很多生肖為佳，雖然本月整體社會氣氛平平，但這對肖豬的你並無影響；即使在忙碌工作時，與客戶接觸的機會多了，也不會因此而生出是非來。

農曆四月

本月為辛苦個人力量得財月，依然對收入不穩的從商或自僱者最為有利，收入依然可以從上升的工作量而增加；惟本月是肖豬的相沖月，人緣運不可與上月的桃花月同日而語，本月是非必然比上月多，讓你在努力爭取時增添了不少阻力。而上班一族，除了要應付忙碌的工作外，亦要額外花時間去提防別人刻意去引發的是非，可以的話，在辦工地方，自己的座位範圍內的東南方，即本月桃花位放一杯水，西北爭鬥位放粉紅色物件去旺人緣，化是非。

財運 我且盡其力，厚薄隨其緣。本月雖然仍然是辛苦個人力量得財月，收入不穩的從商或自僱的你仍然可以努力爭取，讓財運也能相應上升；惟本月是肖豬的相沖月，是非必然比平常多；故本月只宜埋首工作，閒事莫理，且對財運也不要太過着緊，望能減免是非。

事業 但得小利足，不辭辛苦多。雖然本月事業運仍然隨着工作量上升而在進展中，尤其是收入與工作量掛鈎的自僱一族；惟本月是你的相沖月，阻力必然比平常多，可能要付出雙倍的努力才能獲得與上月相同的業績。

感情 本月為肖豬的相沖月，連帶感情運都要加倍小心，舊有的感情還好，不會因一個相沖月而受到大影響；惟在上月桃花月才開展的新感情，本來就不穩固，來到此月恐怕不易維持。

身體 本月是肖豬的相沖月，要謹舟慎車，提防足、股、面、齒之傷；雖然肖豬的你今年並無刑沖，亦無損傷星，突然遇上意外損傷的機會不大，但既然知道本月相沖，還是要小心一點為佳。

是非 口舌是非，小人必多。雖然肖豬的你今年並非是非生肖，也無小人是非星，但每年來到這個相沖月，也是要小心一點為佳；故本月宜減少外出應酬，努力埋首於自己的工作好了，這也必能減免是非。

農曆五月

本月為思想學習投資月。學習進修方面，不管何時都是適宜的，尤其是上班一族，不時要為自己增值，才不致被社會淘汰。投資方面，即使在順運中的平命、熱命人，也是要三思的，因為你的旺運快則至今年年底止，又餘下的八個月是否能夠讓生意上軌道，這是很重要的，因為今年不能上軌道，明年以後，遇到的阻力必然較多。而秋冬天出生的寒命人，今年一定不適宜去做新投資，一切計劃，待明年才去想好了。

財運 本月為思想學習投資月，不論學習或投資，或多或少都需要些額外花費的，學習還好，因學費是固定的；投資則不然，因投資開展以後，必然有很多意想不到的額外花費，故本月在財政上要好好處理。

事業 欲左欲右，心中不定。本月為思想學習投資月，如不學習，也無新投資，有時這樣思想會無所歸而容易胡思亂想；故本月要令自己忙一些，這樣可以令情緒穩定一些，對事業間接也是有幫助的。

感情 本月是肖豬的暗合月，感情運又回歸穩定；即使本月容易情緒不穩，但這對感情影響

不大，反而在見面時能夠給你多點安慰，讓情緒能夠穩定下來。

身體 此際還是橋樑，橋樑最費思量。本月在動與靜之間會互相衝突，至令思想不穩，因而容易引致失眠；如真的發生這個問題但又沒有方法讓不安的情緒穩定些，除了多做運動讓自己攰一些，容易睡眠外，睡前一、兩個小時喝少量葡萄酒也是有助入眠的。

是非 本月是肖豬的暗合月，上月要提防的是非已不復存在，待之而來的只是自己的情緒問題，只要穩定好自己的情緒，本月是非是不多的。

農曆六月

本月為思想學習投資月，平命、熱命人本月要決定了，是攻是守，都要給自己一個答案。而給自己答案前，首先要考慮一下自己是一個怎樣的人，喜歡穩定？能否承受風險？又或者喜歡常變動的類型，便可給自己一個答案，自己性格是否適合從商？已經在商場上的你當然不用考慮這些。學習方面，不一定要進修一些與工作有關的學科，有時去學習一些自己有興趣的，即使不能帶來金錢，但最少也能為你帶來樂趣。

財運 依然是思想學習投資月，故本月仍有可能有多些額外花費，雖然本月為暗中權力提升月，從商或自僱者可能在行內多了人認識；上班一族可能要管的事情多了，受公司重用了，但這不會馬上為你帶來收益。

事業 事當成處還防變，天到晴時瞬轉陰。平命、熱命人在這兩個月雖然運程在上升軌跡中，惟本年社會經濟是先升後跌之局；故除了看本身運氣吉凶外，社會的整體經濟之順逆亦要注意的。故從商或自僱者要好好留意外面的形勢。

感情 本月為肖豬的遙合月，感情運仍然是穩定的；但因本月是本年的沖太歲月，如果另一半剛好是本年沖犯太歲的生肖，那就要對對方多些忍讓了，因本月是他們情緒不太穩定的月份。

身體 本月為腸胃疾病流行高危月，雖然對肖豬的你影響不大，但外出用膳時仍然是要較為小心，因總會遇上今年沖犯太歲的生肖，一不小心，唯恐惹來腸胃之疾；而駕駛者在本月亦要格外留神。

是非 本月是本年的沖太歲月，外間的風雨較多，這雖然與肖豬的你並無關係，因本月自身的人緣運仍然是不錯的；惟外出諮詢別人意見時也要格外留神，遇上今年沖犯太歲的同事、朋友向你吐苦水，也記着做一個聆聽者好了。

農曆七月

本月為肖豬的財運月，收入不穩的你又可以努力了。雖然本月是肖豬的太歲相穿月，容易被一些小是非纏繞，但整體來說，仍然是有進展的；加上本月是本年的桃花月，這對肖豬的你亦能帶來正面作用，讓你能在平和的環境下工作，自己的一點點小是非也容易迎刃而解。

財運 財似霏霏雨，還需努力追。雖然本月是你的財運月，但始終也是月令相穿，是非比較多的月份，故在積極爭取時不要盲目冒進，以免爭取財運時亦爭來滿盤是非。而上班一族收入穩定的你，反正收入也不會改變，故放慢一點腳步，以避是非才是上策。

事業 五月天忽晴忽雨，東風吹雨亦吹晴。本

月雖然是本年的桃花月，整體社會氣氛較上月融和得多；惟本月是你的相穿月，自身容易招惹是非，故本月不難貴人與小人同時而至，那唯有多近貴人、疏遠小人，望事業仍然可以慢步前進。

感情 本月為肖豬的相穿月，自身感情亦容易出現小風波；惟相穿的影響力較為輕微，最多只是一點點小的意見不合而已，不會嚴重影響到雙方關係。

身體 申亥相穿。除了家裏容易不安外，腎、膀胱、泌尿系統亦要小心；尤其是女性的豬，本月生冷、冰凍之物要少沾為妙，以免因貪吃而苦了身體。

是非 環境不惡而身心欠安。本月外來的壞影響不大，因本月始終是本年的重桃花月，整體社會氣氛是不錯的；惟本月是你的相穿月，容易有些心緒不寧，亦容易因此而招惹是非，那唯有盡量減少外出應酬好了。

農曆八月

本月為肖豬的財運月，雖然並無桃花，亦非相合月，人緣運一般而已，惟比起上月，本月算是好多了，最少不用顧慮小人是非，可以全力爭取更好成績，尤其是從商者，財運月對你來得最為直接，容易從生意中獲取利潤；其次是自僱的你，也能因財運月而令收入有所裨益。

財運 雖然這兩個月是你的財運月，但對收入穩定的上班一族其實沒有分別，因工資不會因此而增多，亦不會有所減少，那唯有多買些彩票，看看能否給你帶來些意外收益。

事業 重新邁步履，生計覓前途。是非月已經過去，可以在這財運月加大力度，尤其是收入不穩的從商或自僱者，財運月亦可間接代表事業進展良好，故本月的努力不難獲得應有回報；即使是收入穩定的上班一族，本月亦必然比上月太歲相穿是非月為佳，最少在工作上不用提防太多，可全力以赴做好自己手頭工作。

感情 本月並無刑沖，亦非桃花相合月，感情運無甚麼要注意的；惟與上月相比，本月明顯穩定得多，讓你可以無風無浪地去享受一下平和的生活。

身體 本月並無刑沖，亦非桃花相合月，身體不怕受外來影響，就盡量做好自己好了。本月身體健康運就如你平常一樣，健康的你無甚麼要擔心；平常健康運一般的你本月亦見不到有甚麼幫助。

是非 雖有浮雲掩月，五更雲散復明。上月之烏雲已經完全去掉，本月雖然並非肖豬的桃花月，人緣運亦一般而已，但最少本月並無刑沖；即使多了外出應酬，也不用刻意去提防小人是非。

農曆九月

本月為權力地位提升月，又到上班一族努力爭取的時候了，加上本月是肖豬的桃花月，人緣運明顯轉佳，這必然有助你爭取成功；因人緣好了，代表別人對你的觀感提升，如果來自相同實力的競爭，別人對你的觀感亦可以是成敗的因素。而從商或自僱者亦可藉此桃花及權力地位提升月多些參與行內或慈善活動，讓你的名聲在行內提升，長遠而言，必能對事業財運起到正面作用。

財運 本月為權力地位提升月，與財運無直接關係，除非上班一族能在本月升遷，否則本月

財運是不會有所改變；而從商或自僱的你，在爭取別人認同時，可能還有些額外花費，故本月不難是開支較多的一個月份。

事業 有梯有板，高樓直上不難。本月為肖豬的權力地位提升月，雖然可能只是名患而利不至，但打好在行內的個人名聲，不論對上班、自僱，又或者是從商的你而言，長遠都總是有幫助的；加上本月又是你的桃花月，能增加你在公事上別人對你的正面觀感。

感情 本月為肖豬的桃花月，已有固定感情者，本月有利將感情更加穩定下來；單身者亦可藉此重桃花月多些外出，看看能否因月令桃花而為你帶出一段感情來。

身體 本月為本年的腸胃疾病高危月，惟肖豬的你並無影響；但外出用膳時也是要小心一些為佳，因為外出吃飯總會碰上今年沖犯太歲的生肖，如不小心恐怕會受到牽連。

是非 桃花月，人緣好、是非自然遠離。加上本月是肖豬的遙合月，容易有遠方貴人扶助，而配上這重桃花月，必能讓人緣與貴人運大大提升，小人想惹是招非也找不到門路。

農曆十月

本月為權力地位提升月，惟又是肖豬的犯太歲月，每年到此月都要提醒你小心受到負面情緒影響，但因肖豬的你今年並無刑沖，單單遇上一個犯太歲月應該影響不大；惟在爭取升遷時便要低調一點，以免爭取不到惹來滿身是非。從商或自僱者本月雖然是爭取名氣地位及行內人認同的月份，但因本月始終是你的犯太歲月，故也不宜高調行事，本月就把所有腳步放慢一點好了。

財運 本月是權力地位提升月，上班一族除非在上月已落實了升遷；否則，本月財運是看不見有任何突破的，從商或自僱者亦然，加上本月為肖豬的犯太歲月，不適宜太過高調行事，如果可以的話，就花點錢去外遊散心好了，這樣必然能沖散受犯太歲月的壞影響。

事業 守謙免損，知足不辱。本月始終是你的犯太歲月，不宜太過積極去爭取別人認同，以免爭取不到卻換來滿身是非；故本月在事業上宜放慢一點腳步，讓此月慢慢流逝好了。

感情 雖然本月是肖豬的犯太歲月，但今年是太歲遙合的你，整體感情運算是穩定的，不會因小小的一個犯太歲月而影響到雙方關係；時間許可的話，本月還可以放一個短假期，外遊散心，增進一下雙方感情。

身體 本月為肖豬的犯太歲月，雖然影響不大，但駕駛者仍然是要小心一點為上；又本月容易因情緒不穩而影響睡眠質素，如果真的是睡前胡思亂想而不能入眠的話，可以先看點消閒書籍又或者喝小量葡萄酒，這樣都是有助入眠的。

是非 瑕瑜不掩，從慎為佳。本月宜低調一點，就減少些外出應酬好了；雖然本年肖豬的你容易有遠方貴人扶助，但此月始終是你的犯太歲月，容易招惹小人是非，那就減少外出應酬以避是非好了。

農曆十一月

本月為辛苦加貴人舒服懶月，上半月工作量不大，仍然可以悠閒地過日子，下半月工作量忽然增多，讓你有些兒措手不及；加上面對聖誕假期，下半月的工作日子其實不多，這必然會令工作更加緊迫，尤幸本月是肖豬的霧水桃花月，人但駕駛者仍然是要小心一點為上；又本月容易緣運比上月好得多，這讓你在忙碌時不用分神去提防小人是非。

財運 先懶後勤，數該如此。上半月工作量不大，收入應該沒有甚麼突破；唯有集中努力於下半月，望能追回上半月之所失，不至於在假期時要緊縮開支，讓假期的興味減少。

事業 逆水行舟，且前且後。上半月事業好像沒有甚麼突破，下半月卻突然間忙起來，在進退之間有些兒措手不及。如不早作心理準備，真的是不容易應付過來，還好，聖誕假期過後，還有一個新年假期，足以令你在假期中恢復過來，儲足精力去應付農曆年前的工作。

感情 本月為霧水桃花月，這桃花對人緣所起的作用有時比男女關係的作用還大，因這桃花能讓別人對你的觀感提升；又霧水桃花亦代表容易與相識的人突然走在一起，惟這是易聚易散的不穩定關係而已。

身體 犯太歲月已經過去，代之而來的是霧水桃花月，人緣明顯比上月佳；本月下半月工作量雖然增加，但健康狀況仍然是理想的，這讓你可以好好享受你的聖誕新年假期而不受健康所困擾。

是非 上月之烏雲已經散掉，代之而來的是好的桃花人緣月；既然上半月工作量不大，就抽多些時間相約客戶、朋友外出，打一下人際關係好了。

農曆十二月

本月為貴人舒服得財加暗中權力地位提升月，聖誕新年假期回來，工作量並沒有大幅增加，讓你在工作之餘，可以騰出更多時間去處理私人事務，且農曆新年在即，不論外出旅遊又或者留港度歲，都是要早一點安排的。加上本月又是本年的犯太歲月，整體社會氣氛可能會較沉着；故本月亦不適宜去積極爭取，就悠悠閒閒地度過這一個月好了。

財運 農曆年臨近，很多行業都在旺季中，惟肖豬的你本月是舒服懶月，故工作量並無特別增加；收入不穩的從商或自僱者可能在年底前不會有甚麼突破，故財運亦無相應上升。

事業 本月為暗中權力提升月，惟這只代表要管的事情多了，責任大了，職位卻沒有因此而上升，故本月在事業運上不算有甚麼突破。加上本月是本年的犯太歲月，唯恐外間較多風雨，肖豬的你還是要獨善其身為上；加上年之將盡，宜放慢腳步讓這年悄悄過渡好了。

感情 本月為肖豬的遙合月，自身的感情運是穩定的，惟對方剛好是今年沖犯太歲生肖的話，那就要多加注意了；而唯一可做的就是多一點聆聽，相伴在側，望不致於影響到農曆年假期。

身體 本月為本年的腸胃疾病流行月，交通意外亦恐較為頻繁，這雖然與肖豬的你並無影響，惟在飲食及駕駛之時也是要小心一點為上；因同枱吃飯或駕車在外，總會碰上今年沖犯太歲的生肖，怕一不留神會被牽連上。

是非 木雕猛虎當門立，縱不傷人也吃驚。本月為本年的犯太歲月，亦是整年社會氣氛最沉着的月份；可以的話，本月盡量減少應酬，亦不要出席太多公眾場合，望外間的風雨不致飄到自己身上。

肖鼠運程

- 一九三六
- 一九四八
- 一九六〇
- 一九七二
- 一九八四
- 一九九六
- 二〇〇八
- 二〇二〇

寒命人——出生於西曆八月八日後、三月六日前（即立秋後、驚蟄前）。

熱命人——出生於西曆五月六日後、八月八日前（即立夏後、立秋前）。

平命人——出生於西曆三月六日後、五月六日前（即驚蟄後、立夏前）。

肖鼠的你去年為犯太歲生肖，容易出現悲觀負面情緒，如無喜事去擋的話，這負面情緒有時會延續到今年夏季止；故在春季時仍然要提醒自己，思想盡量要正面一點，又或者整個春季就甚麼都不要計劃好了。

肖鼠今年為太歲相合年，雖然沒有桃花年人緣那麼好，但仍然會比去年好得多，各樣事情亦相對會較穩定。畢竟，如果要轉變的，去年鼠年已經變了，故來到牛年，不管住屋、感情又或者工作都會較為穩定。

肖鼠今年為辛苦個人力量得財年，最受惠的是以件工計算的自僱一族，因收入必然會因工作量上升而相應增加；其次是從商的你，因工作忙碌了可代表接觸客戶的機會大了，這對促成生意亦起到正面作用；惟收入穩定的上班一族，不會因一年的工作量多寡而令收入有所改變，故本年可能只是空自忙碌而已，但雖如此，亦必然會比去年犯太歲為佳，最少心情不會受到負面影響。

吉星有「陌越」，有助地位提升，今年只有一九三六及一九九六年出生的鼠易見升遷，惟一個年紀太大，另一個則太年輕，能升遷的機會不大。只有九六年出生的鼠有一點機會。

「歲合」、「玉堂」，貴人星，易得貴人扶助，加上本年又是肖鼠的相合年，整體人緣運已經不錯，故此兩顆星算是錦上添花。

凶星有「孤虛」，心情常覺孤獨、不開朗；尤幸本年是太歲相合年，人緣運良好，故感覺沉悶時可約些朋友外出消遣散心，相信朋友都樂意相伴的。

「病符」，小疾病；惟肖鼠的你今年並無刑沖，身體狀況是正常的，但是平常體質不佳的你，今年仍然是要小心的。

寒命人 今年為水旺運的最後一年，生於秋冬天的你仍然是要以守舊為佳，惟本年是你的相合年，總的來說不論人緣及情緒上必然比去年為佳；但如果想要進攻的話，仍然要待至二〇二二年夏季為佳。

熱命人 本年仍然是水旺運之年，如果去年因犯太歲影響而令腳步慢下來，今年可以重新邁進，必能獲得比去年要好的成績，加上本年易得貴人扶助，必然能令你的事業順利進展。

平命人 一生較平穩的你比較容易受到外來影響而令事業受到牽連，由於去年犯太歲，再加上疫情關係，必然令你的事業停滯下來；而今年為肖鼠的相合年，人緣運轉佳，必然能令你的事業有所提升。

一九三六年出生的鼠—今年為權力地位提升年，惟年逾八旬的你，地位能再提升的機會始終不大，可能只是更受晚輩尊重，又或者是家裏添了小成員而令你的輩份提升而已。

一九四八年出生的鼠—今年為財運年，但除非是從商又或永不言退的自僱一族；否則，在這年紀財運再能提升的機會始終不大；又或者是晚輩多給些零用錢；或固有的投資有意外的收益而已。

一九六〇年出生的鼠—今年為思想學習投資年，學習進修方面，不論任何年齡都是適合的，這樣才不會與社會脫節。投資方面，尤其是剛退休的上班一族，真的要三思而行，因春夏天出生的你在二〇二二年後運程會慢下來；而秋冬天出生的你，今年運程可能不太順利，這當然也不適合作新投資。

一九七二年出生的鼠—今年為辛苦個人力量得財年，各個肖鼠者以你最為忙碌，這對收入不穩的自僱一族必然能帶來直接好處，收入必然能因工作量上升而有所增加；其次是從商一族，惟上班一族卻不會因工作量上升而收入有所增加，可能只是徒添忙碌而已。

一九八四年出生的鼠—今年為貴人舒服懶年，開始步入中年的你，是時候停一停、想一想，到底是想留在原地，還是想作一些新挑戰，甚至改變行業，在這年紀細想一下也是適合的時機。

一九九六年出生的鼠—今年為權力地位提升年，已在職場上的你今年可以努力爭取升遷，望能跨上一步；又或者是剛完成學業的你開始踏足社會，一嘗自力更生的滋味，這也算是地位提升的一種。

二〇〇八年出生的鼠—今年為財運年，才踏進十三歲的你懂得搵錢的機會可說是微乎其微，可能只是父母多給些零用錢，讓你學懂一下理財而已。

二〇二〇年出生的鼠—今年為思想學習年，踏進一歲的你，必然對任何事情都有着好奇心，而這也算是一個學習的過程。

財運 本年為辛苦個人力量得財年，對收入不穩的從商或自僱者最為有利，因這代表財運容易因此而相應增加；惟收入穩定的上班一族，不會因一時之工作量上升而令收入有所增加，故上班一族今年只是徒添辛勞而已。

事業 本年為辛苦個人力量得財年，事業運必然能承着工作量上升而有不錯的進展；加上本年是肖鼠的相合年，擺脫了去年犯太歲的影響，平命、熱命人故然能夠加速其事業進展；即使在逆運中的寒命人，事業也必然比去年犯太歲好得多；即使沒有進展，但最少不必面對自己的情緒及外間的小人是非。

感情 去年犯太歲的你，正是一喜擋三災，無

喜心情壞的時候。如果在去年已經結婚、產子或正在懷孕中，來到本年沒甚麼需要特別注意的；但如果因去年犯太歲而分了手的話，那唯有快些收拾心情，雖然今年並非肖鼠的桃花年，但如果想盡快脱離單身的話，亦可以把握今年農曆二月及八月這兩個桃花月。

身體 因受去年犯太歲的影響，有時其餘氣會延至今年春季，故農曆新年後仍要提醒自己盡量正面一點；春季過後，健康運是良好的，即使有「病符」星，但肖鼠的你今年並無刑沖，突然遇上意外損傷的機會不大，加上又擺脱了犯太歲所帶來的情緒問題，故今年健康運應該是良好的。

是非 去年犯太歲所帶來的餘氣，最多延至夏季便終止，故今年只要春季稍為要提防一下是非，夏季以後，整年下來，人緣還應該是不錯的；因除了有「歲合」及「玉堂」兩顆貴人星之外，今年各樣事情都會相對較穩定，無故惹上是非的機會亦大大減少，就好好利用這個人緣要好的年份好了。

農曆一月

本月為貴人舒服懶月，去年的犯太歲餘氣仍在，本月亦宜放慢腳步。可以的話，這個農曆年就放一個悠長假期，這亦能沖散犯太歲餘氣的影響，讓你早點擺脱悲觀負面情緒；加上每年農曆一月都是你的驛馬月，而本年一月更是本年的重桃花月，整體社會氣氛也是融和的；即使不外出旅遊，亦可藉此優閒的月份多些與業務有關的公司串門，打好關係，讓這兩個月過後可以全力衝刺。

財運 春回寒谷暖，萬物自生輝。雖然本月財運能有進展的機會不大，惟犯太歲的負面影響漸遠離，心情也逐漸輕鬆起來；加上本月又是本年的桃花月，外間亦算是平和的，故本月財運雖然沒有突破，但感覺仍然是不錯的。

事業 本月既然是貴人舒服懶月，在事業上就不要太過進取了，倒不如藉此貴人月，多些外出與各方打好關係，待時機到來時，必然能讓事業加速發展；而且本月是本年的桃花月，良好的社會氣氛，必然有助你與各方打好關係。

感情 犯太歲年才剛完結，是分是合，又或者是懷孕，添丁，相信都已經有了明確答案；故本月在感情上亦無需特別要去注意甚麼，就照現狀維持下去好了。

身體 雖然犯太歲的餘氣仍在，惟對身體、情緒及容易遇上損傷意外的月份已不會復來，而這餘氣只是一點點悲觀情緒的餘氣而已，可以無需特別理會。

是非 雖然犯太歲的餘氣仍在，惟本月並非你的是非月，又加上本月是本年的桃花月，社會氣氛是融洽的；即使農曆年後要出席多些關於業務上的應酬，但也無需刻意去提防是非。

農曆二月

本月為貴人舒服得財月，情況比上月為佳，因本月為肖鼠的桃花月，人緣佳，必然能加快速度免受負面情緒影響，如果去年因犯太歲的關係結束了舊感情，今年更要積極面對；如果想盡快脫離單身的話，亦可藉此桃花月多些外出，碰碰運氣。肖鼠的你下一個重桃花年要待至二〇二三年，故只可以把握這兩年桃花的月份了。

財運 財如春草，不見其生，日有所長。雖然本月並非肖鼠的財運月，但也能因貴人及桃花人緣之助，而令財運有所進賬，而收入穩定的上班一族，本月財運雖然沒有增加，但本月人緣運好了，心情輕鬆了，這亦算是另類所得吧。

事業 圓月如環用不窮，禍自消除福自隆。犯太歲所帶來的壞影響已逐漸消除，加上本月又是肖鼠的桃花月，人緣運亦佳，這必定能令事業運邁步前進；雖然本月仍然是舒服懶月，但事業運仍然在進展中。

感情 本月為肖鼠的桃花月，除了對固有的感情起到穩固的作用外，對單身者的好處可能更佳。桃花月除了能改善別人對你的觀感外，也可能為你帶來一段新感情；故單身者本月多外出可說是百利而無一害，因不管是人緣也好，又或能給你帶來一段新感情都算是好的結果。

身體 本月雖然是你的桃花月，但又是你的相刑月，皮膚方面容易出現不適，如果平常皮膚已常常敏感的你，本月更要小心注意個人衛生；因仲春二月仍然陰濃濕重，最容易滋生細菌，如不小心皮膚便要受罪了。

是非 貴人與小人同時而至，惟本月的貴人力大，而小人力弱，小人想惹是生非亦無從惹起；故對小人之事可不必放在心上，就藉此桃花月多些外出與各方聯繫好了。

農曆三月

本月為辛苦個人力量得財月，經過兩個舒服懶月後，本月要努力投入工作了。又本月為肖鼠的相合月，人緣運雖然沒有上月桃花月的好，但整體也算是穩定的，讓你全心投入工作時，不用去小心小人是非，這必然對工作效率起到正面幫助；尤其是收入不穩定的從商或自僱者，本月必然能因忙碌的工作量而為你帶來不錯的收益。

財運 本月為辛苦個人力量得財月，工作量忽然大增，惟平常勤力慣的你，沒多久便習慣了；雖然上班一族不會因工作量上升而令收入有所改變，但有時忙一點也是好的，最少也能代表你在公司仍然有不錯的價值。

事業 重新邁步履，生計覓前途。本月為辛苦得財月，肖鼠的你亦已經完全擺脫了受犯太歲年所帶來的壞影響；不論是寒熱平命人，本月開始都可以重新積極投入工作，雖然各人的進展不一，但都總比去年犯太歲為佳。

感情 本月為肖鼠的相合月，感情運是穩定的。雖然本月可能因工作較為忙碌，因而忽略了對方，但此月容易得到對方體諒；但當然，不論工作如何忙碌，有時間的話也是要給對方多作問候的，即使是一個短訊，相信對方仍然是覺得甜蜜的。

身體 本月為腸胃疾病流行月，惟肖鼠的你相信是安好的，因肖鼠先天有着腸胃問題的機會相信不大；故本月只要略略小心飲食，腸胃健康仍然是不錯的。

是非 本月為肖鼠的相合月，人緣運仍然是不錯的，即使不及上月桃花月那麼好，但本月卻穩定得多，不會無端出現變故，更無需要去提防小人是非。

農曆四月

本月為辛苦個人力量得財月，財運比上月更佳；平命、熱命人固然得力於這個大水年，而秋冬天出生的寒命人，也能因夏天一時之火氣而令運程有一些進展，故本月不難對寒熱平命人都能帶來收益。又本月為肖鼠的暗合月，容易有貴人暗中扶助，這必讓你更容易達到心中的目標。

財運 財似霏霏雨，仍需努力追，尤其是仍在逆運中的寒命人，如果想在這個夏季令收益上升，相信要比其他命的人加倍努力才是；又本月上半月較為忙碌，惟收成可能會集中在下半月。

事業 烏集高枝，無煩啄食。本月既然是辛苦得財月，相信工作會令你忙得不可開交，連靜下來細想的時間都沒有，那就甚麼都不用去想，集中精神全力去應付手頭工作好了；所以本月不怕沒有生意上門，就怕你夠不夠時間去完成就是了。

感情 本月是肖鼠的暗合月，心中對對方的感情仍然是緊密，雖然本月可能因工作忙碌，不得不減少見面時間，惟經過去年犯太歲後雙方仍然能夠走在一起，相信已經建立了很好的默契，不會因一時的疏離而影響到雙方關係。

身體 本月並無刑沖，加上又是肖鼠的暗合月，突然遇上意外損傷的機會不大；雖然工作量不輕，惟身心都處於正常狀態，並不會給忙碌的工作壓倒，故本月健康運仍然是不錯的。

是非 雲不遮日，雨不沾身。本月為肖鼠的暗合月，容易有貴人暗中扶助，即使小人在背後說三道四，相信也不容易得逞，惟本月因工作忙碌而沒有時間外出應酬去打關係，是非也自然是埋不了身。

農曆五月

本月為思想學習投資月，又是肖鼠的相沖月，本月可能變化機會比較多，惟秋冬天出生的寒命人，記着可以不變的話，就守在原地好了，因變後可能會更差。相反，春夏天出生的平命、熱命人，今年可以說是最後一個可以進攻的年份了，如果今年不去作改變的話，明年下來便要開始退守了；故今年是最後一個讓你細想的機會，到底是想留在原地，還是要作出改變，這兩個月可能是最後時機了。

財運 本月為思想學習投資月，不論投資或學習進修，都是有些額外花費的；加上本月又是你的相沖月，遷移外出的機會大增，而這亦是要花錢的，故本月是一個花費較多的月份。

事業 應變而變，生機萬千。如果已經在營商的平命、熱命人，相信今月起至年底，運程仍然是可以的，如想擴充事業，這兩個月是有機會的；如果仍是在上班的你，不論想轉工又或者想嘗試學習從商，這兩個月便要好好想定了。相反，秋冬天出生的寒命人，要乖乖地留在原地，待明年入夏後才去想改變好了。

感情 本月是肖鼠的相沖月，感情容易出現不穩；惟今年太歲相合的你，感情運相信是穩定的，不會因一個月的相沖而產生問題，故即使有時意見不合，各自提出自己看法，反而能加深雙方了解。

身體 本月為肖鼠的相沖月，每年到此月你都要小心意外損傷，尤其是駕駛者更要格外留神；惟本年肖鼠的你為太歲相合生肖，遇上嚴重意外損傷的機會不大，故無需過分憂心。

是非 正好待機觀皎月，誰知天上起烏雲。經過人緣要好的三個月後，是非月終於要來臨了；每年農曆五月你都不宜太過多外出應酬，今年也不例外，即使今年是人緣要好的年份，但相沖月趨避一下也是好的。

農曆六月

本月為思想學習投資月，如果想作新嘗試的平命、熱命人，本月要作決定了，惟本月是本年的沖太歲月，整體社會氣氛不太平穩，這必然會增加你的難度；但如果只是想在本年內學習進修，則無懼於這個相沖是非月；畢竟學習進修主要是知識上的吸收，相信在學習過程中誰都不會刻意去製造是非。

財運 賺錢不難也不易，財入錢出付水流。本月下半月容易有暗財，但因本月又是思想學習投資月，容易會有些意想不到的花費；故不難是上半月花費較多，下半月卻可以把花去的錢找回來，令到本月財政得到平衡。

事業 欲左欲右，心中不定。本月是思想學習投資月，又是肖鼠的相穿相害月、本年的沖太歲月，不論自身或外邊的風雨必然比平常多，讓肖鼠的你容易在攻守方面失了方寸；但總而言之，平命、熱命人可以進攻，秋冬天出生的寒命人則切記要以守舊為佳。

感情 本月為肖鼠的相穿相害月，又是本年的沖太歲月，算是今年內感情最不穩定的月份，如果對方剛好又是本年沖犯太歲的生肖，必然容易起波濤，那唯有互相忍讓一下，望此月能安然過渡。

身體 本月是本年的腸胃流行疾病高危月，肖鼠的你也要特別注意飲食；加上肖鼠此月本身腎、膀胱、泌尿系統容易出現問題，故在飲食上要加倍留意，生冷、不潔之物，本月切記少沾。

是非 閉口藏舌，閒事莫理。本月是本年是非較多的月份，肖鼠的你本月亦容易招惹是非，唯一可做的就是盡量減少外出應酬，這也是唯一減免是非的方法；但如果是從事些常要接觸陌生人工作的你，宜在本月西北桃花位放一杯水、東北爭鬥位放粉紅色物件去旺人緣，化是非。

農曆七月

本月為肖鼠的財運月，也是你的相合月，本月人緣又轉歸良好，加上本月又是本年的桃花月，整體社會氣氛亦明顯改善，讓你在這財運月更加容易達到目標。財運月最有利的是從商一族，說不定本月能得貴人之助，讓你接得成一些數目較可觀的訂單，因而賺頭亦明顯增加；其次是自僱一族，也能因財運月而令收入有所上升，只是沒有辛苦得財月般那麼直接而已。

財運 月令帶財，不求自來。本月是你的貴人舒服得財月，無需太過刻意去爭取，事事都容易達到意想不到的目標；惟收入穩定的上班一族，相信未能因這財運月而令收入有所上升，唯有多買些彩票，看看能否給你帶來一點意外收穫。

事業 本月為財運月，且本月又是肖鼠的相合月、本年的桃花月。無論內外都比較和諧，事業自然能平順地邁進；即使收入不會因財運月而有所增加的上班一族，本月也能因貴人之助而令事業進展良好。

感情 本月是你的相合月，上兩個月令到感情不穩定的因素已經完全消除；加上本月工作量並沒有明顯上升，讓你能騰出多一點私人時間，多些相約另一半外出，鞏固雙方關係。

身體 腸胃疾病流行月已經過去，加上本月並無刑沖，工作量也不大，正好讓你可以放鬆一下緬緊的情緒，本月就輕輕鬆鬆優閒地度過好了，無需刻意注意甚麼。

是非 浮雲散盡，依舊晴明。上兩個月之烏雲已經散盡，隨之而來是人緣要好的月份，加上本月又是本年的桃花月，社會氣氛是和諧的；即使多些外出與朋友、客戶傾談，結果也是正面的多，亦不會與陌生人接觸多了而要提防是非。

農曆八月

本月為肖鼠的財運月，又是你的桃花月，人緣運比上月更佳，這必然有助你成功實現個人目標；故本月從商者仍要加倍努力，望能爭取到更佳成績，尤其是春夏天出生的平命、熱命人，如果在今年水旺運的最後一年能達到高峰，則二〇二二年後可以減慢其下降軌跡，更有可能把其運氣延至二〇二五年前止。

財運 眉頭開展，事得施張。本月仍然是肖鼠的財運月，加上桃花之助，必然令你更容易爭取到更佳成績，這對從商或自僱的你，必然能起到直接的正面作用；收入穩定的上班一族雖然工資不會因一個財運月而收入有所改變，但桃花月令你可以在開心、安穩的環境下工作，也算是一種得着。

事業 應如疾風勁草，再接再厲。財運仍然跟隨着你，故本月仍需努力，尤其是從商的你，更適宜積極主動一點；因本月是你的桃花月，即使進取一點也不會惹起別人反感，反而容易讓你達成更佳成績。

感情 本月為肖鼠的桃花月，對已經有穩定感情的你必然能帶來幫助，讓感情進一步穩固下來；而單身者亦可藉此桃花月多些外出，看看能否在本年的最後一個桃花月開展到一段新感情來。

身體 本月並無刑沖，加上又是肖鼠的桃花月，身心狀態也都是良好的；即使因桃花月多了些外出應酬，偶爾晚睡一點，身體健康仍然是可以的。

是非 桃花月，人緣佳，是非自然遠離。加上本年又是肖鼠的相合月，全年的人緣運本來已經是穩定的，再加上桃花月之助，必然能讓你左右逢源；即使多些外出應酬，出席多些公眾活動，給別人的印象都是良好的多。

農曆九月

本月為權力地位提升月，又到上班一族應努力的時候了，如果知道公司想作內部提升而你又有意的話，不妨主動努力一點。雖然肖鼠的你不是權力地位提升年，但努力爭取過，即使不能如願也算盡了力；又一九九六年出生的鼠今年是權力地位提升生肖，各個肖鼠者以你機會最大，踏入二十五歲的你是時候開始發力了。

財運 雖然是權力地位提升月，但財運也不會是立竿見影地增加，故本月在財運上不要太過寄予厚望；惟下半月為暗財月，容易有些意外收穫，惟本月是財來財去月，一點點的財運到手便花光了。

事業 是非雖有，仍有進步。因本月是本年的相刑月，整體社會氣氛不太平和，故本月在爭取之時，言行上亦要小心，方免惹來不必要的是非；從商或自僱者本月原來是名氣地位提升月，惟要趨避是非，本月就不要太過積極好了。

感情 本月肖鼠的你並無刑沖，亦非桃花月，感情運是穩定的；惟對方如果是本年沖犯太歲的生肖，便容易起波濤，唯一可做的就是對對

方多作體諒，這犯太歲月過後，對方的不安情緒便會消除。

身體　本月是本年的腸胃疾病流行月，雖然與肖鼠的你並無直接關係，惟外出用膳時，總會遇上本年沖犯太歲的生肖；本月除了在飲食上要小心外，減少外出用膳亦是一個好方法。

是非　本月為本年是非較多的月份，雖然與肖鼠的你並無直接關係，但如果不想給是非無故沾上的話，本月減少應酬也是一個良好的方法；又或者工作本身常要接觸陌生人，亦可以在本月正南桃花位放一杯水、西南爭鬥位放粉紅色物件去旺人緣，化是非。

農曆十月

本月為肖鼠的權力地位提升月，人緣運亦明顯比上月為佳，整體社會氣氛亦回復平和，這讓你在追求權力地位提升時，少了不少顧忌；上班一族固然可以努力爭取，從商或自僱者本月亦可以多些相約客戶傾談，打好關係，亦可以多些出席行內或者慈善活動，讓更多人認識你，長遠而言，必然能對事業起到正面作用。

財運　本月為權力地位提升月，上班一族除非已經落實升遷；否則，本月財運並不會有所改變。而從商或自僱者本月多了交際應酬，開支必然比平常多，惟下半月工作量增加，這必然對財運起到正面作用，故整個月下來，財運仍然是不錯的。

事業　事事添花錦，榮華自可誇。本月是權力地位名氣提升月，上班一族即使不能馬上落實升遷，但最少也能讓老闆、上司看到你的表現；而從商或自僱者，本年要追回去年所失，本月亦可藉此月把自己的名聲提升。秋冬天出生的寒命人雖然只是名惠而利不至，惟這季過後，便是六年的木火流年開始；長遠而言，必然能帶給你不錯的回報。

感情 本月並無刑沖，亦非桃花相合月，感情容易在靜止狀態，惟其實這才算是常態；因長久的感情很多時每日都是過得平淡如水，但雙方相處時，覺得舒適便可以了。

身體 腸胃流行疾病月已經過去，代之而來的是一個無刑無沖的平穩月份，身體沒甚麼要特別小心；平常健康的仍健康下去，平常體質一般的也沒有幫助，就是一個平常的月份而已。

是非 無是又無非，光陰日影移。本月人緣運並非特別好，惟是非亦無需特別注意，外出應酬時就像平常一樣好了，無需特別討好別人，也不用怕容易招惹是非。

農曆十一月

本月為貴人舒服懶月，上半月的工作突然減慢，而工作量集中於下半月，加上月尾又是聖誕新年假期，故下半月讓你忙得不可開交；惟看見假期就在前面，腎上腺素突然加強，讓你稍為努力用功，便把手頭工作清理掉，然後放假去也；而自僱一族，下半月還可因增加的工作量而令收入有所提升，讓你能過一個較豐裕的聖誕新年假期。

財運 上半月工作量不大，下半月較為忙碌，故整個月下來，只有自僱一族可能有意外收入；收入穩定的上班一族及從商的你，本月財運可能只與往常一樣，沒有甚麼大改變。

事業 先懶後勤，數該如此。既然上半月工作量不大，那就抽多點私人時間去籌備新年及聖誕假期去向好了，因不論外遊或留港消費，也

都是要預早安排的；因為如果上半月不早作安排，下半月工作量增多時，恐怕抽不出時間來處理了。

感情 雖然每年農曆十一月都是你的犯太歲月，惟經過去年犯太歲年後，相信一切都塵埃落定了，故本年這個農曆十一月，在感情上出現問題的機會很小；加上本月又是本年的相合月，即使另一半是本年沖犯太歲的生肖，本月感情運也都是穩定的。

身體 雖然每年農曆十一月都是你的犯太歲月，都要小心駕駛及好好安頓情緒，惟本年你是太歲相合年，一切都比較穩定；即使來到犯太歲月，健康運也都是正常的，就放開心情去享受你的假期好了。

是非 每年農曆十一月都是你的犯太歲月，是非都會比平常多，但經過去年犯太歲年後，這些小是小非都已經不是問題了；加上本月又是本年的相合月，整體社會氣氛相對較為平和，這正好讓你能減免是非。

農曆十二月

本月為貴人加暗中權力提升月，暗中權力提升代表要管的事情多了，責任大了，但職位與工資卻不一定有改變，但也可以說是受公司重用了；對從商或自僱者而言，代表受客人尊重多了，信任度提升了，這間接對事業有推動作用。又本月為本年的犯太歲月，整體社會氣氛有機會較為沉着，故本月不適宜太過進取，剛好又是貴人舒服懶月，就由它悠閒到農曆新年好了。

財運 本月為貴人加暗中權力提升月，對財運來說不是太實惠；故本月財運有意外驚喜的機會不大，故策劃農曆年假期時要有心理準備，不要讓支出成為壓力。

事業 本月為貴人舒服懶月，在事業上就不要太過進取好了，因為時機比努力更為重要，時機到時，事事一蹴而就；時機未到時，再努力也是徒然，故本月宜保持我且盡力，毋問收成的態度去面對為佳，得固然好，失也做足了準備。

感情 本月為肖鼠的相合月，自身的感情運是穩固的，除非另一半剛好是今年沖犯太歲的生肖才要稍為留意，那唯有對對方多作忍讓；如對方並非本年沖犯太歲生肖的話，必能讓你倆度過一個甜蜜的假期。

身體 本月是本年的犯太歲月，社會氣氛可能不太平和，雖然與肖鼠的你並無直接關係，惟情緒是會傳染的；除了情緒外，本月在飲食上亦要特別小心，因本月亦是腸胃疾病流行月。

是非 閉口藏舌，閒事莫理。本月肖鼠的人緣運是良好的，惟本月是本年的犯太歲月，外間怕多風雨，故肖鼠的你亦要減少外出應酬，以免給別人的是非沾上你身；即使有朋友、同事向你吐苦水，也切記要好好做一個聆聽者，切勿參與太多意見。

生肖增加財運方法

生肖	方法
鼠	南面放紅色物件
牛	北面放水
虎	西南面放石頭
兔	東北面放石頭
龍	北面放水
蛇	西面放音樂盒
馬	西面放音樂盒
羊	北面放水
猴	東面放植物
雞	東面放植物
狗	北面放水
豬	南面放紅色物件

生肖增加健康運方法

生肖	方法
鼠	西面放音樂盒
牛	南面放紅色物件
虎	北面放水
兔	北面放水
龍	南面放紅色物件
蛇	東面放植物
馬	東面放植物
羊	南面放紅色物件
猴	西南面放石頭
雞	東北面放石頭
狗	南面放紅色物件
豬	西面放音樂盒

這兩個方法可用於辦公室座位或自己之房間內。

生肖增加桃花人緣運方法

鼠 肖鼠的你，每遇兔年是你的紅鸞桃花年，然每十二年才有一年兔年，所以不是兔年的時候如果想增加自己的桃花運，可以在身上佩戴一兔形飾物或在家中正東方放一個兔形擺設即可。

牛 肖牛的你，每遇虎年是你的紅鸞桃花年，然每十二年才有一年虎年，所以不是虎年的時候如果想增加自己的桃花運，可以在身上佩戴一虎形飾物或在家中東北方放一個虎形擺設即可。

虎 肖虎的你，每遇牛年是你的紅鸞桃花年，然每十二年才有一年牛年，所以不是牛年的時候如果想增加自己的桃花運，可以在身上佩戴一牛形飾物或在家中東北方放一個牛形擺設即可。

兔 肖兔的你，每遇鼠年是你的紅鸞桃花年，然每十二年才有一年鼠年，所以不是鼠年的時候如果想增加自己的桃花運，可以在身上佩戴一鼠形飾物或在家中正北方放一個鼠形擺設即可。

龍 肖龍的你，每遇豬年是你的紅鸞桃花年，然每十二年才有一年豬年，所以不是豬年的時候如果想增加自己的桃花運，可以在身上佩戴一豬形飾物或在家中西北方放一個豬形擺設即可。

蛇 肖蛇的你，每遇狗年是你的紅鸞桃花年，然每十二年才有一年狗年，所以不是狗年的時候如果想增加自己的桃花運，可以在身上佩戴一狗形飾物或在家中西北方放一個狗形擺設即可。

馬 肖馬的你，每遇雞年是你的紅鸞桃花年，然每十二年才有一年雞年，所以不是雞年的時候如果想增加自己的桃花運，可以在身上佩戴一雞形飾物或在家中正西方放一個雞形擺設即可。

羊 肖羊的你，每遇猴年是你的紅鸞桃花年，然每十二年才有一年猴年，所以不是猴年的時候如果想增加自己的桃花運，可以在身上佩戴一猴形飾物或在家中西南方放一個猴形擺設即可。

猴 肖猴的你，每遇羊年是你的紅鸞桃花年，然每十二年才有一年羊年，所以不是羊年的時候如果想增加自己的桃花運，可以在身上佩戴一羊形飾物或在家中西南方放一個羊形擺設即可。

雞 肖雞的你，每遇馬年是你的紅鸞桃花年，然每十二年才有一年馬年，所以不是馬年的時候如果想增加自已的桃花運，可在身上佩戴一馬形飾物或在家中正南方放一個馬形的擺設即可。

狗 肖狗的你，每遇蛇年是你的紅鸞桃花年，然每十二年才有一年蛇年，所以不是蛇年的時候如果想增加自己的桃花運，可以在身上佩戴一蛇形飾物或在家中東南方放一個蛇形擺設即可。

豬 肖豬的你，每遇龍年是你的紅鸞桃花年，然每十二年才有一年龍年，所以不是龍年的時候如果想增加自己的桃花運，可以在身上佩戴一龍形飾物或在家中東南方放一個龍形擺設即可。

第五章

吉日一覽

嫁娶吉日

農曆一月

正月初四日（西曆二月十五日星期一）
定午日——上頭時間—凌晨零時至三時
（沖鼠）出門時間—上午七時至十一時

正月十六日（西曆二月二十七日星期六）
定午日——上頭時間—凌晨一時至三時
（沖鼠）出門時間—上午十一時至下午一時

正月廿七日（西曆三月十日星期三）
滿巳日——上頭時間—凌晨零時至一時
（沖豬）出門時間—上午九時至下午一時

農曆二月

二月十九日（西曆三月三十一日星期三）
閉寅日——上頭時間—凌晨零時至一時
（沖猴）出門時間—上午七時至十一時

二月廿五日（西曆四月六日星期二）
定申日——上頭時間—凌晨零時至三時
（沖虎）出門時間—上午七時至十一時

二月廿六日（西曆四月七日星期三）
執酉日——上頭時間—凌晨零時至三時
（沖兔）出門時間—上午七時至九時
上午十一時至下午一時

二月廿九日（西曆四月十日星期六）
成子日——上頭時間—凌晨零時至三時
（沖馬）出門時間—上午七時至十一時

農曆三月

三月初一日（西曆四月十二日星期一）
開寅日——上頭時間—凌晨一時至三時
（沖猴）出門時間—上午七時至下午一時

三月十一日（西曆四月二十二日星期四）
成子日——上頭時間—凌晨一時至三時
（沖馬）出門時間—上午七時至十一時

三月廿六日（西曆五月七日星期五）
開卯日——上頭時間—凌晨零時至三時
（沖雞）出門時間—上午七時至九時
上午十一時至下午一時

農曆四月

四月十一日（西曆五月二十二日星期六）
除午日——上頭時間—凌晨一時至三時
（沖鼠）出門時間—上午七時至下午一時

四月二十日（西曆五月三十一日星期一）
開卯日——上頭時間—凌晨零時至一時
（沖雞）出門時間—上午七時至下午一時

四月廿三日（西曆六月三日星期四）
除午日——上頭時間—凌晨一時至三時
（沖鼠）　出門時間—上午九時至十一時

農曆五月

五月初二日（西曆六月十一日星期五）
成寅日——上頭時間—凌晨一時至三時
（沖猴）　出門時間—上午七時至下午一時

五月初四日（西曆六月十三日星期日）
開辰日——上頭時間—凌晨一時至三時
（沖狗）　出門時間—上午九時至十一時

五月初八日（西曆六月十七日星期四）
滿申日——上頭時間—凌晨一時至三時
（沖虎）　出門時間—上午九時至十一時

五月二十日（西曆六月二十九日星期二）
滿申日——上頭時間—凌晨一時至三時
（沖虎）　出門時間—上午七時至十一時

五月廿六日（西曆七月五日星期一）
成寅日——上頭時間—凌晨一時至三時
（沖猴）　出門時間—上午七時至十一時

農曆六月

六月初二日（西曆七月十一日星期日）
除申日——上頭時間—西曆七月十日
晚上七時至九時
（沖虎） 出門時間—上午七時至下午一時

六月初八日（西曆七月十七日星期六）
危寅日——上頭時間—凌晨零時至一時
（沖猴） 出門時間—上午九時至下午一時

六月初九日（西曆七月十八日星期日）
成卯日——上頭時間—凌晨零時至一時
（沖雞） 出門時間—上午七時至下午一時

六月廿一日（西曆七月三十日星期五）
成卯日——上頭時間—凌晨零時至一時
（沖雞） 出門時間—上午七時至下午一時

六月廿六日（西曆八月四日星期三）
除申日——上頭時間—凌晨零時至一時
（沖虎） 出門時間—上午七時至十一時

農曆八月

八月初一日（西曆九月七日星期二）
開午日——上頭時間—凌晨一時至三時
（沖鼠） 出門時間—上午九時至下午一時

八月初三日（西曆九月九日星期四）
閉申日——上頭時間—凌晨一時至三時
（沖虎） 出門時間—上午七時至下午一時

八月十二日（西曆九月十八日星期六）
成巳日——上頭時間——凌晨零時至一時
（沖豬）出門時間——上午七時至下午一時

八月廿四日（西曆九月三十日星期四）
成巳日——上頭時間——凌晨零時至三時
（沖豬）出門時間——上午九時至下午一時

農曆九月

九月初五日（西曆十月十日星期日）
執卯日——上頭時間——凌晨零時至一時
（沖雞）出門時間——上午九時至下午一時

九月初八日（西曆十月十三日星期三）
成午日——上頭時間——凌晨一時至三時
（沖鼠）出門時間——上午九時至十一時

九月十七日（西曆十月二十二日星期五）
執卯日——上頭時間——凌晨零時至一時
（沖雞）出門時間——上午九時至下午一時

九月二十日（西曆十月二十五日星期一）
成午日——上頭時間——凌晨一時至三時
（沖鼠）出門時間——上午九時至下午一時

九月廿二日（西曆十月二十七日星期三）
開申日——上頭時間——凌晨零時至三時
（沖虎）出門時間——上午九時至十一時

農曆十月

十月十一日（西曆十一月十五日星期一）
定卯日——上頭時間—凌晨零時至一時
（沖雞）出門時間—上午十一時至卜午一時

十月十四日（西曆十一月十八日星期四）
危午日——上頭時間—凌晨一時至三時
（沖鼠）出門時間—上午十一時至下午一時

十月廿三日（西曆十一月二十七日星期六）
定卯日——上頭時間—凌晨零時至一時
（沖雞）出門時間—上午十一時至下午一時

農曆十一月

十一月廿三日（西曆十二月二十六日星期日）
成申日——上頭時間—凌晨零時至三時
（沖虎）出門時間—上午七時至十一時

十一月廿九日（西曆一月一日星期六）
滿寅日——上頭時間—凌晨零時至一時
（沖猴）出門時間—上午七時至十一時

農曆十二月

十二月初六日（西曆一月八日星期六）
成酉日——上頭時間—凌晨零時至一時
（沖兔）出門時間—上午七時至十一時

十二月十五日（西曆一月十七日星期一）
執午日——上頭時間—凌晨一時至三時
（沖鼠）　出門時間—上午七時至下午一時

十二月十八日（西曆一月二十日星期四）
成酉日——上頭時間—凌晨零時至一時
（沖兔）　出門時間—上午七時至十一時

十二月廿七日（西曆一月二十九日星期六）
執午日——上頭時間—凌晨一時至三時
（沖鼠）　出門時間—上午九時至十一時

開張、動土、入伙吉日

農曆一月

正月初四日（西曆二月十五日星期一）
定午日（沖鼠）吉時—上午七時至十一時
下午五時至十一時

正月初七日（西曆二月十八日星期四）
危酉日（沖兔）吉時—上午十一時至下午一時
下午五時至十一時

正月十六日（西曆二月二十七日星期六）
定午日（沖鼠）吉時—上午九時至下午一時
下午五時至十一時

正月廿二日（西曆三月五日星期五）
開子日（沖馬）吉時—上午七時至十一時
下午七時至十一時

正月廿七日（西曆三月十日星期三）
是日忌動土
滿巳日（沖豬）吉時—上午七時至下午一時
下午三時至五時
下午七時至九時

農曆二月

二月初四日（西曆三月十六日星期二）
成亥日（沖蛇）吉時—上午十一時至下午一時
下午七時至十一時

二月十五日（西曆三月二十七日星期六）
危戌日（沖龍）吉時—上午九時至十一時
下午三時至五時

二月十九日（西曆三月三十一日星期三）
閉寅日（沖猴）吉時—上午七時至下午一時

二月廿五日（西曆四月六日星期二）
定申日（沖虎）吉時—上午七時至十一時
下午三時至七時

二月廿六日（西曆四月七日星期三）
是日忌動土
執酉日（沖兔）吉時—上午七時至九時
下午三時至七時

二月廿九日（西曆四月十日星期六）
成子日（沖馬）吉時—上午七時至十一時
下午三時至七時

農曆三月

三月初一日（西曆四月十二日星期一）
開寅日（沖猴）吉時—上午七時至下午一時
下午五時至七時

三月初八日（西曆四月十九日星期一）
是日忌動土
執酉日（沖兔）吉時—上午十一時至下午七時

三月十一日（西曆四月二十二日星期四）
成子日（沖馬）吉時—下午三時至七時

三月十九日（西曆四月三十日星期五）
定申日（沖虎）吉時—上午七時至十一時
下午三時至七時

三月廿六日（西曆五月七日星期五）
開卯日（沖雞）吉時—下午三時至五時
下午七時至九時

農曆四月

四月初二日（西曆五月十三日星期四）
定酉日（沖兔）吉時—上午七時至下午一時

四月初八日（西曆五月十九日星期三）
開卯日（沖雞）吉時—上午十一時至下午一時

四月十一日（西曆五月二十二日星期六）
除午日（沖鼠）吉時—上午十一時至下午一時
下午三時至七時

四月十五日（西曆五月二十六日星期三）
執戌日（沖龍）吉時—上午九時至十一時
下午三時至九時

四月二十日（西曆五月三十一日星期一）
是日忌動土
開卯日（沖雞）吉時—上午十一時至下午一時

四月廿三日（西曆六月三日星期四）
除午日（沖鼠）吉時—上午九時至十一時

農曆五月

五月初二日（西曆六月十一日星期五）
成寅日（沖猴）吉時－上午七時至下午一時

五月初四日（西曆六月十三日星期日）
開辰日（沖狗）吉時－上午九時至十一時
下午五時至七時

五月初八日（西曆六月十七日星期四）
滿申日（沖虎）吉時－上午九時至十一時
下午三時至十一時

五月十四日（西曆六月二十三日星期三）
成寅日（沖猴）吉時－上午七時至下午一時
下午七時至九時

五月二十日（西曆六月二十九日星期二）
滿申日（沖虎）吉時－上午七時至十一時
下午三時至五時

五月廿二日（西曆七月一日星期四）
定戌日（沖龍）吉時－上午十一時至下午一時
下午三時至五時

五月廿六日（西曆七月五日星期一）
成寅日（沖猴）吉時－上午七時至九時
下午五時至九時

五月廿八日（西曆七月七日星期三）
是日忌動土
收辰日（沖狗）吉時－上午九時至十一時
下午三時至七時

農曆六月

六月初二日（西曆七月十一日星期日）
除申日（沖虎）吉時—上午七時至下午一時
下午三時至五時

六月初八日（西曆七月十七日星期六）
危寅日（沖猴）吉時—上午十一時至下午一時
下午五時至七時

六月初九日（西曆七月十八日星期日）
成卯日（沖雞）吉時—上午十一時至下午一時

六月十七日（西曆七月二十六日星期一）
定亥日（沖蛇）吉時—上午十一時至下午一時
下午三時至十　時

六月廿一日（西曆七月三十日星期五）
成卯日（沖雞）吉時—上午十一時至下午一時

六月廿六日（西曆八月四日星期三）
除申日（沖虎）吉時—上午七時至十一時
下午三時至七時

六月廿九日（西曆八月七日星期六）
定亥日（沖蛇）吉時—上午十一時至下午一時
下午五時至九時

農曆七月

七月初一日（西曆八月八日星期日）
定子日（沖馬）吉時—上午七時至十一時
下午三時至七時

七月初五日（西曆八月十二日星期四）
成辰日（沖狗）吉時—上午九時至十一時
下午五時至七時

七月初七日（西曆八月十四日星期六）
開午日（沖鼠）吉時—下午五時至七時

七月廿五日（西曆九月一日星期三）
定子日（沖馬）吉時—上午七時至十一時

七月廿九日（西曆九月五日星期日）
成辰日（沖狗）吉時—上午九時至十一時
下午三時至七時

農曆八月

八月初一日（西曆九月七日星期二）
開午日（沖鼠）吉時—上午九時至十一時
下午三時至七時

八月初三日（西曆九月九日星期四）
閉申日（沖虎）吉時—上午七時至下午一時
下午三時至七時

八月初八日（西曆九月十四日星期二）
定丑日（沖羊）吉時—下午三時至七時

八月十二日（西曆九月十八日星期六）
成巳日（沖豬）吉時—上午十一時至下午一時
下午三時至五時

八月二十日（西曆九月二十六日星期日）
定丑日（沖羊）吉時—上午九時至下午一時
下午五時至七時

八月廿四日（西曆九月三十日星期四）
成巳日（沖豬）吉時—上午九時至下午一時
下午七時至九時

農曆九月

九月初一日（西曆十月六日星期三）
滿亥日（沖蛇）吉時—上午十一時至下午一時
下午五時至十一時

九月初五日（西曆十月十日星期日）
執卯日（沖雞）吉時—上午九時至下午一時
下午七時至九時

九月初七日（西曆十月十二日星期二）
危巳日（沖豬）吉時—上午九時至十一時
下午三時至九時

九月初八日（西曆十月十三日星期三）
成午日（沖鼠）吉時—下午五時至七時

九月十七日（西曆十月二十二日星期五）
執卯日（沖雞）吉時—下午七時至九時
中吉—上午九時至下午一時

九月二十日（西曆十月二十五日星期一）
成午日（沖鼠）吉時—上午九時至下午一時
下午三時至十一時

九月廿二日（西曆十月二十七日星期三）
開申日（沖虎）吉時—上午九時至十一時
下午三時至五時

農曆十月

十月十一日（西曆十一月十五日星期一）
定卯日（沖雞）吉時—上午十一時至下午一時

十月十四日（西曆十一月十八日星期四）
危午日（沖鼠）吉時—上午十一時至下午一時
下午三時至七時

十月十七日（西曆十一月二十一日星期日）
開酉日（沖兔）吉時—上午七時至九時
下午三時至五時

十月廿三日（西曆十一月二十七日星期六）
定卯日（沖雞）吉時—上午十一時至下午一時

十月廿六日（西曆十一月三十日星期二）
危午日（沖鼠）吉時—上午十一時至下午一時
下午五時至十一時

農曆十一月

十一月初七日（西曆十二月十日星期五）
定辰日（沖狗）吉時—上午九時至十一時
下午五時至七時

十一月十六日（西曆十二月十九日星期日）
除丑日（沖羊）吉時—上午九時至十一時
下午三時至五時

十一月廿三日（西曆十二月二十六日星期日）

是日忌動土

成申日（沖虎）吉時—上午七時至十一時

下午三時至五時

十一月廿八日（西曆十二月三十一日星期五）

除丑日（沖羊）吉時—上午七時至十一時

下午三時至九時

十一月廿九日（西曆一月一日星期六）

滿寅日（沖猴）吉時—上午七時至十一時

下午五時至九時

農曆十二月

十二月初六日（西曆一月八日星期六）

成酉日（沖兔）吉時—上午七時至下午一時

十二月十一日（西曆一月十三日星期四）

除寅日（沖猴）吉時—上午十一時至下午一時

下午五時至七時

十二月十五日（西曆一月十七日星期一）

執午日（沖鼠）吉時—上午十一時至下午一時

下午三時至七時

十二月十八日（西曆一月二十日星期四）

是日忌動土

成酉日（沖兔）吉時—上午七時至十一時

下午三時至五時

十二月廿三日（西曆一月二十五日星期二）

除寅日（沖猴）吉時—上午七時至下午一時

十二月廿七日（西曆一月二十九日星期六）

執午日（沖鼠）吉時—上午九時至下午一時

下午五時至十一時

大掃除需知

大掃除多數會在每年之年廿八進行，但年廿八不一定是吉日，所以亦有人會選擇在其他吉日進行。但不管選擇了哪一日，都要採用趨吉避凶之法。

如今年事事順遂，運程通順，則宜在大門口開始打掃，然後再往屋內進行，務求把旺氣留在屋內。

但如果今年運程不佳，則宜由屋之末端開始打掃至大門口，把衰氣掃出屋外。更有甚者，今年頭頭碰着黑，處處惹官非破財，則可選擇破日打掃，務求破舊立新，重新開始，但亦宜由屋之末端開始把衰氣掃出屋外。

大掃除吉日

十二月廿五日（西曆二月六日星期六）

危酉日（沖兔）

吉時——上午七時至九時

上午十一時至下午一時

下午五時至十一時

中吉——下午三時至五時

十二月廿八日（西曆二月九日星期二）

開子日（沖馬）

吉時——上午五時至十一時

下午五時至十一時

破日——如去年事事不順，已衰無可衰，可用破日作大掃除，望能破舊立新，掃走衰氣。

十二月廿四日（西曆二月五日星期五）
破申日（沖虎）
吉時——上午七時至十一時
下午五時至十一時

開市吉日

正月初四日（西曆二月十五日星期一）

定午日（沖鼠）

吉時——凌晨三時至上午十一時

下午五時至十一時

正月初七日（西曆二月十八日星期四）

危酉日（沖兔）

吉時——凌晨三時至上午九時

上午七時至下午一時

下午五時至十一時

正月十六日（西曆二月二十七日星期六）

定午日（沖鼠）

吉時——凌晨一時至上午七時

上午九時至下午一時

下午五時至十一時

第六章

牛年通勝

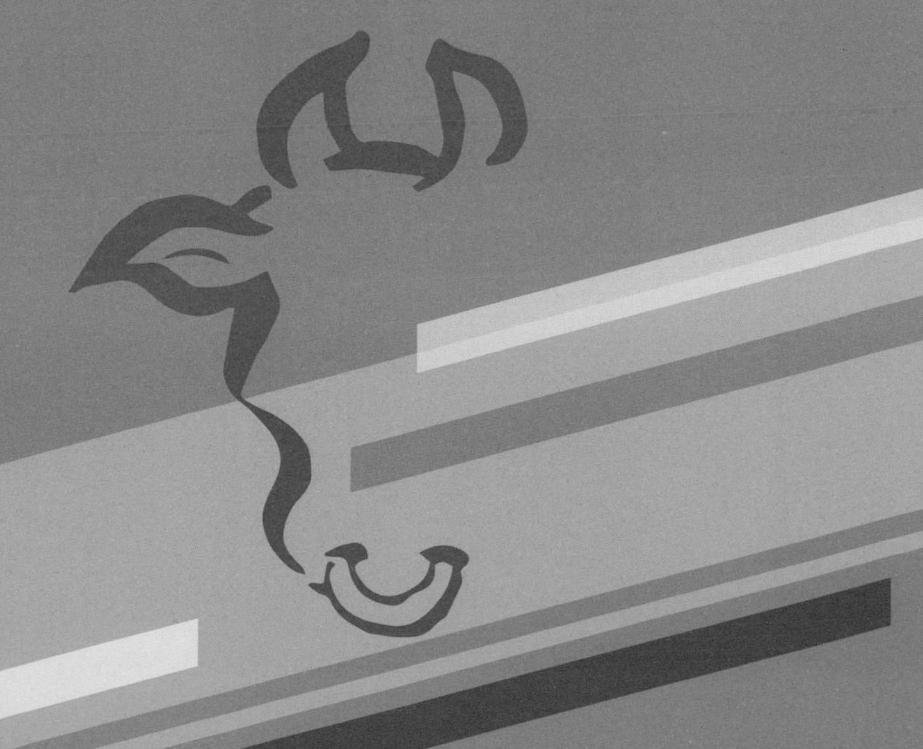

如何看通勝

看通勝之前首先要知道那一天是甚麼日子，有否與自己生肖相沖，如相沖則不能為用，然後再選擇吉時為用。

例如農曆年初一為「辛卯」日，卯為兔，與雞相沖，所以當天肖雞者不能為用。

例如農曆年初二為「壬辰」日，辰為龍，與狗相沖，所以當天肖狗者不能為用。

例如農曆年初三為「癸巳」日，巳為蛇，與豬相沖，所以當天肖豬者不能為用。

例如農曆年初四為「甲午」日，午為馬，與鼠相沖，所以當天肖鼠者不能為用。

十二生肖相沖

例如午日沖生肖屬鼠的人，如屬鼠遇午日則不能為用。

子（鼠）	沖	午（馬）
丑（牛）	沖	未（羊）
寅（虎）	沖	申（猴）
卯（兔）	沖	酉（雞）
辰（龍）	沖	戌（狗）
巳（蛇）	沖	亥（豬）

時辰與常用時間對照表

子時	下午11時至凌晨1時
丑時	凌晨1時至3時
寅時	淩晨3時至5時
卯時	上午5時至7時
辰時	上午7時至9時
巳時	上午9時至11時
午時	上午11時至下午1時
未時	下午1時至3時
申時	下午3時至5時
酉時	下午5時至7時
戌時	下午7時至9時
亥時	下午9時至11時

西曆二〇二一年二月（農曆正月小）

日期	星期	子	丑	寅	卯	辰	巳	午	未	申	酉	戌	亥	農曆	忌	宜
十二	星期五	中	中	吉	吉	中	吉	吉	凶	凶	凶	吉	中	初一辛卯木亢除	釀酒理髮	春節
十三	星期六	中	吉	吉	吉	中	吉	中	凶	凶	吉	凶	吉	初二壬辰水氐滿	行喪	祭祀祈福嫁娶修造動土出行移徙
十四	星期日	吉	中	中	吉	吉	吉	中	凶	凶	中	吉	凶	初三癸巳水房平	詞訟遠行	平治道塗修飾垣牆
十五	星期一	凶	吉	吉	中	中	中	凶	凶	凶	吉	中	中	初四甲午金心定	開倉出財	祭祀祈福嫁娶納采開市開張入伙修造動土出行移徙交易安床
十六	星期二	吉	凶	吉	吉	中	凶	中	凶	凶	中	吉	吉	初五乙未金尾執	栽種	拆卸
十七	星期三	吉	吉	凶	中	凶	吉	中	凶	凶	吉	吉	吉	初六丙申火箕破	安床	治病破屋壞垣
十八	星期四	中	吉	中	凶	中	中	吉	凶	凶	吉	中	吉	初七丁酉火斗危	新船進水	祭祀嫁娶開市開張入伙動土移徙安床安葬
十九	星期五	中	吉	凶	吉	凶	中	吉	凶	凶	中	中	中	初八戊戌木牛成	置產	開張
二十	星期六	吉	凶	吉	吉	中	凶	吉	凶	凶	中	中	凶	初九己亥木女收	嫁娶	祭祀祈福開張交易釀酒
廿一	星期日	凶	吉	中	中	中	中	凶	凶	凶	吉	凶	中	初十庚子土虛開	動土	祭祀祈福嫁娶納采出行安床
廿二	星期一	中	吉	吉	吉	中	吉	吉	凶	凶	凶	中	吉	十一辛丑土危閉	釀酒	祭祀
廿三	星期二	中	吉	吉	吉	中	中	中	凶	凶	中	吉	中	十二壬寅金室建	祭祀動土	納采安床安葬
廿四	星期三	吉	中	吉	吉	中	中	中	凶	凶	凶	吉	中	十三癸卯金壁除	詞訟	祈福嫁娶開張交易入學出行移徙入倉除服破土安葬
廿五	星期四	吉	吉	中	中	吉	中	凶	凶	凶	吉	凶	吉	十四甲辰火奎滿	開倉行喪	祭祀祈福出行
廿六	星期五	吉	吉	中	中	中	凶	[illegible]	[illegible]	[illegible]	[illegible]	[illegible]	[illegible]	十五乙巳火婁平	遠行	上元平治道塗

西曆三月（農曆正月小）

西曆二月
（農曆正月小

日期	時辰吉凶	忌	農曆	宜
廿七星期六	子凶 丑中 寅中 卯中 辰凶 巳吉 午吉 未凶 申凶 酉吉 戌吉 亥吉	修廚搭廁	十六丙午水胃定	祭祀祈求嗣嫁娶納采開市開張 立約交易動土入伙出行
廿八星期日	子中 丑凶 寅中 卯凶 辰中 巳吉 午吉 未凶 申凶 酉吉 戌中 亥吉		十七丁未水昴執	拆卸
一日星期一	子中 丑吉 寅凶 卯中 辰吉 巳吉 午中 未凶 申凶 酉中 戌中 亥中	置產安床	十八戊申土畢破	破屋壞垣
二日星期二	子吉 丑凶 寅中 卯凶 辰吉 巳吉 午吉 未凶 申凶 酉中 戌中 亥凶	修倉開倉	十九己酉土觜危	祭祀祈福開張修造動土成服安葬
三日星期三	子凶 丑吉 寅中 卯中 辰凶 巳中 午吉 未凶 申凶 酉中 戌凶 亥中		二十庚戌金參成	入學
四日星期四	子中 丑吉 寅吉 卯吉 辰中 巳凶 午吉 未凶 申凶 酉凶 戌吉 亥中	嫁娶	廿一辛亥金井收	祭祀祈福開張動土出行修倉
五日星期五	子吉 丑吉 寅吉 卯吉 辰吉 巳吉 午凶 未凶 申凶 酉凶 戌中 亥中		廿一壬子木鬼開	祭祀嫁娶開張動土入伙入學
六日星期六	子吉 丑吉 寅中 卯中 辰吉 巳吉 午中 未凶 申吉 酉凶 戌吉 亥中	動土詞訟	廿三癸丑木柳開	祭祀祈福修造移徙入學安床
七日星期日	子中 丑中 寅吉 卯中 辰吉 巳中 午凶 未凶 申凶 酉凶 戌吉 亥中	祭祀開倉	廿四甲寅水星閉	開張動土安門成服安葬
八日星期一	子中 丑中 寅吉 卯吉 辰中 巳凶 午中 未凶 申吉 酉凶 戌吉 亥吉	動土	廿五乙卯水張建	立約交易出行
九日星期二	子中 丑中 寅中 卯中 辰凶 巳吉 午中 未凶 申吉 酉凶 戌凶 亥吉	修廚成服	廿六丙辰土翌除	祭祀出行修造動土釀酒
十日星期三	子中 丑吉 寅中 卯凶 辰中 巳吉 午吉 未凶 申中 酉凶 戌吉 亥凶	動土遠行	廿七丁巳土軫滿	祭祀祈福嫁娶納采開張入伙安門 安床
十一星期四	子凶 丑中 寅凶 卯吉 辰中 巳吉 午中 未凶 申吉 酉凶 戌中 亥中	置產	廿八戊午火角平	平治道塗修飾垣牆
十二星期五	子中 丑凶 寅吉 卯吉 辰中 巳吉 午吉 未凶 申吉 酉凶 戌中 亥凶	針灸	廿九己未火亢定	祭祀

西曆二〇二一年三月（農曆二月大）

日期	星期	子	丑	寅	卯	辰	巳	午	未	申	酉	戌	亥	忌	農曆	宜
十三	星期六	凶	吉	凶	中	吉	吉	吉	凶	吉	凶	凶	中	安床	初一庚申木氐執	除服成服
十四	星期日	中	中	吉	凶	吉	吉	吉	凶	中	凶	中	中	釀酒	初二辛酉木房破	破屋壞垣
十五	星期一	中	中	吉	吉	凶	吉	中	凶	凶	凶	吉	吉	釀酒	初三壬戌水心危	納采移徙安床安門
十六	星期二	中	中	吉	吉	吉	凶	吉	凶	中	凶	吉	吉	嫁娶詞訟成服	初四癸亥水尾成	開張動土入伙入學安門
十七	星期三	吉	吉	吉	中	吉	中	凶	凶	吉	凶	中	中	開倉出財	初五甲子金箕收	祭祀
十八	星期四	吉	吉	吉	吉	中	凶	中	凶	吉	凶	中	中	釀酒安葬	初六乙丑金斗開	祭祀祈福嫁娶修造動土出行移徙安床置產
十九	星期五	吉	中	中	吉	凶	中	吉	凶	凶	凶	中	中	祭祀	初七丙寅火牛閉	日值四離餘事不注
二十	星期六	中	中	吉	凶	中	中	吉	凶	中	凶	中	中	動土	初八丁卯火女建	祭祀祈福
廿一	星期日	中	吉	凶	吉	中	吉	中	凶	吉	凶	凶	中	置產行喪	初九戊辰木虛除	出行
廿二	星期一	吉	凶	吉	中	中	中	吉	凶	吉	凶	中	凶	動土遠行除服	初十己巳木危滿	納采開張交易安門
廿三	星期二	凶	吉	吉	中	中	中	吉	凶	吉	凶	凶	中		十一庚午土室平	祭祀平治道塗
廿四	星期三	中	凶	吉	吉	中	吉	吉	凶	吉	凶	中	中	除服	十二辛未土壁定	拆卸
廿五	星期四	吉	吉	凶	吉	吉	吉	中	凶	凶	凶	中	中	安床	十三壬申金奎執	除服安葬
廿六	星期五	吉	吉	吉	凶	吉	吉	中	凶	吉	凶	中	中	開張詞訟	十四癸酉金婁破	破屋壞垣
廿七	星期六	中	吉	吉	吉	凶	吉	[illegible]	[illegible]	[illegible]	[illegible]	[illegible]	[illegible]	開倉出財	十五甲戌火胃危	祭祀祈福求嗣嫁娶開張交易動土 [illegible]

西曆三月（農曆二月大）

日期	子	丑	寅	卯	辰	巳	午	未	申	酉	戌	亥	忌	農曆	宜
廿八星期日							中	凶	中	凶	中	中	嫁娶	十六乙亥火昴成	動土移徙安門安床
廿九星期一	吉	吉	中	中	凶	吉	凶	凶	中	凶	吉	吉	修廚	十七丙子水畢收	針灸交易
三十星期二	吉	中	中	凶	中	吉	吉	凶	中	凶	中	吉	安葬	十八丁丑水觜開	祭祀祈福嫁娶納采修造動土出行移徙安門
卅一星期三	中	吉	凶	吉	吉	吉	吉	凶	凶	凶	中	中	祭祀祈福置產	十九戊寅土參閉	嫁娶開張動土入伙安門修廚釀酒安葬

西曆四月（農曆二月大）

日期	子	丑	寅	卯	辰	巳	午	未	申	酉	戌	亥	忌	農曆	宜
一日星期四	吉	凶	吉	吉	中	中	吉	凶	中	凶	中	凶	動土	二十己卯土井建	出行
二日星期五	凶	吉	吉	中	吉	吉	吉	凶	中	凶	凶	吉	除服行喪	廿一庚辰金鬼除	出行
三日星期六	中	吉	吉	中	中	吉	吉	凶	中	凶	吉	凶	動土遠行	廿二辛巳金柳滿	祭祀祈福開張立約交易
四日星期日	凶	吉	吉	吉	中	吉	中	凶	凶	凶	中	吉		廿三壬午木星平	平治道塗修飾垣牆
五日星期一	吉	凶	吉	吉	中	吉	吉	凶	中	中	凶	中	詞訟	廿四癸未木張平	拆卸
六日星期二	吉	吉	凶	中	吉	吉	凶	凶	吉	吉	凶	中	開倉安床	廿五甲申水翌定	嫁娶開張動土入伙安門成服安葬
七日星期三	吉	吉	吉	凶	吉	凶	中	凶	吉	吉	凶	中	動土修倉	廿六乙酉水軫執	祭祀祈福嫁娶納采開張入伙交易出行移徙安門安床成服安葬
八日星期四	吉	中	吉	吉	凶	吉	中	凶	吉	吉	凶	吉	修廚	廿七丙戌土角破	破屋壞垣
九日星期五	中	吉	吉	凶	中	凶	吉	凶	中	吉	凶	吉	嫁娶除服	廿八丁亥土亢危	祭祀移徙納采修造動土納財安床
十日星期六	中	吉	凶	吉	吉	吉	凶	凶	吉	吉	凶	中	置產除服行喪	廿九戊子火氐成	祭祀祈福求嗣嫁娶納采開張動土入伙出行移徙安門
十一星期日	吉	凶	吉	吉	中	吉	中	凶	吉	吉	凶	凶	新船進水	三十己丑火房收	祭祀嫁娶

西曆二〇二一年四月（農曆三月大）

日	星期	時辰吉凶	忌	農曆	宜
十二	星期一	子凶 丑吉 寅吉 卯吉 辰吉 巳中 午中 未凶 申凶 酉中 戌凶 亥中	祭祀祈福	初一庚寅木心開	嫁娶納采開張立約交易修造動土出行移徙安床開倉入伙
十三	星期二	子中 丑中 寅吉 卯吉 辰中 巳吉 午吉 未凶 申中 酉凶 戌凶 亥中		初二辛卯木尾閉	安葬
十四	星期三	子中 丑吉 寅吉 卯吉 辰中 巳吉 午中 未凶 申凶 酉吉 戌凶 亥吉	行喪	初三壬辰水箕建	出行安床
十五	星期四	子吉 丑中 寅中 卯吉 辰吉 巳吉 午中 未凶 申吉 酉中 戌凶 亥凶	詞訟遠行	初四癸巳水斗除	動土安門
十六	星期五	子凶 丑吉 寅吉 卯中 辰中 巳中 午凶 未凶 申中 酉吉 戌凶 亥中	開倉	初五甲午金牛滿	祭祀出行開張交易除服成服安葬
十七	星期六	子吉 丑凶 寅吉 卯吉 辰中 巳凶 午中 未凶 申吉 酉中 戌凶 亥吉	醲酒蒔插	初六乙未金女平	拆卸
十八	星期日	子吉 丑吉 寅凶 卯中 辰凶 巳吉 午中 未凶 申吉 酉吉 戌凶 亥吉	安床修廚	初七丙申火虛定	祭祀安門成服安葬
十九	星期一	子中 丑吉 寅中 卯凶 辰中 巳中 午吉 未凶 申中 酉吉 戌凶 亥吉	動土	初八丁酉火危執	祭祀祈福嫁娶納采開張入伙交易立約移徙安門安床安葬
二十	星期二	子中 丑吉 寅凶 卯吉 辰凶 巳中 午吉 未凶 申吉 酉中 戌凶 亥中	置產行喪	初九戊戌木室破	破屋壞垣
廿一	星期三	子吉 丑凶 寅吉 卯吉 辰中 巳凶 午吉 未凶 申吉 酉中 戌凶 亥凶	嫁娶除服	初十己亥木壁危	安床納財釀酒
廿二	星期四	子凶 丑吉 寅中 卯中 辰中 巳中 午凶 未凶 申吉 酉吉 戌凶 亥中	問卜詞訟	十一庚子土奎成	祭祀祈福嫁娶納采開張修造動土入伙出行治病安葬
廿三	星期五	子中 丑吉 寅吉 卯吉 辰中 巳吉 午吉 未凶 申吉 酉凶 戌凶 亥吉	釀酒	十二辛丑土婁收	祭祀
廿四	星期六	子中 丑吉 寅吉 卯吉 辰中 巳中 午中 未凶 申凶 酉中 戌凶 亥中	祭祀	十三壬寅金胃開	嫁娶納采開張動土出行移徙置產安床
廿五	星期日	子吉 丑中 寅吉 卯吉 辰中 巳中 午中 未凶 申中 酉凶 戌凶 亥中	詞訟	十四癸卯金昴閉	安葬
廿六	星期一	子吉 丑吉 寅中 卯中 辰吉 巳中 [illegible]	動土開倉	十五甲辰火畢建	祭祀修飾垣牆

西曆五月（農曆三月大）

西曆四月（農曆三月大）

日期	子	丑	寅	卯	辰	巳	午	未	申	酉	戌	亥	忌	干支	宜
廿七星期二	[illegible]	[illegible]	[illegible]	[illegible]	[illegible]	[illegible]	中	凶	吉	吉	凶	凶	醞酒成服	十六乙巳火觜除	掃舍
廿八星期三	凶	中	中	中	凶	吉	吉	凶	吉	吉	凶	吉	修廚	十七丙午水參滿	祭祀嫁娶成服安葬
廿九星期四	中	凶	中	凶	中	吉	吉	凶	中	吉	凶	吉		十八丁未水井平	拆卸
三十星期五	中	吉	凶	中	吉	吉	中	凶	吉	中	凶	中	置產安床行喪	十九戊申土鬼定	祭祀祈福開張動土入伙安門

西曆五月（農曆三月大）

日期	子	丑	寅	卯	辰	巳	午	未	申	酉	戌	亥	忌	干支	宜
一日星期六	吉	凶	中	凶	吉	吉	吉	凶	吉	中	凶	凶	動土成服行喪	二十己酉土柳執	祭祀祈福嫁娶安門
二日星期日	凶	吉	中	中	凶	中	吉	凶	吉	中	凶	中	開張	廿一庚戌金星破	治病破屋壞垣
三日星期一	中	吉	吉	吉	中	凶	吉	凶	中	凶	凶	中	嫁娶	廿二辛亥金張危	納財安床
四日星期二	吉	吉	吉	吉	吉	吉	凶	凶	凶	中	凶	中		廿三壬子木翼成	日值四絕餘事不注
五日星期三	吉	吉	中	中	吉	吉	中	凶	吉	吉	吉	凶	詞訟開倉出財修倉	廿四癸丑木軫收	捕捉
六日星期四	中	中	吉	中	吉	中	凶	凶	凶	吉	吉	凶	開倉祭祀	廿五甲寅水角收	捕捉
七日星期五	中	中	吉	吉	中	凶	中	凶	吉	凶	吉	凶	栽種	廿六乙卯水亢開	祭祀入學入伙出行嫁娶納采移徙開張修造動土置產
八日星期六	中	中	中	中	凶	吉	中	凶	吉	吉	凶	凶	修廚	廿七丙辰土氐閉	修造動土安門安床
九日星期日	中	吉	中	凶	中	吉	吉	凶	中	吉	吉	凶	遠行	廿八丁巳土房建	
十日星期一	凶	中	凶	吉	中	吉	中	凶	吉	吉	中	凶	置產	廿九戊午火心除	祭祀開張動土出行安門安葬
十一星期二	中	凶	吉	吉	中	吉	吉	凶	吉	中	中	凶	成服	三十己未火尾滿	拆卸

西曆二〇二一年五月（農曆四月小）

日期	星期	時辰	忌	農曆	宜
十二	星期三	子凶 丑吉 寅凶 卯中 辰吉 巳吉 午吉 未凶 申吉 酉中 戌凶 亥凶	安床針灸	初一庚申木箕平	開張交易動土出行移徙安葬
十三	星期四	子中 丑中 寅吉 卯凶 辰吉 巳吉 午吉 未凶 申中 酉凶 戌中 亥凶	釀酒	初二辛酉木斗定	祭祀祈福求嗣開張入伙出行嫁娶納采移徙動土修倉安葬
十四	星期五	子中 丑中 寅吉 卯吉 辰凶 巳吉 午中 未凶 申凶 酉中 戌吉 亥凶		初三壬戌水牛執	動土安床
十五	星期六	子中 丑中 寅吉 卯吉 辰吉 巳凶 午吉 未凶 申中 酉中 戌吉 亥凶	嫁娶詞訟	初四癸亥水女破	破屋壞垣
十六	星期日	子吉 丑吉 寅吉 卯中 辰吉 巳中 午凶 未凶 申吉 酉中 戌中 亥凶	開倉問卜	初五甲子金虛危	祭祀嫁娶開張動土安葬
十七	星期一	子吉 丑吉 寅吉 卯吉 辰中 巳凶 午中 未凶 申吉 酉吉 戌中 亥凶	詞訟修廚釀酒	初六乙丑金危成	祭祀祈福嫁娶納采開張修造動土入學安門成服安葬
十八	星期二	子吉 丑中 寅中 卯吉 辰凶 巳中 午吉 未凶 申凶 酉吉 戌中 亥凶	祭祀動土	初七丙寅火室收	嫁娶納采出行移徙交易
十九	星期三	子中 丑中 寅吉 卯凶 辰中 巳中 午吉 未凶 申中 酉凶 戌中 亥凶	理髮	初八丁卯火壁開	祭祀祈福開張入伙動土入學出行安門
二十	星期四	子中 丑吉 寅凶 卯吉 辰中 巳吉 午中 未凶 申吉 酉吉 戌凶 亥凶	置產	初九戊辰木奎閉	立約交易
廿一	星期五	子吉 丑凶 寅吉 卯中 辰中 巳中 午吉 未凶 申吉 酉中 戌中 亥凶	動土除服	初十己巳木婁建	
廿二	星期六	子凶 丑吉 寅吉 卯中 辰中 巳中 午吉 未凶 申吉 酉吉 戌凶 亥凶		十一庚午土胃除	祭祀祈福嫁娶納采開張交易修造動土入伙出行移徙成服安葬
廿三	星期日	子中 丑凶 寅吉 卯吉 辰中 巳吉 午吉 未凶 申吉 酉凶 戌中 亥凶	行喪	十二辛未土昴滿	拆卸
廿四	星期一	子吉 丑吉 寅凶 卯吉 辰吉 巳吉 午中 未凶 申凶 酉吉 戌中 亥凶	安床	十三壬申金畢平	平治道塗
廿五	星期二	子吉 丑吉 寅吉 卯凶 辰吉 巳吉 午中 未凶 申吉 酉中 戌中 亥凶	詞訟	十四癸酉金觜定	嫁娶納采開張交易修造動土出行移徙修倉安葬
廿六	星期三	子中 丑吉 寅吉 卯吉 辰凶 巳吉	開倉修廚	十五甲戌火參執	開倉開張動土入火

西曆五月(農曆四月小)

日期	子	丑	寅	卯	辰	巳	午	未	申	酉	戌	亥	忌	農曆	宜
廿七星期四	吉	吉	吉	吉	中	凶	中	凶	中	中	中	凶	嫁娶	十六乙亥火井破	破屋壞垣
廿八星期五	吉	吉	中	中	凶	吉	凶	凶	中	吉	吉	凶	成服	十七丙子水鬼危	祭祀開張動土出行移徙安床
廿九星期六	吉	中	中	凶	中	吉	吉	凶	中	吉	中	凶	詞訟	十八丁丑水柳成	祭祀入學納采動土安門修倉成服安葬
三十星期日	中	吉	凶	吉	吉	吉	吉	凶	凶	中	中	凶	祭祀動土	十九戊寅土星收	捕捉
卅一星期一	吉	凶	吉	吉	中	中	吉	凶	中	凶	中	凶	動土	二十己卯土張開	祭祀求嗣嫁娶開張入伙出行移徙安床入倉

西曆六月(農曆四月小)

日期	子	丑	寅	卯	辰	巳	午	未	申	酉	戌	亥	忌	農曆	宜
一日星期二	凶	吉	吉	中	吉	吉	吉	凶	中	中	凶	凶	針灸	廿一庚辰金翌閉	祭祀修造動土立約交易出行移徙安葬
二日星期三	中	吉	吉	中	中	吉	吉	凶	中	凶	吉	凶	釀酒遠行	廿二辛巳金軫建	嫁娶納采移徙
三日星期四	凶	吉	吉	吉	中	吉	中	凶	凶	中	中	凶	成服	廿三壬午木角除	祭祀祈福出行嫁娶掃舍開張立約交易納財修造動土入伙
四日星期五	吉	凶	吉	吉	中	吉	吉	凶	中	中	吉	凶	詞訟行喪	廿四癸未木亢滿	拆卸
五日星期六	吉	吉	凶	中	吉	吉	凶	凶	吉	吉	中	中	安床開倉出財	廿五甲申水氐平	嫁娶掃舍平治道塗
六日星期日	凶	吉	吉	凶	吉	凶	中	凶	吉	吉	中	中	釀酒蒔插	廿六乙酉水房平	平治道塗修飾垣牆
七日星期一	凶	中	吉	吉	凶	吉	中	凶	吉	吉	吉	吉	修廚	廿七丙戌土心定	祭祀祈福嫁娶動土出行移徙立約交易成服安葬
八日星期二	凶	吉	吉	凶	中	凶	吉	凶	中	吉	吉	吉	嫁娶	廿八丁亥土尾執	修造動土安床
九日星期三	凶	吉	凶	吉	吉	吉	凶	凶	吉	吉	中	中	開張置產	廿九戊子火箕破	破屋壞垣

西曆二〇二一年六月（農曆五月大）

日期	星期	子	丑	寅	卯	辰	巳	午	未	申	酉	戌	亥	忌	農曆	宜
十日	星期四	凶	凶	吉	吉	中	吉	中	凶	吉	吉	中	凶	修倉釀酒	初一己丑火斗危	日食本港地區不見
十一	星期五	凶	吉	吉	吉	吉	中	中	凶	凶	中	凶	中	祈福詞訟	初二庚寅木牛成	嫁娶納采開張交易修造動土入伙出行修倉安葬
十二	星期六	凶	中	吉	吉	中	吉	吉	凶	中	凶	吉	中		初三辛卯木女收	祭祀修飾垣牆
十三	星期日	凶	吉	吉	吉	中	吉	中	凶	凶	吉	凶	吉		初四壬辰水虛開	嫁娶納采開張修造動土出行移徙入伙置產
十四	星期一	凶	中	中	吉	吉	吉	中	凶	吉	中	吉	凶	詞訟遠行	初五癸巳水危閉	動土
十五	星期二	凶	吉	吉	中	中	中	凶	凶	中	吉	中	中	開倉出財	初六甲午金室建	祭祀修飾垣牆
十六	星期三	凶	凶	吉	吉	中	凶	中	凶	吉	中	吉	吉	釀酒成服	初七乙未金壁除	拆卸
十七	星期四	凶	吉	凶	中	凶	吉	中	凶	吉	吉	吉	吉	修廚安床	初八丙申火奎滿	祭祀祈福嫁娶納采開張交易動土出行移徙入伙安葬
十八	星期五	凶	吉	中	凶	中	中	吉	凶	中	吉	中	吉	行喪	初九丁酉火婁平	平治道塗修飾垣牆
十九	星期六	凶	吉	凶	吉	凶	中	吉	凶	吉	中	中	中	置業釀酒蒔插	初十戊戌木胃定	祭祀祈福求嗣嫁娶納采立約交易動土出行移徙
二十	星期日	凶	凶	吉	吉	中	凶	吉	凶	吉	中	中	凶	嫁娶除服	十一己亥木昴執	祭祀日值四離餘事不注
廿一	星期一	凶	吉	中	中	中	中	凶	凶	吉	吉	凶	中		十二庚子土畢破	破屋
廿二	星期二	凶	吉	吉	吉	中	吉	吉	凶	吉	凶	中	吉	釀酒	十三辛丑土觜危	祭祀祈福嫁娶納采開張交易動土
廿三	星期三	凶	吉	吉	吉	中	中	中	凶	凶	中	吉	中	祭祀祈福	十四壬寅金參成	嫁娶納采開張交易修造動土入伙出行安門安床安葬
廿四	星期四	凶	中	吉	吉	中	中	[illegible]	[illegible]	[illegible]	[illegible]	[illegible]	[illegible]	詞訟	十五癸卯金井收	祭祀

西曆六月（農曆五月大）｜西曆七月（農曆五月大）

日期	子	丑	寅	卯	辰	巳	午	未	申	酉	戌	亥
廿五星期五	[illegible]	[illegible]	[illegible]	[illegible]	[illegible]	[illegible]	凶	凶	中	吉	凶	吉
廿六星期六	凶	吉	中	中	中	凶	中	凶	吉	吉	吉	凶
廿七星期日	凶	中	中	中	凶	吉	吉	凶	吉	吉	吉	吉
廿八星期一	凶	凶	中	凶	中	吉	吉	凶	中	吉	中	吉
廿九星期二	凶	吉	凶	中	吉	吉	中	凶	吉	中	中	中
三十星期三	凶	凶	中	凶	吉	吉	吉	凶	吉	中	中	凶
一日星期四	凶	吉	中	中	凶	中	吉	凶	吉	中	凶	中
二日星期五	凶	吉	吉	吉	中	凶	吉	凶	中	凶	吉	中
三日星期六	凶	吉	吉	吉	吉	吉	凶	凶	凶	中	中	中
四日星期日	凶	吉	中	中	吉	吉	中	凶	吉	吉	吉	中
五日星期一	凶	中	吉	中	吉	中	凶	凶	凶	吉	吉	中
六日星期二	凶	中	吉	吉	中	凶	中	凶	吉	凶	吉	吉
七日星期三	凶	中	中	中	凶	吉	中	凶	吉	吉	凶	吉
八日星期四	中	凶	中	凶	中	吉	吉	凶	中	吉	吉	凶
九日星期五	凶	凶	凶	吉	中	吉	中	凶	吉	吉	中	中

忌

日期	忌
廿五星期五	動土開倉出財
廿六星期六	釀酒遠行
廿七星期日	動土
廿八星期一	行喪
廿九星期二	置產安床
三十星期三	修廚
一日星期四	釀酒
二日星期五	嫁娶
三日星期六	
四日星期日	詞訟
五日星期一	祭祀祈福
六日星期二	釀酒
七日星期三	動土
八日星期四	修廚
九日星期五	置產行喪

日期	農曆
廿五星期五	十六甲辰火鬼開
廿六星期六	十七乙巳火柳閉
廿七星期日	十八丙午水星建
廿八星期一	十九丁未水張除
廿九星期二	二十戊申土翌滿
三十星期三	廿一己酉土軫平
一日星期四	廿二庚戌金角定
二日星期五	廿三辛亥金亢執
三日星期六	廿四壬子木氐破
四日星期日	廿五癸丑木房成
五日星期一	廿六甲寅水心成
六日星期二	廿七乙卯水尾收
七日星期三	廿八丙辰土箕收
八日星期四	廿九丁巳土斗開
九日星期五	三十戊午火牛閉

宜

日期	宜
廿五星期五	祭祀祈福納采出行移徙入學
廿六星期六	
廿七星期日	祭祀
廿八星期一	拆卸
廿九星期二	祭祀祈福嫁娶開張修造動土出行移徙安門入伙
三十星期三	平治道塗修飾垣牆
一日星期四	祭祀祈福嫁娶開張動土入學出行入伙安門安葬
二日星期五	修造動土
三日星期六	破屋壞垣
四日星期日	祭祀開張交易修造動土安床
五日星期一	嫁娶開張交易修造動土入伙出行釀酒安葬
六日星期二	祭祀
七日星期三	開張入伙
八日星期四	祭祀開張立約交易
九日星期五	祭祀

西曆二〇二一年七月（農曆六月小）

日期	星期	時辰	忌	農曆	宜
十日	星期六	子中 丑凶 寅吉 卯吉 辰中 巳吉 午吉 未凶 申吉 酉中 戌中 亥凶	動土行喪	初一己未火女建	拆卸
十一	星期日	子凶 丑凶 寅凶 卯中 辰吉 巳吉 午吉 未凶 申吉 酉中 戌凶 亥中	安床	初二庚申木虛除	嫁娶開張動土入伙安葬
十二	星期一	子中 丑凶 寅吉 卯凶 辰吉 巳吉 午吉 未凶 申中 酉凶 戌中 亥中	釀酒針灸	初三辛酉木危滿	祭祀嫁娶開張立約安門安葬
十三	星期二	子中 丑凶 寅吉 卯吉 辰凶 巳吉 午中 未凶 申凶 酉中 戌吉 亥吉	動土	初四壬戌水室平	嫁娶
十四	星期三	子中 丑凶 寅吉 卯吉 辰吉 巳凶 午吉 未凶 申中 酉中 戌吉 亥吉	嫁娶詞訟	初五癸亥水壁定	掃舍
十五	星期四	子吉 丑凶 寅吉 卯中 辰吉 巳中 午凶 未凶 申吉 酉中 戌中 亥中	開倉出財問卜修倉	初六甲子金奎執	祭祀祈福嫁娶納采修造動土出行移徙安門安床成服安葬
十六	星期五	子吉 丑凶 寅吉 卯吉 辰中 巳凶 午中 未凶 申吉 酉吉 戌中 亥中	釀酒蒔插	初七乙丑金婁破	破屋壞垣
十七	星期六	子吉 丑凶 寅中 卯吉 辰凶 巳中 午吉 未凶 申凶 酉吉 戌中 亥中	修廚祭祀祈福	初八丙寅火胃危	嫁娶納采入伙開張動土納財修倉釀酒安床成服安葬
十八	星期日	子中 丑凶 寅吉 卯凶 辰中 巳中 午吉 未凶 申中 酉凶 戌中 亥中	詞訟	初九丁卯火昴成	祭祀祈福嫁娶納采開張動土入伙出行移徙治病安葬
十九	星期一	子中 丑凶 寅凶 卯吉 辰中 巳吉 午中 未凶 申吉 酉吉 戌凶 亥中	置產行喪	初十戊辰木畢收	
二十	星期二	子吉 丑凶 寅吉 卯中 辰中 巳中 午吉 未凶 申吉 酉中 戌中 亥凶	遠行成服行喪	十一己巳木觜開	祭祀祈福入學安床交易
廿一	星期三	子凶 丑凶 寅吉 卯中 辰中 巳中 午吉 未凶 申吉 酉吉 戌凶 亥中		十二庚午土參閉	安葬
廿二	星期四	子中 丑凶 寅吉 卯吉 辰中 巳吉 午吉 未凶 申吉 酉凶 戌中 亥中	動土行喪	十三辛未土井建	拆卸
廿三	星期五	子吉 丑凶 寅凶 卯吉 辰吉 巳吉 午中 未凶 申凶 酉吉 戌中 亥中	安床	十四壬申金鬼除	祭祀祈福成服安葬
廿四	星期六	子吉 丑凶 寅吉 卯凶 辰吉 巳吉 午中 未凶 申吉 酉中 戌中 亥中	詞訟針灸	十五癸酉金柳滿	嫁娶安床成服除服安葬

西曆七月（農曆六月小）

日期	時辰吉凶	忌	農曆	宜
廿五日星期日	子[illegible] 丑[illegible] 寅[illegible] 卯[illegible] 辰[illegible] 巳[illegible] 午凶 未凶 申中 酉中 戌中 亥中	開倉出財	十六甲戌火星平	祭祀修飾垣牆
廿六星期一	子吉 丑凶 寅吉 卯吉 辰中 巳凶 午中 未凶 申中 酉中 戌中 亥中	釀酒嫁娶成服	十七乙亥火張定	開張動土入伙出行安門修倉
廿七星期二	子吉 丑凶 寅中 卯中 辰凶 巳吉 午凶 未凶 申中 酉吉 戌吉 亥吉	修廚	十八丙子水翌執	祭祀
廿八星期三	子吉 丑凶 寅中 卯凶 辰中 巳吉 午吉 未凶 申中 酉吉 戌中 亥吉	開張	十九丁丑水軫破	破屋壞垣
廿九星期四	子中 丑凶 寅凶 卯吉 辰吉 巳吉 午吉 未凶 申凶 酉中 戌中 亥中	置產祭祀祈福	二十戊寅土角危	納采開張交易出行移徙安床
三十星期五	子吉 丑凶 寅吉 卯吉 辰中 巳中 午吉 未凶 申中 酉凶 戌中 亥凶	除服成服	廿一己卯土亢成	祭祀祈福嫁娶納采開張交易動土入伙出行移徙修倉釀酒
卅一星期六	子凶 丑凶 寅吉 卯中 辰吉 巳吉 午吉 未凶 申中 酉中 戌凶 亥吉	修倉	廿二庚辰金氐收	納財釀酒

西曆八月（農曆六月小）

日期	時辰吉凶	忌	農曆	宜
一日星期日	子中 丑凶 寅吉 卯中 辰中 巳吉 午吉 未凶 申中 酉凶 戌吉 亥凶	釀酒遠行	廿三辛巳金房開	開張安床入學
二日星期一	子凶 丑凶 寅吉 卯吉 辰中 巳吉 午中 未凶 申凶 酉中 戌中 亥吉		廿四壬午木心閉	除服破土安葬
三日星期二	子吉 丑凶 寅吉 卯吉 辰中 巳吉 午吉 未凶 申中 酉中 戌吉 亥中	詞訟動土	廿五癸未木尾建	拆卸
四日星期三	子吉 丑凶 寅凶 卯中 辰吉 巳吉 午凶 未凶 申吉 酉吉 戌中 亥中	開倉安床	廿六甲申水箕除	祭祀祈福嫁娶納采開張修造動土入伙移徙安門安葬
五日星期四	子吉 丑凶 寅吉 卯凶 辰吉 巳凶 午中 未凶 申吉 酉吉 戌中 亥中	釀酒蒔插修倉	廿七乙酉水斗滿	開張交易修造動土成服安葬
六日星期五	子吉 丑凶 寅吉 卯吉 辰凶 巳吉 午中 未凶 申吉 酉吉 戌吉 亥吉	動土	廿八丙戌土牛平	祭祀日值四絕餘事不注
七日星期六	子中 丑凶 寅吉 卯凶 辰中 巳凶 午吉 未凶 申中 酉吉 戌吉 亥吉	嫁娶除服成服	廿九丁亥土女定	開張動土入伙出行

西曆二〇二一年八月（農曆七月大）

日期	吉凶時	忌	農曆	宜
八日星期日	子中 丑吉 寅凶 卯吉 辰吉 巳吉 午凶 未凶 申吉 酉吉 戌中 亥中	問卜	初一戊子火虛定	祭祀祈福嫁娶開張修造動土入伙出行安葬
九日星期一	子吉 丑凶 寅凶 卯吉 辰中 巳吉 午中 未凶 申吉 酉吉 戌中 亥凶	開倉出財	初二己丑火危執	醞酒
十日星期二	子凶 丑吉 寅凶 卯吉 辰吉 巳中 午中 未凶 申凶 酉中 戌凶 亥中	成服	初三庚寅木室破	破屋壞垣
十一星期三	子中 丑中 寅凶 卯吉 辰中 巳吉 午吉 未凶 申中 酉凶 戌吉 亥中		初四辛卯木壁危	立約交易置產安床安葬
十二星期四	子中 丑吉 寅凶 卯吉 辰中 巳吉 午中 未凶 申凶 酉吉 戌凶 亥吉	修廚	初五壬辰水奎成	祭祀祈福求嗣納采開張動土入伙成服安葬
十三星期五	子吉 丑中 寅凶 卯吉 辰吉 巳吉 午中 未凶 申吉 酉中 戌吉 亥凶	詞訟遠行成服	初六癸巳水婁收	嫁娶納采開張交易動土移徙安床醞酒
十四星期六	子凶 丑吉 寅凶 卯中 辰中 巳中 午凶 未凶 申中 酉吉 戌中 亥中	開倉出財	初七甲午金胃開	祭祀嫁娶開張修造動土入伙出行
十五星期日	子吉 丑凶 寅凶 卯吉 辰中 巳凶 午中 未凶 申吉 酉中 戌吉 亥吉	醞酒針灸	初八乙未金昴閉	拆卸
十六星期一	子吉 丑吉 寅凶 卯中 辰凶 巳吉 午中 未凶 申吉 酉吉 戌吉 亥吉	安床	初九丙申火畢建	納采出行安門除服安葬
十七星期二	子中 丑吉 寅凶 卯凶 辰中 巳中 午吉 未凶 申中 酉吉 戌中 亥吉	捕捉	初十丁酉火觜除	祭祀祈福動土安門安床修倉除服安葬
十八星期三	子中 丑吉 寅凶 卯吉 辰凶 巳中 午吉 未凶 申吉 酉中 戌中 亥中	置產除服行喪	十一戊戌木參滿	嫁娶納采修造動土出行移徙修倉醞酒
十九星期四	子吉 丑凶 寅凶 卯吉 辰中 巳凶 午吉 未凶 申吉 酉中 戌中 亥凶	嫁娶除服	十二己亥木井平	平治道塗修飾垣牆
二十星期五	子凶 丑吉 寅凶 卯中 辰中 巳中 午凶 未凶 申吉 酉吉 戌凶 亥中	問卜除服成服	十三庚子土鬼定	祭祀祈福求嗣開張修造動土安床移徙入學
廿一星期六	子中 丑吉 寅凶 卯吉 辰中 巳吉 午吉 未凶 申吉 酉凶 戌中 亥吉	醞酒	十四辛丑土柳執	
廿二星期日	子中 丑吉 寅凶 卯吉 辰中 巳中 [illegible]	祭祀	十五壬寅金星破	破屋壞垣

西曆月份	日期	時辰吉凶	忌	農曆日干支五行星宿建除	宜
西曆八月（農曆七月大）	廿三星期一	子[illegible]丑[illegible]寅[illegible]卯[illegible]辰[illegible]巳[illegible] 午中未凶申中酉凶戌吉亥中	詞訟動土	十六癸卯金張危	嫁娶立約交易安床安葬
	廿四星期二	子吉丑吉寅凶卯中辰吉巳中 午凶未凶申中酉吉戌凶亥吉	開倉出財	十七甲辰火翌成	祭祀祈福納采立約交易入學
	廿五星期三	子吉丑吉寅凶卯中辰中巳凶 午中未凶申吉酉吉戌吉亥凶	遠行釀酒	十八乙巳火軫收	
	廿六星期四	子凶丑中寅凶卯中辰凶巳吉 午吉未凶申吉酉吉戌吉亥吉	修廚	十九丙午水角開	祭祀祈福動土安床釀酒成服
	廿七星期五	子中丑凶寅凶卯凶辰中巳吉 午吉未凶申中酉吉戌中亥吉	針灸	二十丁未水亢閉	拆卸
	廿八星期六	子中丑吉寅凶卯中辰吉巳吉 午中未凶申吉酉中戌中亥中	置產安床	廿一戊申土氐建	嫁娶出行納財安門安葬
	廿九星期日	子吉丑凶寅凶卯凶辰吉巳吉 午吉未凶申吉酉中戌中亥凶	釀酒	廿二己酉土房除	修造動土除服安葬
	三十星期一	子凶丑吉寅凶卯中辰凶巳中 午吉未凶申吉酉中戌凶亥中	行喪	廿三庚戌金心滿	
	卅一星期二	子中丑吉寅凶卯吉辰中巳凶 午吉未凶申中酉凶戌吉亥中	嫁娶	廿四辛亥金尾平	平治道塗修飾垣牆
西曆九月（農曆七月大）	一日星期三	子吉丑吉寅凶卯吉辰吉巳吉 午凶未凶申凶酉中戌中亥中	問卜	廿五壬子木箕定	祭祀祈福嫁娶納采開張交易修造動土入伙出行移徙安葬
	二日星期四	子吉丑吉寅凶卯中辰吉巳吉 午中未凶申吉酉吉戌吉亥中	詞訟	廿六癸丑木斗執	祭祀祈福納采動土出行安葬
	三日星期五	子中丑中寅凶卯中辰吉巳中 午凶未凶申凶酉吉戌吉亥中	祭祀開倉	廿七甲寅水牛破	破屋壞垣
	四日星期六	子中丑中寅凶卯吉辰中巳凶 午中未凶申吉酉凶戌吉亥吉	釀酒	廿八乙卯水女危	嫁娶安床安葬
	五日星期日	子中丑中寅凶卯中辰凶巳吉 午中未凶申吉酉吉戌凶亥吉	修廚針灸	廿九丙辰土虛成	祭祀祈福立約交易開張動土入伙安門安床成服
	六日星期一	子中丑吉寅凶卯凶辰中巳吉 午吉未凶申中酉吉戌吉亥凶	動土遠行	三十丁巳土危收	祭祀祈福求嗣嫁娶移徙開張立約交易開倉

西曆二〇二一年九月（農曆八月小）

日期	星期	子	丑	寅	卯	辰	巳	午	未	申	酉	戌	亥	忌	農曆	宜
七日	星期二	凶	中	凶	吉	中	吉	中	凶	吉	吉	中	中	置產	初一戊午火室開	嫁娶開張動土入伙移徙安床入學
八日	星期三	中	凶	吉	中	中	吉	吉	凶	吉	中	中	凶	動土	初二己未火壁開	拆卸
九日	星期四	凶	吉	凶	凶	吉	吉	吉	凶	吉	中	凶	中	安床針灸	初三庚申木奎閉	祭祀嫁娶開張立約交易動土入伙出行修倉安葬
十日	星期五	中	中	吉	凶	吉	吉	吉	凶	中	凶	中	中	動土	初四辛酉木婁建	出行
十一	星期六	中	中	吉	凶	凶	吉	中	凶	凶	中	吉	吉	成服	初五壬戌水胃除	祭祀祈福動土出行安門安床
十二	星期日	中	中	吉	凶	吉	凶	吉	凶	中	中	吉	吉	嫁娶詞訟	初六癸亥水昴滿	出行安床
十三	星期一	吉	吉	吉	凶	吉	中	凶	凶	吉	中	中	中	開倉出財	初七甲子金畢平	平治道塗修飾垣牆
十四	星期二	吉	吉	吉	凶	中	凶	中	凶	吉	吉	中	中	除服成服	初八乙丑金觜定	祭祀祈福嫁娶納采開張動土出行移徙入伙安床
十五	星期三	吉	中	中	凶	凶	中	吉	凶	凶	吉	中	中	祭祀	初九丙寅火參執	入學安門成服安葬
十六	星期四	中	中	吉	凶	中	中	吉	凶	中	凶	中	中		初十丁卯火井破	破屋壞垣
十七	星期五	中	吉	凶	凶	中	吉	中	凶	吉	吉	凶	中	置產	十一戊辰木鬼危	祭祀嫁娶立約交易移徙安床
十八	星期六	吉	凶	吉	凶	中	中	吉	凶	吉	中	中	凶	成服	十二己巳木柳成	祭祀祈福嫁娶納采開張動土入伙安門移徙
十九	星期日	凶	吉	吉	凶	中	中	吉	凶	吉	吉	凶	中		十三庚午土星收	祭祀針灸
二十	星期一	中	凶	吉	凶	中	吉	吉	凶	吉	凶	中	中	動土除服	十四辛未土張開	祭祀拆卸
廿一	星期二	吉	吉	凶	凶	吉	吉							安床	十五壬申金翌閉	釀酒安葬

西曆	日期	時辰吉凶（子至巳）	時辰吉凶（午至亥）	忌	農曆干支	宜
西曆九月（農曆八月小）	廿二星期三	[illegible]	午中未凶申吉酉中戌中亥中	動土詞訟	十六癸酉金軫建	祭祀日值四離餘事不注
西曆九月（農曆八月小）	廿三星期四	子中丑吉寅吉卯凶辰凶巳吉	午凶未凶申中酉中戌中亥中	開倉出財行喪	十七甲戌火角除	祭祀移徙安床
西曆九月（農曆八月小）	廿四星期五	子吉丑吉寅吉卯凶辰中巳凶	午中未凶申中酉中戌中亥中	嫁娶釀酒成服	十八乙亥火亢滿	動土出行移徙
西曆九月（農曆八月小）	廿五星期六	子吉丑吉寅中卯凶辰凶巳吉	午凶未凶申中酉吉戌吉亥吉	修廚	十九丙子水氐平	平治道塗修飾垣牆
西曆九月（農曆八月小）	廿六星期日	子吉丑中寅中卯凶辰中巳吉	午吉未凶申中酉吉戌中亥吉	釀酒	二十丁丑水房定	嫁娶納采開張交易修造動土出行安門入伙修倉成服安葬
西曆九月（農曆八月小）	廿七星期一	子中丑吉寅凶卯凶辰吉巳吉	午吉未凶申凶酉中戌中亥中	置產祭祀	廿一戊寅土心執	修造動土安門安葬
西曆九月（農曆八月小）	廿八星期二	子吉丑凶寅吉卯凶辰中巳中	午吉未凶申中酉凶戌中亥凶		廿二己卯土尾破	破屋壞垣
西曆九月（農曆八月小）	廿九星期三	子凶丑吉寅吉卯凶辰吉巳吉	午吉未凶申中酉中戌凶亥吉	開倉出財	廿三庚辰金箕危	祭祀祈福嫁娶納采開張修造動土出行安床安葬
西曆九月（農曆八月小）	三十星期四	子中丑吉寅吉卯凶辰中巳吉	午吉未凶申中酉凶戌吉亥凶	遠行釀酒成服	廿四辛巳金斗成	祭祀祈福嫁娶納采開張交易動土移徙入伙安門
西曆十月（農曆八月小）	一日星期五	子凶丑吉寅吉卯凶辰中巳吉	午中未凶申凶酉中戌中亥吉		廿五壬午木牛收	捕捉
西曆十月（農曆八月小）	二日星期六	子吉丑凶寅吉卯凶辰中巳吉	午吉未凶申中酉中戌吉亥中	動土詞訟	廿六癸未木女開	拆卸
西曆十月（農曆八月小）	三日星期日	子吉丑吉寅凶卯凶辰吉巳吉	午凶未凶申吉酉吉戌中亥中	安床針灸開倉	廿七甲申水虛閉	嫁娶修造動土出行移徙釀酒安葬
西曆十月（農曆八月小）	四日星期一	子吉丑吉寅吉卯凶辰吉巳凶	午中未凶申吉酉吉戌中亥中	動土釀酒	廿八乙酉水危建	
西曆十月（農曆八月小）	五日星期二	子吉丑中寅吉卯凶辰凶巳吉	午中未凶申吉酉吉戌吉亥吉	修廚行喪	廿九丙戌土室除	祭祀出行修造動土安床

西曆二〇二一年十月（農曆九月大）

日期	子	丑	寅	卯	辰	巳	午	未	申	酉	戌	亥	忌	農曆	宜
六日星期三	中	吉	吉	凶	中	凶	吉	凶	中	吉	吉	吉	嫁娶	初一丁亥土壁滿	開張動土入伙出行移徙安床
七日星期四	中	吉	凶	凶	吉	吉	凶	凶	吉	吉	中	中	置產	初二戊子火奎平	平治道塗修飾垣牆
八日星期五	吉	凶	吉	凶	中	吉	中	凶	吉	吉	中	凶	除服行喪	初三己丑火婁平	祭祀
九日星期六	凶	吉	吉	吉	凶	中	中	凶	凶	中	凶	中	祭祀	初四庚寅木胃定	成服安葬
十日星期日	中	中	吉	吉	凶	吉	吉	凶	中	凶	吉	中	釀酒	初五辛卯木昴執	祭祀祈福嫁娶納采開張修造動土入伙出行移徙安葬
十一星期一	中	吉	吉	吉	凶	吉	中	凶	凶	吉	凶	吉		初六壬辰水畢破	破屋壞垣
十二星期二	吉	中	中	吉	凶	吉	中	凶	吉	中	吉	凶	詞訟成服	初七癸巳水觜危	嫁娶納采開張修造動土入伙移徙安床釀酒
十三星期三	凶	吉	吉	中	凶	中	凶	凶	中	吉	中	中	開倉出財	初八甲午金參成	嫁娶納采開張交易修造動土入伙出行移徙安葬
十四星期四	吉	凶	吉	吉	凶	凶	中	凶	吉	中	吉	吉	釀酒蒔插	初九乙未金井收	祭祀拆卸
十五星期五	吉	吉	凶	中	凶	吉	中	凶	吉	吉	吉	吉	安床修廚	初十丙申火鬼開	祭祀嫁娶開張動土出行
十六星期六	中	吉	中	凶	凶	中	吉	凶	中	吉	中	吉		十一丁酉火柳閉	除服安葬
十七星期日	中	吉	凶	吉	凶	中	吉	凶	吉	中	中	中	置產	十二戊戌木星建	
十八星期一	吉	凶	吉	吉	凶	凶	吉	凶	吉	中	中	凶	嫁娶成服	十三己亥木張除	開張
十九星期二	凶	吉	中	中	凶	中	凶	凶	吉	吉	凶	中	問卜	十四庚子土翌滿	祭祀開張入學成服除服破土
二十星期三	中	吉	吉	吉	凶	吉	[illegible]	[illegible]	[illegible]	[illegible]	[illegible]	[illegible]	動土	十五辛丑土軫平	祭祀平治道塗

西曆十月（農曆九月大）

日期	子	丑	寅	卯	辰	巳	午	未	申	酉	戌	亥	忌	農曆	宜
廿一星期四	[illegible]	[illegible]	[illegible]	[illegible]	[illegible]	[illegible]	中	凶	凶	中	吉	中	祭祀	十六壬寅金角定	動土成服安葬
廿二星期五	吉	中	吉	吉	凶	中	中	凶	中	凶	吉	中	詞訟	十七癸卯金亢執	祭祀祈福嫁娶納采修造動土開張入伙出行移徙安床安葬
廿三星期六	吉	吉	中	中	凶	中	凶	凶	中	吉	凶	吉	開倉出財	十八甲辰火氐破	破屋
廿四星期日	吉	吉	中	中	凶	凶	中	凶	吉	吉	吉	凶	遠行釀酒	十九乙巳火房危	祭祀
廿五星期一	凶	中	中	中	凶	吉	吉	凶	吉	吉	吉	吉	修廚	二十丙午水心成	祭祀祈福求嗣嫁娶納采開張交易修造動土出行移徙入伙安葬
廿六星期二	中	凶	中	凶	凶	吉	吉	凶	中	吉	中	吉		廿一丁未水尾收	拆卸
廿七星期三	中	吉	凶	中	凶	吉	中	凶	吉	中	中	中	置產安床除服	廿二戊申土箕開	祭祀嫁娶納采開張交易入伙動土移徙
廿八星期四	吉	凶	中	凶	凶	吉	吉	凶	吉	中	中	凶	成服行喪	廿三己酉土斗閉	釀酒
廿九星期五	凶	吉	中	中	凶	中	吉	凶	吉	中	凶	中	動土行喪	廿四庚戌金牛建	祭祀出行移徙納財
三十星期六	中	吉	吉	吉	凶	凶	吉	凶	中	凶	吉	中	嫁娶動土釀酒	廿五辛亥金女除	祭祀祈福出行移徙安床
卅一星期日	吉	吉	吉	吉	凶	吉	凶	凶	凶	中	中	中	問卜	廿六壬子木虛滿	祭祀開張出行成服安葬

西曆十一月（農曆九月大）

日期	子	丑	寅	卯	辰	巳	午	未	申	酉	戌	亥	忌	農曆	宜
一日星期一	吉	吉	中	中	凶	吉	中	凶	吉	吉	吉	中	詞訟	廿七癸丑木危平	修廚
二日星期二	中	中	吉	中	凶	中	凶	凶	凶	吉	吉	中	祭祀祈福開倉	廿八甲寅水室定	安葬
三日星期三	中	中	吉	吉	凶	凶	中	凶	吉	凶	吉	吉	釀酒	廿九乙卯水壁執	祭祀祈福安門安床成服安葬
四日星期四	中	中	中	中	凶	吉	中	凶	吉	吉	凶	吉	修廚	三十丙辰土奎破	破屋壞垣

西曆二〇二一年十一月（農曆十月小）

日期	時辰	忌	農曆	宜
五日星期五	子中 丑吉 寅中 卯凶 辰凶 巳吉 午吉 未凶 申中 酉吉 戌吉 亥凶	釀酒遠行	初一丁巳土婁危	祭祀安床
六日星期六	子凶 丑中 寅凶 卯吉 辰凶 巳吉 午中 未凶 申吉 酉吉 戌中 亥中	置產	初二戊午火胃成	日值四絕餘事不注
七日星期日	子中 丑凶 寅吉 卯吉 辰凶 巳吉 午吉 未凶 申吉 酉中 戌中 亥凶	成服	初三己未火昴收	拆卸
八日星期一	子凶 丑吉 寅凶 卯中 辰吉 巳凶 午吉 未凶 申吉 酉中 戌凶 亥中	安床	初四庚申木畢收	修造動土出行移徙納財修倉釀酒安葬
九日星期二	子中 丑中 寅吉 卯凶 辰吉 巳凶 午吉 未凶 申中 酉凶 戌中 亥中	釀酒	初五辛酉木觜開	修造動土交易出行入學
十日星期三	子中 丑中 寅吉 卯吉 辰凶 巳凶 午中 未凶 申凶 酉中 戌吉 亥吉	除服	初六壬戌水參閉	修造動土安床
十一星期四	子中 丑中 寅吉 卯吉 辰吉 巳凶 午吉 未凶 申中 酉中 戌吉 亥吉	嫁娶詞訟	初七癸亥水井建	祭祀
十二星期五	子吉 丑吉 寅吉 卯中 辰吉 巳凶 午凶 未凶 申吉 酉中 戌中 亥中	開倉出財問卜	初八甲子金鬼除	祭祀祈福嫁娶納采開張動土出行移徙安床安葬
十三星期六	子吉 丑吉 寅吉 卯吉 辰中 巳凶 午中 未凶 申吉 酉吉 戌中 亥中	釀酒行喪	初九乙丑金柳滿	
十四星期日	子吉 丑中 寅中 卯吉 辰凶 巳凶 午吉 未凶 申凶 酉吉 戌中 亥中	祭祀祈福	初十丙寅火星平	嫁娶納采修造動土出行釀酒
十五星期一	子中 丑中 寅吉 卯凶 辰中 巳凶 午吉 未凶 申中 酉凶 戌中 亥中		十一丁卯火張定	祭祀嫁娶納采開張動土入伙出行移徙修倉安葬
十六星期二	子中 丑吉 寅凶 卯吉 辰中 巳凶 午中 未凶 申吉 酉吉 戌凶 亥中	動土置業	十二戊辰木翌執	祭祀嫁娶納采入學安床
十七星期三	子吉 丑凶 寅吉 卯中 辰中 巳凶 午吉 未凶 申吉 酉中 戌中 亥凶	遠行除服	十三己巳木軫破	破屋壞垣
十八星期四	子凶 丑吉 寅吉 卯中 辰中 巳凶 午吉 未凶 申吉 酉吉 戌凶 亥中		十四庚午土角危	祭祀祈福嫁娶納采開張動土出行入伙安床安葬
十九星期五	子中 丑凶 寅吉 卯吉 辰中 巳凶	釀酒	十五辛未土亢成	月食本港地區可見

西曆十一月（農曆十月小）

日期	時辰	忌	農曆	宜
二十 星期六	午中 未凶 申凶 酉吉 戌中 亥中	安床	十六壬申金氐收	捕捉
廿一 星期日	子吉 丑吉 寅吉 卯凶 辰吉 巳凶 午中 未凶 申吉 酉中 戌中 亥中	詞訟	十七癸酉金房開	祭祀祈福求嗣開張動土入伙安床安門
廿二 星期一	子中 丑吉 寅吉 卯吉 辰凶 巳凶 午凶 未凶 申中 酉中 戌中 亥中	開張開倉出財	十八甲戌火心閉	祭祀安床
廿三 星期二	子吉 丑吉 寅吉 卯吉 辰中 巳凶 午中 未凶 申中 酉中 戌中 亥中	嫁娶釀酒	十九乙亥火尾建	祭祀出行
廿四 星期三	子吉 丑吉 寅中 卯中 辰凶 巳凶 午凶 未凶 申中 酉吉 戌吉 亥吉	修廚	二十丙子水箕除	開張立約出行破土
廿五 星期四	子吉 丑中 寅中 卯凶 辰中 巳凶 午吉 未凶 申中 酉吉 戌中 亥吉	行喪	廿一丁丑水斗滿	
廿六 星期五	子中 丑吉 寅凶 卯吉 辰吉 巳凶 午吉 未凶 申凶 酉中 戌中 亥中	祭祀動土置業	廿二戊寅土牛平	嫁娶納采開張交易出行移徙安葬
廿七 星期六	子吉 丑凶 寅吉 卯吉 辰中 巳凶 午吉 未凶 申中 酉凶 戌中 亥凶		廿三己卯土女定	祭祀祈福求嗣嫁娶納采開張交易修造動土入伙安葬
廿八 星期日	子凶 丑吉 寅吉 卯中 辰吉 巳凶 午吉 未凶 申中 酉中 戌凶 亥吉	動土	廿四庚辰金虛執	祭祀祈福嫁娶納采移徙安葬
廿九 星期一	子中 丑吉 寅吉 卯中 辰中 巳凶 午吉 未凶 申中 酉凶 戌吉 亥凶	遠行	廿五辛巳金危破	破屋壞垣
三十 星期二	子凶 丑吉 寅吉 卯吉 辰中 巳凶 午中 未凶 申凶 酉中 戌中 亥吉		廿六壬午木室危	開張動土入伙安床

西曆十二月（農曆十月小）

日期	時辰	忌	農曆	宜
一日 星期三	子吉 丑凶 寅吉 卯吉 辰中 巳凶 午吉 未凶 申中 酉中 戌吉 亥中	詞訟	廿七癸未木壁成	祭祀拆卸
二日 星期四	子吉 丑吉 寅凶 卯中 辰吉 巳凶 午凶 未凶 申吉 酉吉 戌中 亥中	安床開倉出財	廿八甲申水奎收	嫁娶納采修造動土移徙成服安葬
三日 星期五	子吉 丑吉 寅吉 卯凶 辰吉 巳凶 午中 未凶 申吉 酉吉 戌中 亥中	釀酒	廿九乙酉水婁開	祭祀嫁娶開張動土出行移徙安床

西曆二〇二一年十二月（農曆十一月大）

日期	時辰	忌	農曆	宜
四日星期六	子吉 丑中 寅吉 卯吉 辰凶 巳凶 午中 未凶 申吉 酉吉 戌吉 亥吉	修廚	初一丙戌土胃閉	日食本港地區不見
五日星期日	子中 丑吉 寅吉 卯凶 辰中 巳凶 午吉 未凶 申中 酉吉 戌吉 亥吉	嫁娶	初二丁亥土昴建	祭祀
六日星期一	子中 丑吉 寅凶 卯吉 辰吉 巳凶 午凶 未凶 申吉 酉吉 戌中 亥中	置產問卜	初三戊子火畢除	修造動土出行入學
七日星期二	子吉 丑凶 寅吉 卯吉 辰中 巳吉 午凶 未凶 申吉 酉吉 戌中 亥凶	除服成服行喪	初四己丑火觜除	嫁娶納采開張動土
八日星期三	子凶 丑吉 寅吉 卯吉 辰吉 巳中 午凶 未凶 申凶 酉中 戌凶 亥中	祭祀	初五庚寅木參滿	嫁娶開張動土除服安葬
九日星期四	子中 丑中 寅吉 卯吉 辰中 巳吉 午凶 未凶 申中 酉凶 戌吉 亥中		初六辛卯木井平	修飾垣牆
十日星期五	子中 丑吉 寅吉 卯吉 辰中 巳吉 午凶 未凶 申凶 酉吉 戌凶 亥吉		初七壬辰水鬼定	祭祀祈福求嗣嫁娶開張入伙修造動土成服安葬
十一星期六	子吉 丑中 寅中 卯吉 辰吉 巳吉 午凶 未凶 申吉 酉中 戌吉 亥凶	詞訟遠行除服	初八癸巳水柳執	修造動土移徙安門安床
十二星期日	子凶 丑吉 寅吉 卯中 辰中 巳中 午凶 未凶 申中 酉吉 戌中 亥中	開倉出財	初九甲午金星破	破屋壞垣
十三星期一	子吉 丑凶 寅吉 卯吉 辰中 巳凶 午凶 未凶 申吉 酉中 戌吉 亥吉	醞酒蒔插	初十乙未金張危	拆卸
十四星期二	子吉 丑吉 寅凶 卯中 辰凶 巳吉 午凶 未凶 申吉 酉吉 戌吉 亥吉	動土安床修廚	十一丙申火翌成	嫁娶納采出行移徙入學安葬
十五星期三	子中 丑吉 寅中 卯凶 辰中 巳中 午凶 未凶 申中 酉吉 戌中 亥吉	除服	十二丁酉火軫收	祭祀
十六星期四	子中 丑吉 寅凶 卯吉 辰凶 巳中 午凶 未凶 申吉 酉中 戌中 亥中	置產	十三戊戌木角開	祭祀祈福開張動土
十七星期五	子吉 丑凶 寅吉 卯吉 辰中 巳凶 午凶 未凶 申吉 酉中 戌中 亥凶	嫁娶成服針灸	十四己亥木亢閉	安床
十八星期六	子凶 丑吉 寅中 卯中 辰中 巳中	動土…	十五庚子土氐建	修飾垣牆

西曆十二月（農曆十一月大）

日期	時辰吉凶	忌	農曆干支	宜
十九星期日（部分缺）	午凶 未凶 申吉 酉凶 戌中 亥吉	[illegible]	十六辛丑土房除	入伙出行
二十星期一	子中 丑吉 寅吉 卯吉 辰中 巳中 午凶 未凶 申凶 酉中 戌吉 亥中	祭祀	十七壬寅金心滿	日值四離餘事不注
廿一星期二	子吉 丑中 寅吉 卯吉 辰中 巳中 午凶 未凶 申中 酉凶 戌吉 亥中	詞訟	十八癸卯金尾平	平治道塗
廿二星期三	子吉 丑吉 寅中 卯中 辰吉 巳中 午凶 未凶 申中 酉吉 戌凶 亥吉	開倉出財釀酒蒔插	十九甲辰火箕定	祭祀祈福嫁娶納采動土出行安葬
廿三星期四	子吉 丑吉 寅中 卯中 辰中 巳凶 午凶 未凶 申吉 酉吉 戌吉 亥凶	釀酒遠行	二十乙巳火斗執	祭祀
廿四星期五	子凶 丑中 寅中 卯中 辰凶 巳吉 午凶 未凶 申吉 酉吉 戌吉 亥吉	修廚	廿一丙午水牛破	破屋壞垣
廿五星期六	子中 丑凶 寅中 卯凶 辰中 巳吉 午凶 未凶 申中 酉吉 戌中 亥凶	除服	廿二丁未水女危	拆卸
廿六星期日	子中 丑吉 寅凶 卯中 辰吉 巳吉 午凶 未凶 申吉 酉中 戌中 亥中	動土安床	廿三戊申土虛成	嫁娶納采開張交易入伙出行移徙安葬
廿七星期一	子吉 丑凶 寅中 卯凶 辰吉 巳吉 午凶 未凶 申吉 酉中 戌中 亥凶	修廚	廿四己酉土危收	
廿八星期二	子凶 丑吉 寅中 卯中 辰凶 巳中 午凶 未凶 申吉 酉中 戌凶 亥中		廿五庚戌金室開	祭祀嫁娶開張動土置產
廿九星期三	子中 丑吉 寅吉 卯吉 辰中 巳凶 午凶 未凶 申中 酉凶 戌吉 亥中	嫁娶	廿六辛亥金壁閉	安床
三十星期四	子吉 丑吉 寅吉 卯吉 辰吉 巳吉 午凶 未凶 申凶 酉中 戌中 亥中	動土	廿七壬子木奎建	祭祀修飾垣牆
卅一星期五	子吉 丑吉 寅中 卯中 辰吉 巳吉 午凶 未凶 申吉 酉吉 戌吉 亥中	詞訟成服行喪	廿八癸丑木婁除	祭祀祈福求嗣嫁娶納采開張動土入伙出行移徙修倉

西曆一月（農曆十一月大）

日期	時辰吉凶	忌	農曆干支	宜
一日星期六	子中 丑中 寅吉 卯中 辰吉 巳中 午凶 未凶 申凶 酉吉 戌吉 亥中	祭祀祈福開倉	廿九甲寅水胃滿	嫁娶開張交易動土出行入伙安床成服安葬
二日星期日	子中 丑中 寅吉 卯吉 辰中 巳凶 午凶 未凶 申吉 酉凶 戌吉 亥吉	釀酒	三十乙卯水昴平	平治道塗修飾垣牆

西曆二〇二二年一月（農曆十二月小）

日期	子	丑	寅	卯	辰	巳	午	未	申	酉	戌	亥	忌	農曆	宜
三日星期一	中	中	中	中	凶	吉	凶	凶	吉	吉	凶	吉	修廚釀酒蒔插	初一丙辰土畢定	祭祀祈福嫁娶納采立約交易修造動土出行安門安床除服安葬
四日星期二	中	吉	中	凶	中	吉	凶	凶	中	吉	吉	凶	遠行	初二丁巳土觜執	祭祀捕捉
五日星期三	凶	中	凶	吉	中	吉	凶	凶	吉	吉	中	中	置產	初三戊午火參破	破屋
六日星期四	中	凶	吉	吉	中	吉	吉	凶	吉	中	中	凶	安葬成服	初四己未火井破	破屋壞垣
七日星期五	凶	吉	凶	中	吉	吉	吉	凶	吉	中	凶	中	安床	初五庚申木鬼危	祭祀祈福開張移徙安葬
八日星期六	中	中	吉	凶	吉	吉	吉	凶	中	凶	中	中	詞訟	初六辛酉木柳成	祭祀祈福求嗣嫁娶納采開張修造動土入伙出行移徙安葬
九日星期日	中	中	吉	吉	凶	吉	中	凶	凶	中	吉	吉		初七壬戌水星收	祭祀捕捉
十日星期一	中	中	吉	吉	吉	凶	吉	凶	中	中	吉	吉	嫁娶詞訟	初八癸亥水張開	安門
十一星期二	吉	吉	吉	中	吉	中	凶	凶	吉	中	中	中	動土開倉	初九甲子金翌閉	祭祀立約交易成服安葬
十二星期三	吉	吉	吉	吉	中	凶	中	凶	吉	吉	中	中	動土行喪	初十乙丑金軫建	祭祀納采
十三星期四	吉	中	中	吉	凶	中	吉	凶	凶	吉	中	中	祭祀修廚	十一丙寅火角除	掃舍嫁娶納采開張立約交易動土移徙入伙除服安葬
十四星期五	中	中	吉	凶	中	中	吉	凶	中	凶	中	中		十二丁卯火亢滿	祭祀出行開張安門除服
十五星期六	中	吉	凶	吉	中	吉	中	凶	吉	吉	凶	中	置產	十三戊辰木氐平	修飾垣牆
十六星期日	吉	凶	吉	中	中	中	吉	凶	吉	中	中	吉	遠行行喪	十四己巳木房定	祭祀嫁娶納采立約交易動土安門
十七星期一	凶	吉	吉	中	中	中								十五庚午土心執	祭祀祈福嫁娶開張動土出行入伙

西曆二〇二二年一月（農曆十二月小）

日期	時辰吉凶	忌	干支	宜
十八星期二	午吉未凶申吉酉凶戌中亥中	釀酒	十六辛未土尾破	破屋壞垣
十九星期三	子吉丑吉寅凶卯吉辰吉巳吉午中未凶申凶酉吉戌中亥中	安床	十七壬申金箕危	祭祀開張交易安葬
二十星期四	子吉丑吉寅吉卯凶辰吉巳吉午中未凶申吉酉中戌中亥中	動土詞訟破屋壞垣	十八癸酉金斗成	掃舍嫁娶開張入伙成服安葬
廿一星期五	子中丑吉寅吉卯吉辰凶巳吉午凶未凶申中酉中戌中亥中	開倉出財	十九甲戌火牛收	祭祀捕捉
廿二星期六	子吉丑吉寅吉卯吉辰中巳凶午中未凶申中酉中戌中亥中	嫁娶釀酒	二十乙亥火女開	修造動土
廿三星期日	子吉丑吉寅中卯中辰凶巳吉午凶未凶申中酉吉戌吉亥吉	修廚	廿一丙子水虛閉	立約交易安葬
廿四星期一	子吉丑中寅中卯凶辰中巳吉午吉未凶申中酉吉戌中亥吉	行喪	廿二丁丑水危建	立約交易
廿五星期二	子中丑吉寅凶卯吉辰吉巳吉午吉未凶申凶酉中戌中亥中	祭祀置產	廿三戊寅土室除	掃舍嫁娶開張交易動土移徙入伙安床
廿六星期三	子吉丑凶寅吉卯吉辰中巳中午吉未凶申中酉凶戌中亥凶		廿四己卯土壁滿	祭祀納采開張交易納財
廿七星期四	子凶丑吉寅吉卯中辰吉巳吉午吉未凶申中酉中戌凶亥吉		廿五庚辰金奎平	嫁娶平治道塗修飾垣牆
廿八星期五	子中丑吉寅吉卯中辰中巳吉午吉未凶申中酉凶戌吉亥凶	遠行釀酒除服	廿六辛巳金婁定	祭祀祈福納采移徙修造動土修倉
廿九星期六	子凶丑吉寅吉卯吉辰中巳吉午中未凶申凶酉中戌中亥吉		廿七壬午木胃執	捕捉嫁娶開張修造動土入伙安床成服安葬
三十星期日	子吉丑凶寅吉卯吉辰中巳吉午吉未凶申中酉中戌吉亥中	開張詞訟	廿八癸未木昴破	破屋壞垣
卅一星期一	子吉丑吉寅凶卯中辰吉巳吉午凶未凶申吉酉吉戌中亥中	開倉出財安床	廿九甲申水畢危	祭祀掃舍開張納財動土出行移徙釀酒安葬

蘇民峰二〇二一牛年運程

作者

蘇民峰

責任編輯

嚴瓊音

造型攝影

Polestar Studio

裝幀設計

鍾啟善

出版者

圓方出版社

香港北角英皇道 499 號北角工業大廈 20 樓

電話：2564 7511

傳真：2565 5539

電郵：info@wanlibk.com

網址：http://www.wanlibk.com

http://www.facebook.com/wanlibk

發行者

香港聯合書刊物流有限公司

香港新界大埔汀麗路 36 號

中華商務印刷大廈 3 字樓

電話：2150 2100

傳真：2407 3062

電郵：info@suplogistics.com.hk

承印者

中華商務彩色印刷有限公司

香港新界大埔汀麗路 36 號

規格

32 開 (216mm X 142mm)

出版日期

二〇二〇年九月第一次印刷

Published in Hong Kong by Forms Publications,

a division of Wan Li Book Company Limited.

ISBN 978-962-14-7266-3

蘇民峰教室

從一九八六年正式開班教學至二〇一一年，已有二十五個年頭。期間有苦有樂，苦則每個星期要定時教學，自由度受限制，較難有長久之假期；樂則看見大部分學生學成以後，對中國之傳統學問都有所認識，知悉中國玄學、術數、命理、風水等並非迷信的東西，從而解開一般人對術數的疑團，因一般人對命理風水不是過分迷信，就是過分排斥，大多不能用較中肯正確的角度去分析。

在這三十年，看見從當初教學之時，大部分學生皆比我年長，至近年大部分學生都比我年幼，就知道光陰已悄悄地溜走。在這二十多年教學生涯中，我總算做到了「教師不仁，以學生為芻狗」的境地——我對每一個學生均無特別喜愛，亦無怨恨，只要他們上課時真的學到了應有的知識，我已於願足矣。在這二十多年間，我總算能無私地教授，雖然有時對學生是兇了一點，但都是出於恨鐵不成鋼之心，當中並無涉及私人感情。幸而這二十多年的努力總算沒有白費，因有很多學生都已成材，有的已加入這行業，有的甚至把我的學問再傳授予下一代，總算能把正確的風水命理知識發揚光大。再進一步，我當然希望能逐漸把迷信杜絕，但這任務可能要留給我的學生去做了。因本人教學至近幾年，已開始覺得有點身心疲累，可能不再教下去了，所以從二〇一一年起開始停教所有蘇派「寒熱命」命理、面相、掌相、文王卦，以及風水，只餘下私人教授，讓有志從事這行業的人學習。

私人個別教授

蘇派風水——八字、飛星、九宮飛佈等風水綜合混用。（共二十課，每課一小時）

費用：八十萬元正

蘇派八字——從傳統宋代子平至本人所創的寒熱命論，深入淺出讓你能完全掌握傳統八字後再轉到寒熱命，令你能知己知彼，鑒古知今。（共四十課，每課一小時）

費用：一百六十萬元正

全科——蘇派風水、八字寒熱命、面相、掌相。（共八十課，每課一小時）

費用：三百萬元正

註：先付二十萬元訂金，再留下本人八字、掌面相影印本，有天份有緣份者再商談上課時間，無緣份者訂金全數退回。